ÉDITO

Méthode de français

Cécile Pinson (coordination)

Anouch Bourmayan
Isabelle Cros
Élodie Heu-Boulhat
Julien Kohlmann
Marion Lecardonnel Baudet
Jessica Mercer
Mylène Molinaro
Marie Rabin
Jérôme Rambert
Magali Risueno

didier

CW00411195

Couverture : Primo & primo
Principe de maquette : Christian Dubuis-Santini © Agence Mercure
Déclinaison de maquette : Primo & primo
Mise en page : Linéale
Édition : Sophie Hamon / Imaginemos
Relecture : Charlotte Devals
Photogravure : RVB

Enregistrements, montage et mixage des audios : Quali'sons
Formatage des vidéos, authoring DVD : INIT Éditions-Productions

PAPIER À BASE DE FIBRES CERTIFIÉES

éditions didier s'engagent pour l'environnement en réduisant l'empreinte carbone de leurs livres. Celle de cet exemplaire est de :

1 kg éq. CO$_2$

Rendez-vous sur www.editionsdidier-durable.fr

© Les Éditions Didier, 2018
ISBN 978-2-278-09096-9
Dépôt légal : 9096/04

Achevé d'imprimer en Italie en juin 2019 par L.E.G.O. (Lavis).

Avant-propos

ÉDITO est une collection sur **5 niveaux** du CECRL du **A1** au **C1**. Cet ouvrage Édito C1 s'adresse aux étudiants adultes ou grands adolescents ayant acquis le niveau B2 du CECRL. Il couvre le **niveau C1** et permet aux apprenants de se présenter au **DALF C1** (> une épreuve DALF complète est dans le cahier d'activités p. 154).

>> Le manuel : les clés pour comprendre et les idées pour débattre vite

• Dans la continuité de la collection, à l'écoute du terrain et des pratiques des enseignants, nous avons eu à cœur de répondre aux besoins des utilisateurs de niveau C1 et d'y apporter ce même souffle nouveau porté par ÉDITO depuis 2006. Face aux contraintes réelles d'investissement personnel des apprenants en termes de travail et de disponibilité, PLAISIR, LIBERTÉ, PÉRENNITÉ, RAPIDITÉ sont les maîtres-mots qui ont guidé nos choix pour proposer un niveau C1 facilitateur pour faire face à tout type de contexte C1.

• Le manuel comprend ainsi **20 thèmes courts et pérennes** sur des sujets de société inhérents à tout être humain. Le manuel souhaite proposer un véritable espace d'expression pour la classe avec de nombreuses discussions, **Débats** et **Mini-exposé,** pour maximiser le temps de parole et dynamiser la circulation des idées, l'émergence de questionnements et la prise de position. Il vise à être source d'idées et d'exemples concrets pour les apprenants afin de donner corps à leurs productions.

• La dimension culturelle forte et l'hétérogénéité des supports mêlant des sujets grand public (consommation, mode, amour, gastronomie, travail, fête...) et des sujets plus spécialisés (littérature, éthique, genre, histoire, éducation aux médias...) permettent de travailler la compréhension (écrite et orale) de supports courts et longs et d'étoffer les connaissances socioculturelles. L'apprenant trouvera aussi l'opportunité d'une plongée dans le **quotidien** avec des enregistrements de tranches de vie et du langage standard, familier dans la page **Au cœur du quotidien.**

• Des outils **facilitateurs** jalonnent le thème pour fournir des repères immédiats aux apprenants. En première page de chaque thème, un sommaire expose les objectifs visés dans le manuel et la production écrite finale à réaliser dans le cahier d'activités. Les encarts **Aide à la lecture** encouragent les apprenants à repérer les particularités linguistiques du texte, à comprendre comment et en quoi la langue contribue au discours. L'encadré Au fait apporte, quant à lui, un éclairage sociétal. S'inscrivant dans notre époque connectée, l'activité Fil de discussion met à l'honneur l'interaction écrite : débat d'idées sur des forums, blogs ou réseaux sociaux.

• Les pages Vocabulaire enrichissent les champs lexicaux des thèmes et proposent des activités de réemploi.

• En fin d'unité, on trouvera soit une page **Au cœur du quotidien** offrant la possibilité d'approfondir la compréhension de locuteurs natifs dans un registre oral informel – son réemploi est facilité par des jeux de rôles ludiques et des encadrés d'aide à la communication –, soit une page Jeux de culture générale pour enrichir la culture générale francophone en s'amusant.

>> Le cahier d'activités : les outils pour construire en douceur

• Le cahier rassemble tous les outils méthodologiques de l'apprenant : fiches méthodologiques, révision des principaux points de grammaire, approfondissement du lexique, outils d'écriture, modèles de plans et corrigés commentés pour servir la production écrite (essai argumentatif, exposé oral, résumé, synthèse, écriture créative). Par souci d'efficacité pour les apprenants et de gain de temps, le cahier s'appuie sur les textes étudiés en classe et chaque thème est ouvert par l'objectif de la production écrite à faire en fin de thème dans une démarche structurée : enrichir son lexique, consolider sa grammaire, produire.

Les auteurs

1 Séries mania

Livre de l'élève - p. 11-18

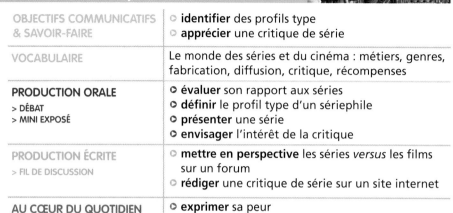

OBJECTIFS COMMUNICATIFS & SAVOIR-FAIRE	◌ **identifier** des profils type ◌ **apprécier** une critique de série
VOCABULAIRE	Le monde des séries et du cinéma : métiers, genres, fabrication, diffusion, critique, récompenses
PRODUCTION ORALE > DÉBAT > MINI EXPOSÉ	◌ **évaluer** son rapport aux séries ◌ **définir** le profil type d'un sériephile ◌ **présenter** une série ◌ **envisager** l'intérêt de la critique
PRODUCTION ÉCRITE > FIL DE DISCUSSION	◌ **mettre en perspective** les séries *versus* les films sur un forum ◌ **rédiger** une critique de série sur un site internet
AU CŒUR DU QUOTIDIEN	◌ **exprimer** sa peur

Cahier d'activités **THÈME 1**

🔊 **ENRICHIR SON LEXIQUE**
Le monde des séries et du cinéma

📖 **CONSOLIDER SA GRAMMAIRE**
S'approprier l'adjectif, les préfixes et les suffixes

✏️ **PRODUIRE** > ESSAI
S'exprimer sur l'impact du phénomène sériel

LES ARTICULATEURS

2 SOS sens critique

Livre de l'élève - p. 19-24

OBJECTIFS COMMUNICATIFS & SAVOIR-FAIRE	◌ **saisir** l'enjeu de l'éducation aux médias ◌ **diagnostiquer** la diffusion des fausses informations
VOCABULAIRE	L'éducation aux médias : course à l'info, travail du journaliste, risques, désinformation, décryptage, expressions
PRODUCTION ORALE > DÉBAT > MINI EXPOSÉ	◌ **préciser** son usage des médias ◌ **commenter** les théories du complot ◌ **éduquer** aux médias ◌ **présenter** un événement et son traitement médiatique
PRODUCTION ÉCRITE > FIL DE DISCUSSION	◌ **témoigner** en ligne sur une *fake news* ◌ **interroger** un consortium d'avocats en ligne
JEUX DE CULTURE GÉNÉRALE	

Cahier d'activités **THÈME 2**

🔊 **ENRICHIR SON LEXIQUE**
L'éducation aux médias et à l'information

📖 **CONSOLIDER SA GRAMMAIRE**
Caractériser la nature de la préposition « de » + article

✏️ **PRODUIRE** > EXPOSÉ ORAL
Argumenter sur la prégnance de la théorie du complot auprès des jeunes

LES ARTICULATEURS

3 Ah la vache !

Livre de l'élève - p. 25-30

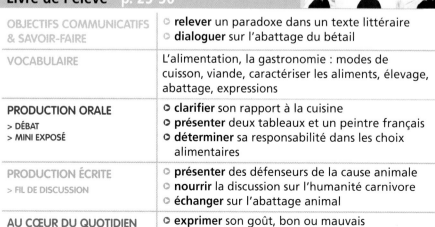

OBJECTIFS COMMUNICATIFS & SAVOIR-FAIRE	◌ **relever** un paradoxe dans un texte littéraire ◌ **dialoguer** sur l'abattage du bétail
VOCABULAIRE	L'alimentation, la gastronomie : modes de cuisson, viande, caractériser les aliments, élevage, abattage, expressions
PRODUCTION ORALE > DÉBAT > MINI EXPOSÉ	◌ **clarifier** son rapport à la cuisine ◌ **présenter** deux tableaux et un peintre français ◌ **déterminer** sa responsabilité dans les choix alimentaires
PRODUCTION ÉCRITE > FIL DE DISCUSSION	◌ **présenter** des défenseurs de la cause animale ◌ **nourrir** la discussion sur l'humanité carnivore ◌ **échanger** sur l'abattage animal
AU CŒUR DU QUOTIDIEN	◌ **exprimer** son goût, bon ou mauvais

Cahier d'activités **THÈME 3**

🔊 **ENRICHIR SON LEXIQUE**
L'alimentation

📖 **CONSOLIDER SA GRAMMAIRE**
Exprimer un paradoxe

✏️ **PRODUIRE** > ESSAI
Contribuer à un débat sur la consommation de la viande

LES ARTICULATEURS

4 La mémoire dans la peau

OBJECTIFS COMMUNICATIFS & SAVOIR-FAIRE	○ **approfondir** ses connaissances scientifiques sur la mémoire ○ **décrire** des techniques de mémorisation
VOCABULAIRE	La mémoire : types, données, description, ressasser, perte, maladie, commémorer, expressions
PRODUCTION ORALE > DÉBAT > MINI EXPOSÉ	○ **tester** des techniques pour mémoriser et oublier ○ **dévoiler** sa madeleine de Proust ○ **méditer** sur le droit à l'oubli ○ **exposer** un état des lieux d'une maladie cérébrale
PRODUCTION ÉCRITE > FIL DE DISCUSSION	○ **partager** ses techniques de mémorisation auprès d'un journal de l'université ○ **débattre** du poids des souvenirs
AU CŒUR DU QUOTIDIEN	○ **rassurer** quelqu'un

Cahier d'activités — THÈME 4

🎧 ENRICHIR SON LEXIQUE
La mémoire

CONSOLIDER SA GRAMMAIRE
Sonder le système pronominal

PRODUIRE > SYNTHÈSE
Synthétiser deux textes scientifiques sur la mémorisation

5 Vertiges de l'amour

OBJECTIFS COMMUNICATIFS & SAVOIR-FAIRE	○ **interpréter** un texte littéraire ○ **repérer** l'implicite dans le discours
VOCABULAIRE	L'amour : relations, symptômes, séduction, actions, amour heureux, malheureux, expressions
PRODUCTION ORALE > DÉBAT > MINI EXPOSÉ	○ **échanger** sur le mythe de la désirabilité ○ **pointer** les lieux romantiques de Paris ○ **imaginer** le procès de Cupidon ○ **partager** sa vision du couple
PRODUCTION ÉCRITE > FIL DE DISCUSSION	○ **échanger** des points de vues sur le remords ○ **apporter** votre ressenti sur la jalousie
JEUX DE CULTURE GÉNÉRALE	

Cahier d'activités — THÈME 5

🎧 ENRICHIR SON LEXIQUE
L'amour

CONSOLIDER SA GRAMMAIRE
Construire des phrases complexes

PRODUIRE > ÉCRITURE CREATIVE
Traduire la vision de l'amour d'un personnage fictif

LES ARTICULATEURS

6 La famille dans tous ses états

OBJECTIFS COMMUNICATIFS & SAVOIR-FAIRE	○ **s'informer** sur la révolution sociétale de la famille ○ **débattre** de l'évolution de la famille
VOCABULAIRE	La famille : composition, union, séparation, filiation Les grands-parents : liens relationnels, rôles, seniors, jeunesse, expressions
PRODUCTION ORALE > DÉBAT > MINI EXPOSÉ	○ **établir** un état des lieux mondial de la PMA et GPA ○ **mesurer** l'évolution de la société et de la famille ○ **juger** si le législateur est en phase avec la société ○ **mettre en lumière** les droits des grands-parents
PRODUCTION ÉCRITE > FIL DE DISCUSSION	○ **échanger** sur la GPA/PMA sur un réseau social ○ **poster** un avis sur les rapports intergénérationnels
AU CŒUR DU QUOTIDIEN	○ **exprimer** son ras-le-bol

Cahier d'activités — THÈME 6

🎧 ENRICHIR SON LEXIQUE
La famille

CONSOLIDER SA GRAMMAIRE
Approfondir la mise en relief

PRODUIRE > ESSAI
Argumenter sur la disparition de la famille

LES ARTICULATEURS

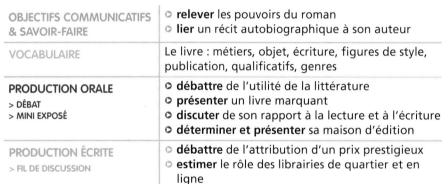

10 Les sens dans tous les sens

Livre de l'élève - p. 75-80

OBJECTIFS COMMUNICATIFS & SAVOIR-FAIRE	○ **décortiquer** une forme poétique ○ **s'imprégner** du monde des sens
VOCABULAIRE	Les sensations : les cinq sens, expressions
PRODUCTION ORALE > DÉBAT > MINI EXPOSÉ	○ **hiérarchiser** les sens ○ **associer** un sens à un autre ○ **déterminer** vos préférences olfactives ○ **reconstituer** l'histoire d'un parfum ○ **raconter** une scène sans paroles
PRODUCTION ÉCRITE > FIL DE DISCUSSION	○ **se positionner** sur notre animalité ○ **partager** son point de vue sur l'odorat
AU CŒUR DU QUOTIDIEN	○ **caractériser** les aliments

Cahier d'activités THÈME 10

ENRICHIR SON LEXIQUE
Les sensations

CONSOLIDER SA GRAMMAIRE
Explorer les figures de style

PRODUIRE > ÉCRITURE CRÉATIVE
Imaginer un monde dépourvu d'un sens
LES ARTICULATEURS

11 Guerres des mondes

Livre de l'élève - p. 81-86

OBJECTIFS COMMUNICATIFS & SAVOIR-FAIRE	○ **déceler** les caractéristiques de la guerre moderne ○ **mesurer** les enjeux de cyberattaques
VOCABULAIRE	La guerre : armée, armes, soldats, matériels, diplomatie, combattre, expressions
PRODUCTION ORALE > DÉBAT > MINI EXPOSÉ	○ **se positionner** sur la guerre moderne ○ **imaginer** un monde sans guerre ○ **relater** un conflit ○ **caractériser** les commémorations
PRODUCTION ÉCRITE > FIL DE DISCUSSION	○ **réagir** au terrorisme ○ **évaluer** les risques des cyberattaques
JEUX DE CULTURE GÉNÉRALE	

Cahier d'activités THÈME 11

ENRICHIR SON LEXIQUE
La guerre

CONSOLIDER SA GRAMMAIRE
Rendre un texte neutre et distancié

PRODUIRE > ESSAI
Donner sa perception de la guerre
LES ARTICULATEURS

12 Sous toutes les coutures

Livre de l'élève - p. 87-92

OBJECTIFS COMMUNICATIFS & SAVOIR-FAIRE	○ **percevoir** l'impact de la mode sur la société ○ **débattre** de la liberté de s'habiller
VOCABULAIRE	La mode : vêtements, accessoires, matières, couture, look, styles, expressions
PRODUCTION ORALE > DÉBAT > MINI EXPOSÉ	○ **analyser** son rapport à la mode ○ **arbitrer** sur le rôle de l'image ○ **commenter** la mode high tech ○ **estimer** la valeur éthique d'un vêtement
PRODUCTION ÉCRITE > FIL DE DISCUSSION	○ **positionner** la mode face aux différences socio-économiques ○ **réagir** au tabou de la nudité
JEUX DE CULTURE GÉNÉRALE	

Cahier d'activités THÈME 12

ENRICHIR SON LEXIQUE
La mode

CONSOLIDER SA GRAMMAIRE
Distinguer les registres courants, familiers et soutenus

PRODUIRE > EXPOSÉ
Déclarer son admiration pour un style vestimentaire
LES ARTICULATEURS

13 La faim de la consommation

Livre de l'élève - p. 93-98

OBJECTIFS COMMUNICATIFS & SAVOIR-FAIRE	○ **discerner** le lien entre la consommation et le bonheur ○ **dénoncer** les stratégies consommatoires
VOCABULAIRE	La consommation : marketing, militantisme, plaisir, dépense, consommation responsable, expressions
PRODUCTION ORALE > DÉBAT > MINI EXPOSÉ	○ **examiner** son profil de consommateur ○ **présenter** un penseur sociologique ○ **décrypter** la place de la publicité ○ **juger** une publicité
PRODUCTION ÉCRITE > FIL DE DISCUSSION	○ **adhérer** ou non à la décroissance ○ **se positionner** face à l'invasion de la publicité numérique
AU CŒUR DU QUOTIDIEN	○ **exprimer** son incrédulité et son indignation

Cahier d'activités **THÈME 13**

🔊 **ENRICHIR SON LEXIQUE**
La consommation

💬 **CONSOLIDER SA GRAMMAIRE**
Affiner son propos avec des périphrases verbales

✏️ **PRODUIRE** > ESSAI
Argumenter sur le lien entre bonheur et consommation

14 À la folie

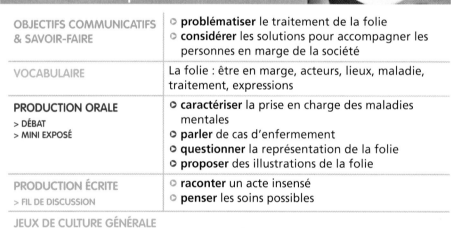

Livre de l'élève - p. 99-104

OBJECTIFS COMMUNICATIFS & SAVOIR-FAIRE	○ **problématiser** le traitement de la folie ○ **considérer** les solutions pour accompagner les personnes en marge de la société
VOCABULAIRE	La folie : être en marge, acteurs, lieux, maladie, traitement, expressions
PRODUCTION ORALE > DÉBAT > MINI EXPOSÉ	○ **caractériser** la prise en charge des maladies mentales ○ **parler** de cas d'enfermement ○ **questionner** la représentation de la folie ○ **proposer** des illustrations de la folie
PRODUCTION ÉCRITE > FIL DE DISCUSSION	○ **raconter** un acte insensé ○ **penser** les soins possibles
JEUX DE CULTURE GÉNÉRALE	

Cahier d'activités **THÈME 14**

🔊 **ENRICHIR SON LEXIQUE**
La folie

💬 **CONSOLIDER SA GRAMMAIRE**
Enrichir les expressions de cause et de conséquence

✏️ **PRODUIRE** > SYNTHÈSE
Comparer deux textes sur le soin de la folie en France
LES ARTICULATEURS

15 L'imagination au pouvoir

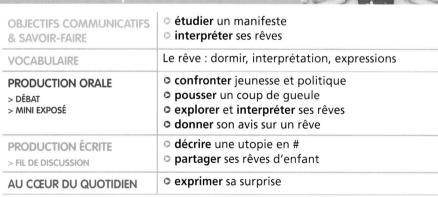

Livre de l'élève - p. 105-110

OBJECTIFS COMMUNICATIFS & SAVOIR-FAIRE	○ **étudier** un manifeste ○ **interpréter** ses rêves
VOCABULAIRE	Le rêve : dormir, interprétation, expressions
PRODUCTION ORALE > DÉBAT > MINI EXPOSÉ	○ **confronter** jeunesse et politique ○ **pousser** un coup de gueule ○ **explorer** et **interpréter** ses rêves ○ **donner** son avis sur un rêve
PRODUCTION ÉCRITE > FIL DE DISCUSSION	○ **décrire** une utopie en # ○ **partager** ses rêves d'enfant
AU CŒUR DU QUOTIDIEN	○ **exprimer** sa surprise

Cahier d'activités **THÈME 15**

🔊 **ENRICHIR SON LEXIQUE**
Le rêve

💬 **CONSOLIDER SA GRAMMAIRE**
Exprimer des nuances à l'aide des modes verbaux

✏️ **PRODUIRE** > ÉCRITURE CRÉATIVE
Écrire une chronique sur une utopie

16 Travail, modes d'emploi

Livre de l'élève - p. 111-116

OBJECTIFS COMMUNICATIFS & SAVOIR-FAIRE	⊙ **envisager le** revenu universel ⊙ **prendre conscience** de l'uberisation du monde du travail
VOCABULAIRE	Le travail : activité professionnelle, hiérarchie, frais, difficultés, rémunération, expressions
PRODUCTION ORALE > DÉBAT > MINI EXPOSÉ	⊙ **s'interroger** sur le travail et la rémunération ⊙ **enquêter** sur l'allocation chômage ⊙ **soutenir** sa vision du travail ⊙ **défendre** l'économie collaborative
PRODUCTION ÉCRITE > FIL DE DISCUSSION	⊙ **envisager** des solutions d'aide aux démunis ⊙ **affirmer** ses valeurs
JEUX DE CULTURE GÉNÉRALE	

Cahier d'activités THÈME 16

ⓘ **ENRICHIR SON LEXIQUE**
Le travail

CONSOLIDER SA GRAMMAIRE
Renforcer la cohérence d'une argumentation par la reprise

PRODUIRE > ESSAI
Écrire un texte argumenté sur les nouvelles formes de travail

17 La fabrique du mâle

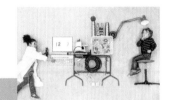

Livre de l'élève - p. 117-122

OBJECTIFS COMMUNICATIFS & SAVOIR-FAIRE	⊙ **penser** l'espace public ⊙ **évaluer** les représentations du genre
VOCABULAIRE	Le genre : discrimination, égalité, stéréotypes, espace public, impacts, agir, expressions
PRODUCTION ORALE > DÉBAT > MINI EXPOSÉ	⊙ **poser** les enjeux de mixité dans l'espace public ⊙ **pointer** les origines des inégalités ⊙ **débattre** de l'émancipation des genres ⊙ **enquêter** sur l'histoire de la virilité
PRODUCTION ÉCRITE > FIL DE DISCUSSION	⊙ **sensibiliser** les autres à agir ⊙ **définir** masculinité et virilité
AU CŒUR DU QUOTIDIEN	⊙ **exprimer** son désaccord

Cahier d'activités THÈME 17

ⓘ **ENRICHIR SON LEXIQUE**
Le genre

CONSOLIDER SA GRAMMAIRE
Agrémenter son discours de comparatifs et de superlatifs

PRODUIRE > ESSAI
Écrire un billet d'humeur sur le genre et l'émancipation
LES ARTICULATEURS

18 À la vie, à la mort

Livre de l'élève - p. 123-130

OBJECTIFS COMMUNICATIFS & SAVOIR-FAIRE	⊙ **appréhender** la médicalisation de la naissance et de la mort ⊙ **saisir** la révolution de l'utérus artificiel
VOCABULAIRE	La naissance : étapes de la vie, métiers, contraception La mort : pompes funèbres, mourir, sentiments, expressions
PRODUCTION ORALE > DÉBAT > MINI EXPOSÉ	⊙ **passer en revue** l'histoire de la procréation ⊙ **enquêter** sur la cryoconservation ⊙ **jouer** une scène de film ⊙ **réaliser** un panorama législatif
PRODUCTION ÉCRITE > FIL DE DISCUSSION	⊙ **réagir** à une prise de position affichée sur les réseaux sociaux ⊙ **mentionner** la prise en charge des personnes âgées
JEUX DE CULTURE GÉNÉRALE	

Cahier d'activités THÈME 18

ⓘ **ENRICHIR SON LEXIQUE**
La naissance & la mort

CONSOLIDER SA GRAMMAIRE
Approfondir le discours rapporté

PRODUIRE > ESSAI
Soutenir un projet de loi dans une lettre ouverte
LES ARTICULATEURS

Attention !
Les pistes audio de l'épreuve complète DALF C1 se trouvent sur le DVD-rom du livre de l'élève

Séries mania

OBJECTIFS

- Identifier des profils type
- Apprécier une critique de série

Cahier THÈME 1 d'activités

- S'approprier l'adjectif, les préfixes et les suffixes
- ESSAI S'exprimer sur l'impact du phénomène sériel

A Séries : à chacun sa tactique

Elles sont sur toutes les chaînes, dans tous les pays... Impossible d'y échapper. Face à cette profusion, l'amateur doit apprendre à s'organiser. Boulimique, débordé, fidèle ou exigeant : il faut choisir son camp [...]

Boulimique

Ça a commencé gamin, sur la Cinq où il a dévoré *Twin Peaks* — il n'y comprenait rien mais c'était bien. Il a vu *Friends* en VF sur France 2 et toutes
5 les Trilogies du samedi de M6. Il a collectionné les intégrales en VHS puis en DVD. Elles s'entassent encore, empoussiérées, dans son salon. Puis les forums sont arrivés sur Internet. Les conseils d'inconnus par milliers, irrésistibles. Avec
10 l'apparition du téléchargement illégal, sa vie est devenue un enfer. Il adore ça. Il veut goûter un peu à tout. Il a connu eMule, navigué sur Pirate Bay, se rachète une conduite en se branchant sur Netflix, Amazon, toutes les plateformes de
15 SVOD légales. Un œil sur ses écrans — télévision, ordinateur, tablette, téléphone, tout est bon —, l'autre sur les réseaux sociaux, il vit sous perfusion sérielle. Son pire cauchemar ? S'entendre dire « Quoi, t'as pas vu ça ? ». Ces
20 dernières années, il a découvert avec joie et effroi qu'il n'y a pas que les Anglo-Saxons qui font des séries et a dévoré *The Killing, Gomorra* et *Narcos*. Il regarde aussi les françaises, en attendant que les Ouzbeks s'y mettent. Chaque
25 jour, une appli fait sonner son smartphone pour lui rappeler ce qu'il doit voir. Il « binge », il a déjà « speedwatché », et si d'autres techniques de visionnage accéléré apparaissent, il les testera. Il court avec plaisir, il rame avec bonheur mais
30 il sait que sa mission est impossible. Alors il saute parfois des épisodes, compense en lisant des résumés en ligne, apprend à faire semblant d'être à jour, ment parfois en soirées quand on lui parle de ce qu'il a raté. Il sait qu'il va falloir qu'il
35 apprenne à lâcher prise. À soigner son fantasme d'omniscience. En attendant, il s'empiffre avec délectation. (Pierre Langlais)

Fidèle

Son premier credo : « Tu n'abandonneras jamais
40 ta série bien aimée ». Même si elle dure depuis une éternité, même si elle donne des signes d'essoufflement. Le Fidèle, par exemple, s'ennuie ferme depuis deux ou trois saisons sur les douze de *Supernatural* mais espère encore et
45 toujours que les frères Winchester, casseurs de monstres jadis si rigolos, aujourd'hui beaucoup moins, vont finir par se reprendre. Le Fidèle est un grand sentimental. Il s'attache tellement à ses héros fétiches qu'il n'arrive jamais à décro-
50 cher, revisite régulièrement ses vieux potes à la retraite de *Battlestar Galactica, True Blood* ou

Six Feet Under, séries pourtant définitivement terminées. Il vit chaque régénération du *Docteur Who* (le héros « mue » et change d'apparence,
55 donc d'interprète) comme un deuil personnel. Mais, entre deux saisons, ses séries préférées lui manquent tellement qu'il se crée de nouvelles dépendances affectives. Dernières rencontres en date, les adorables gamins de *Stranger Things*,
60 les androïdes énigmatiques de *Westwolrld* ou encore le sensible voyageur temporel de *22.11.63* et rejoint un réseau d' « amis » qui ne cesse de grossir, puisque personne n'en sort jamais. Le fidèle est un cumulard. En abordant *American*
65 *Gods*, la série inspirée par le roman fantastique de Neil Gaiman, il se demande s'il est raisonnable d'ajouter une cohorte de dieux païens à son carnet de rendez-vous déjà débordant. Mais il faut bien tenir le coup en attendant la septième
70 saison de *Game of Thrones*. (Cécile Mury)

Exigeant

L'Exigeant est un ancien Boulimique qui se soigne. Il a finalement choisi de privilégier la qualité sur la quantité, et suit une diète dras-
75 tique et méthodique. Fini les séries grand public interminables, de type *Mentalist*, qu'il regardait d'un œil distrait. Elles doivent désormais sortir de l'ordinaire et lui offrir des chocs esthétiques, narratifs, voire métaphysiques. Pour les
80 débusquer, il regarde tous les pilotes, épluche les plateformes VOD et se crée des listes avec ce qu'il juge essentiel. Tel un chercheur d'or, il resserre le maillage de son tamis pour ne

garder que les pépites. Afin d'économiser son précieux temps, il consent à abandonner des séries prometteuses qui s'égarent au bout de quelques saisons (*House of cards*). Astuce : il attend de savoir si la série est renouvelée avant de la commencer, pour s'assurer un suivi.

L'Exigeant se méfie des tendances et préfère par exemple aux armées de superhéros en vogue, terriblement chronophages, l'audace visuelle de l'unique *Legion*. À l'exception de *Fargo*, il abhorre les reboots et remakes sans saveur (*Rush Hour, Dallas...*). Lassé par une grande partie de la production américaine, il explore désormais l'Europe et le reste du monde. Le Nordic noir et scandinave et le savoir-faire so british n'ont plus de secrets pour lui. Ne lui parlez pas de *Homeland*, il préfère l'originale israélienne, *Hatufim*. Dernièrement, la série carcérale argentine *El Marginal* le séduit plus que le retour de *Prison Break*. Snob et bobo, l'Exigeant ? Ses goûts sont peut-être bohèmes mais pas question de s'embourgeoiser, il aime prendre des risques... mais s'accorde tout de même, en cachette, le droit de revenir à certaines sitcoms historiques, comme *The Big Bang Theory*, pour une pause cocooning, avant de repartir à l'aventure. N'allez pas le répéter, cela nuirait à sa crédibilité ! (Sébastien Mauge).

Débordé

Un soir, la réalité l'a rattrapé. Il était largué. L'envie de regarder des séries s'est transformée en crise d'angoisse. Fallait-il sauter sur la nouvelle « sensation » de Netflix, poursuivre l'enquête dans *Engrenages*, s'effondrer devant *This is us* ou infiltrer *Le bureau des Légendes* ? Lui venait fugitivement la nostalgie du temps où la passion restait sous contrôle. Suivre *Desperate Housewives* et *Six feet under* au rythme de la diffusion hebdomadaire, c'était simple. Aujourd'hui, fini le délicieux frisson de l'attente. Par la magie de la VOD, les saisons entières lui tombent dans les bras d'un seul coup. Alors, le fan débordé échafaude des plans d'action. Ne plus jamais dormir ? Risqué. Ne regarder que les séries avec Thierry Godard ? Tentant mais bizarre. Ne s'intéresser qu'aux tueurs en série ? Extrême... Pragmatique, il a décidé de s'arrêter aux premières saisons (idée judicieuse pour *True detective* et *Mr Robot*), de privilégier les séries disparues prématurément ou les anthologies (imbattable, *Black Mirror* boucle chaque intrigue en un épisode)... Il vénère *Sherlock* et son rendement minimal : trois épisodes tous les deux ans. Du surmenage au snobisme, il n'y a qu'un pas : en se concentrant uniquement sur les chefs-d'œuvre (*The Wire, Mad Men, The leftovers*), le sériephile gagne un temps précieux... et une grosse frustration. Le salut est finalement venu de l'industrie elle-même. Consciente de l'imminence du burn-out collectif, elle mise aujourd'hui sur les mini-séries. Le format, qui était déjà une spécialité british, se limite à trois ou six épisodes et garantit une vraie fin. La récente *Flowers*, épatante comédie noire de Channel 4, se visionne en trois heures. À peine plus long qu'un film. Vous avez dit paradoxe ? (Isabelle Poitte)

À chacun sa tactique, Quel fan de séries êtes-vous ? © Télérama, n°3522, 12/07/17 - Cécile Mury, Isabelle Poitte, Pierre Langlais, Sébastien Mauge

👍 Aide à la lecture

Pour dresser des portraits stéréotypés, on tend à généraliser. Pour ce faire, on emploie l'article défini singulier (*le*, *la* ou *l'*) comme dans la phrase : « Le Fidèle est un grand sentimental ». L'article défini et le nom peuvent être remplacés par le pronom personnel *il* qui concourt aussi à la généralisation (« il regarde..., il resserre..., il consent..., il attend... »). Si la généralisation est répétée, elle sert à la caricature. Pour désigner ces profils type, les adjectifs sont utilisés comme des noms, par exemple : « **L'Exigeant** est un ancien Boulimique qui se soigne », dans le but de définir des catégories générales d'individus, ce qui donne aussi une lecture caricaturale.

📖 COMPRÉHENSION ÉCRITE

1 Quelles grandes différences faites-vous entre le cinéma et les séries ?

2 Pour chaque profil de sériephile, relevez la phrase qui le définit le mieux ainsi que sa stratégie.

3 Que veut dire l'expression « Il vit sous perfusion sérielle » présente dans le texte sur le fan « boulimique » (lignes 17-18) ?

4 Relevez le vocabulaire médical dans le texte du fan « exigeant » et expliquez la comparaison qui est faite.

5 Pourquoi le journaliste parle-t-il de « paradoxe » à la fin du texte consacré au fan « débordé » ?

6 Quelle est l'attitude de l'industrie cinématographique face à cette situation ?

💬 PRODUCTION ORALE

7 En binômes, discutez de votre rapport aux séries en vous aidant des questions suivantes.

> Quel(s) type(s) de séries regardez-vous ? Pourquoi ?

> Quel profil de sériephile est le plus proche du vôtre ? Pourquoi ?

> Votre pays produit-il des séries ? Lesquelles ? Qu'en pensez-vous ?

> Pensez-vous qu'être sériephile peut être comparé à une addiction ? Pourquoi ?

> Par quel moyen regardez-vous les séries : la télévision ? Les plateformes en ligne ? Pourquoi ?

> Quelle image avez-vous de l'industrie des séries ?

> Pensez-vous que la série est le 8ᵉ art ou qu'elle fait partie du cinéma ?

> D'après vous, les acteurs de série sont-ils différents des acteurs de cinéma ?

8 Débat
D'après vous, la série peut-elle sauver la télévision ?

9 Mini-exposé
Par petits groupes, recherchez dans votre entourage une personne qui parle français (francophone natif ou étudiant de votre école) et interrogez-la sur son goût pour les séries. En vous inspirant de l'article de *Télérama*, définissez son profil et présentez-le à la classe lors d'un bref exposé de 10 minutes maximum.

✍️ PRODUCTION ÉCRITE

10 Fil de discussion
On entend dire que les séries sont un phénomène qui passera et, en même temps, que les séries vont bientôt remplacer les films.
Sériephile ou cinéphile : quel est votre camp ? Débattez-en sur un forum consacré au cinéma.

AU FAIT

Séries mania est un festival international qui récompense les séries télévisées du monde entier. Il a été créé en 2009 et se tient chaque année en France. En Belgique, c'est le festival Are you series? qui met à l'honneur les séries télévisées.

B Critique de séries : *Quadras*

Benoît Lagane
France Inter

AU FAIT

Séries dans la francophonie : *Quadras* est aussi diffusée en Belgique. La série française de France 2 *Parents mode d'emploi* a été adaptée en Afrique par TV5 MONDE. En Afrique francophone, la série sénégalaise *C'est la vie* doit en partie son succès à la scénariste Marguerite Abouet, connue pour sa BD *Aya de Yopougon*.

👁 COMPRÉHENSION AUDIOVISUELLE

Visionnez l'émission *Sérierama* qui fait la critique de la série *Quadras*.

Répondez aux questions ci-dessous. Puis, revisionnez-la et complétez vos réponses.

1 Expliquez le choix du titre de la série *Quadras*.

2 Quelles possibilités de développement dans la série le thème du mariage offre-t-il ?

3 Qui sont les personnages clés de la série ? Pourquoi ?

4 Selon Benoît Lagane, en quoi les flash-back apportent-ils une plus-value à la série ?

5 Quelle scène permet au téléspectateur de connaître les personnages ? En quoi ce choix cinématographique est-il pertinent ?

6 Que pense chaque critique de la série ? Conseillent-ils de la regarder ? Pourquoi ?

7 Avez-vous envie de regarder cette série ? Pourquoi ?

💬 PRODUCTION ORALE

8 En binômes, discutez de l'intérêt de la critique dans le domaine culturel à partir des questions suivantes.

> Que pensez-vous du métier de critique de cinéma ?

> Avant de voir une série ou de lire un livre, prenez-vous connaissance des critiques ? Pourquoi ?

> À quel point les critiques de cinéma vous influencent-elles dans vos choix ?

> Mettez-vous dans la peau d'un critique : qu'est-ce qu'une bonne série, selon vous ?

> Comment choisissez-vous une série ?

> Aimez-vous conseiller ou déconseiller une série ou un film à quelqu'un ? Pourquoi ?

9 Mini-exposé

Dans tous les pays, les séries se sont fortement implantées dans le paysage audiovisuel. Par groupes, choisissez une série parmi celles les plus en vogue dans votre pays et présentez-la (acteurs, intrigue, clés du succès) lors d'un bref exposé de 10 minutes.

📝 PRODUCTION ÉCRITE

10 Fil de discussion

Sur le site internet français *www.allocine.fr*, les spectateurs donnent leur avis sur les séries et les films actuellement disponibles sur les plateformes de téléchargement ou au cinéma.

Choisissez une série, faites-en la critique, positive ou négative, en quelques lignes et publiez-la sur le site d'Allocine.

Le monde des séries et du cinéma

Les métiers

un/une accessoiriste
un acteur / une actrice
un bruiteur / une bruiteuse
un cascadeur / une cascadeuse
un/une cinéaste
un coiffeur / une coiffeuse
un créateur / une créatrice de série
un décorateur / une décoratrice
un distributeur
un doubleur, un auteur de doublage / de sous-titrage
une doublure
un/une éclairagiste
un/une exploitant(e) de salles de cinéma
un/une figurant(e)
un habilleur / une habilleuse
un/une ingénieur(e) du son
un maquilleur / une maquilleuse
un metteur / une metteuse en scène
un mixeur
un monteur / une monteuse
un/une perchiste
un personnage principal ≠ secondaire
un producteur / une productrice (exécutif / exécutive)
un réalisateur / une réalisatrice
un/une scripte
un/une scénariste
un second rôle
un/une technicien(ne)

Les genres

un *blockbuster* (angl.)
une comédie
un court-métrage
un feuilleton
un film / une série culte
un film / une série
     d'action
     d'amour
     d'animation
     d'aventure
     dramatique
     d'espionnage
     fantastique
     de guerre
     historique
     d'horreur
     policier / policière
     sentimental(e)
     de superhéros
un film catastrophe
     pour enfants
     d'épouvante
     de gangster
     noir
     de science-fiction

un film X, pornographique
un film documentaire
un film engagé
un film-fleuve
un film / une série interdit(e) aux moins de 12 ans
un film muet ≠ parlant
un film en noir et blanc ≠ en couleurs
un film en VF (en version française)
     en VO (en version originale)
     en VOSTF (en version originale sous-titrée en français)
un long-métrage
un mélodrame
une mini-série
un moyen-métrage
un péplum
une préquelle, un antépisode
une série B
une série judiciaire
une série Z
un/une sitcom
un *soap opera* (angl.)
un *spin-off* (angl.), une série dérivée
une superproduction
un téléfilm
une *telenovela* (esp.)
un thriller
un western

1 **Associez les différents types de séries suivants à leur définition : une série B, une série Z, une mini-série, une *telenovela*, un *soap opera*, une sitcom.**
a. Série télévisée humoristique au budget restreint et de durée réduite (moins de 30 minutes).
b. Série télévisée dont le nombre d'épisodes et la durée sont déterminés au lancement.
c. Feuilleton télévisé populaire américain tourné rapidement.
d. Série à budget réduit et au tournage rapide.
e. Feuilleton quotidien diffusé en soirée en Amérique du Sud.
f. Série de mauvaise qualité, tournée rapidement avec peu de budget.

La fabrication

une adaptation, adapter
une anthologie
une bande-annonce
la bande originale (BO)
le cadrage
un caméo
une caméra
le champ et le contrechamp

un clap (de fin)
un décor
des effets spéciaux (m.)
un épisode
filmer une scène en intérieur, en studio ≠ en extérieur
une fin, un dénouement
un *flash-back* (angl.) ≠ un *flashforward* (angl.)
un générique
l'industrie cinématographique (f.)
l'intégrale (f.) de la saison
interpréter, une interprétation
une intrigue
jouer le rôle de / avoir un rôle
jouer, surjouer
une loge
un *making-of* (angl.)
mixer un film
monter un film
une nuit américaine
une pellicule
une performance
un pilote
un plan : gros plan, hors-plan
un plateau de tournage
un prologue
un (faux) raccord
réaliser une série
un résumé
un rush
une saison
un scénario, scénariser
un *spoiler*, *spoiler* (angl.)
un synopsis
un tournage, tourner
une trilogie

La diffusion

une avant-première
en avant-soirée (ou en *access-prime*, angl.) ≠ en première
partie de soirée (ou en *prime-time*, angl.)
le *binge watching* (angl.)
un Blu-ray
un ciné-club
le cinéma, le ciné, le cinoche (fam.)
un cinéma en / de plein air
une cinémathèque
une diffusion quotidienne / hebdomadaire / mensuelle
un DVD
un écran, un film sur grand écran
en présence de l'équipe du film
une exploitation audiovisuelle / télévisuelle /
vidéographique
une exploitation des droits cinématographiques
faire la promotion d'un film
la lecture vidéo en ligne, le *streaming* (angl.)
le paysage audiovisuel français (ou PAF)
une plateforme de téléchargement légal ≠ illégal
une plateforme de vidéo à la demande (ou VOD) avec
abonnement (SVOD)
une projection
une salle obscure, une salle de cinéma
une séance

la sortie
une télévision, une télé (fam.), une téloche (fam.)
une cassette vidéo VHS

La critique

un audimat
un chef-d'œuvre, une série à succès
un/une cinéphile
consommer, dévorer, regarder, visionner (une série)
divertir, émouvoir, faire peur, faire rire aux larmes
une épaisseur historique
un/une fan, un/une sériephile, un/une accro
une fiction pince-sans-rire / tout en retenue
un film à ne pas rater / manquer
un film admirable, drôle, émouvant, exceptionnel
un film qui coupe le souffle
impressionnant, magistral, passionnant, sublime
un navet, un échec, un film médiocre
des personnages atypiques / sans épaisseur
plein de promesses / de panache
poignant, extrêmement émouvant
la psyché du personnage
un scénario plat
superbe, tendre, touchant
truffé de personnages hauts en couleurs
un univers artificiel, hyper symbolique, très stylisé,
inquiétant, singulier

 **PRODUCTION ÉCRITE**

2 **Vous êtes fan d'un acteur / d'une actrice de
série. Vous lui écrivez une lettre passionnée.**

Les récompenses

les Césars (m.)
être nominé pour le prix de…
être récompensé pour…
le festival de Cannes
une filmographie
gagner / recevoir un prix
la Palme d'or du festival de Cannes
une récompense
la reconnaissance
une remise de prix de…

 3 **Écoutez ces 4 dialogues et trouvez le mot
qui manque à la fin.**

PRODUCTION ORALE

4 **Parlez d'un acteur / d'une actrice ou d'un
réalisateur / d'une réalisatrice connu(e) dans
votre pays. Qu'a-t-il/elle fait ? Pourquoi
est-il/elle célèbre ? Que pensez-vous de son
travail ?**

5 **Vous êtes fan d'un personnage de série.
Présentez-le et expliquez pourquoi vous
l'aimez.**

AU CŒUR DU QUOTIDIEN

1 Que voyez-vous ?
Décrivez le dessin, en particulier le changement d'attitude du personnage de droite.

2 Que pensez-vous du personnage de droite ?
En quoi la situation est-elle humoristique ?

3 Et vous, dans quel personnage vous retrouvez-vous le plus ?
Pourquoi ?

C'est absurde, je suis pas accro à cette série, je la connais depuis à peine 1 semaine !

Ah oui... Et tu as vu combien d'épisodes depuis ?

ooo

les 8 saisons...

CASTORPHENIXLOVER-BLOG.COM

 COMPRÉHENSION ORALE ② **AUDIO**

4 Quelle a été la confusion de Jacqueline, l'amie de la femme qui parle, au sujet de la série *The Killing* ?

5 La femme parle de « poupées russes ». Pourquoi ? Quel est le lien avec les séries dont ils parlent ?

6 Quelle est l'attitude générale de l'homme au cours de la conversation ?

7 Quelles règles de la langue française ne sont pas respectées dans ce dialogue entre amis ? Donnez une règle grammaticale et une règle phonétique.

PRODUCTION ORALE

8 Qu'avez-vous pensé du style de la conversation (registre de langue, débit, intonation) ?

9 Évoquez une série qui vous a effrayé(e), en racontant l'histoire et en décrivant vos impressions et sentiments.

10 Jeux de rôles : Formez des binômes. À la fin de chaque scène, le public vote pour le membre de l'équipe qui lui a le plus plu. Les binômes changent toutes les 3 à 5 minutes au signal de l'arbitre.

Situation : Deux ami(e)s discutent, l'un(e) est un(e) grand(e) fan de séries d'horreur et il/elle veut partager sa passion avec l'autre.

Rôle de l'ami(e) fan : Pensez à une série horrifiante et imaginez comment vous pourriez convaincre votre ami(e) de la regarder.

Rôle de l'autre ami(e) : Réagissez aux propos de votre ami(e) en exprimant votre peur devant ce type de fiction.

Registre : Dramatique.

Exprimer sa peur

> Ah l'angoisse, je te dis pas…
> C'est flippant.*
> Ça donne les chocottes.*
> Ça m'a foutu les pétoches.*
> Et là, grosse montée d'adrénaline !
> Et tu dors bien la nuit, à part ça ?
> Faut pas être pétochard.*
> J'ai eu des sueurs froides rien qu'en écoutant la musique.
> J'ai la gorge nouée.
> J'avais le trouillomètre à zéro* !
> J'avais les foies* / la frousse / les jetons.*
> J'en avais la chair de poule.
> Je te jure, mon cœur battait à 150.
> Oh là là… je n'en menais pas large, je peux te le dire !
> Tu regardes ça, tu flippes à mort*, tu as la peur au ventre, tu balises à mort*, tu pètes de trouille.*
> Tu es livide / mort de peur.

* Familier.

SOS
sens critique

OBJECTIFS

- ○ Saisir l'enjeu de l'éducation aux médias

- ○ Diagnostiquer la diffusion des fausses informations

Cahier **THÈME 2** *d'activités*

- ○ Caractériser la nature de la préposition *de* + article

- ○ **EXPOSÉ ORAL** Argumenter sur la prégnance de la théorie du complot auprès des jeunes

A L'éducation aux médias : une urgence contre la radicalisation

La radicalisation peut commencer très tôt chez les jeunes. Pour éviter cette fermeture des esprits et la fin du dialogue, l'éducation aux médias est un levier pour la fraternité et l'intelligence.

La fin de l'information ?

Sans y prendre garde, nous sommes en train de changer de monde. Si Beuve-Méry[1] pouvait dire « le journal, c'est la réflexion et la radio l'émo-
5 tion » aujourd'hui, nous pouvons dire « l'Internet, c'est la pulsion » (Monique Dagnaud, sociologue et directrice de recherche au CNRS).
Car le monde, à la fois par son accélération totale du temps et sa volonté libérale du sens, a peu
10 à peu fait imploser notre relation aux savoirs, à l'information et au sens. Cette dilution lente de l'information a trois causes essentielles que nous devons comprendre pour agir en éducateur et en citoyen.
15 **(a) « Un excès d'informations rend insensible à l'information »** (Umberto Eco). Peu à peu, sous le tsunami des informations, sous l'influence redondante de l'identique, les jeunes se détachent des médias. Quand la même
20 opinion est copiée et recopiée, quand la part de l'analyse cède devant l'émotion et l'audience, l'information perd de sa pertinence et les jeunes ne croient plus en la valeur des opinions.
La jeunesse est aujourd'hui de plus en plus
25 détachée des modalités classiques d'information. L'information qui forge l'opinion des jeunes n'est plus médiée par des journalistes et cela doit nous alerter sur notre capacité collective à diffuser des analyses et des arguments.
30 **(b) « Les journaux ne sont pas faits pour divulguer les informations mais pour les couvrir »** (Umberto Eco). L'information dans son traitement médiatique a beaucoup changé. L'idée que le travail du journaliste est essentiellement
35 un travail réflexif et objectif a laissé la place à l'info réalité. Émouvoir, plus que décrire, alerter plus qu'expliquer, participer plus que comprendre, les médias en ligne ont aujourd'hui du mal à conquérir de nouveaux publics et les
40 jeunes s'éloignent de ces sources documentées et se méfient des journalistes.
**(c) « Ce qui forme une culture n'est pas la conservation, mais le filtrage. Et Internet est le scandale d'une mémoire sans filtrage, où l'on ne
45 distingue plus l'erreur de la vérité »** (Umberto Eco). Quand il s'agit de faire le tri entre le vrai ou le faux, de savoir distinguer l'information

de l'interprétation, nous sommes souvent en grande difficulté sur le Net.
50 Tout est accessible aujourd'hui. Un propagateur d'idéologie raciste ou terroriste a potentiellement le même accès sur Internet. Plus les jeunes désertent les médias, plus ils apprivoisent des formes nouvelles d'informations.
55 **Vers une éducation active et citoyenne des nouveaux médias**
Face à la radicalisation violente des jeunes et à la coupure de plus en plus évidente entre une France des médias et une France des réseaux
60 numériques, l'Éducation nationale a lancé une mobilisation de l'École pour renforcer l'éducation aux médias et à l'information. Cette orientation devrait ouvrir la voie à une formation accrue des jeunes face aux dangers des fléaux que
65 sont le buzz, la désinformation, les théories de la rupture, la théorie du complot.
L'éducation aux médias et à l'information ne peut pas seulement être une éducation patrimoniale expliquant aux jeunes la beauté, la qualité des
70 médias traditionnels. Cette vision d'un monde perdu qu'il faudrait protéger ne peut permettre une véritable mobilisation des jeunes.
En effet les recherches portant sur les processus de radicalisation des jeunes nous montrent qu'au
75 cœur de la radicalisation il y a l'envie, le besoin, la quête de sens et ce sens n'est pas de l'information aussi objective, soit-elle. L'éducation aux médias doit alors devenir un élément de la quête de sens pour une jeunesse qui cherche
80 à répondre à ces questions.

Article du 14 février 2017 - par Séraphin ALAVA,
Professeur des Universités, Université Toulouse –
Jean Jaurès

1. Hubert Beuve-Méry (1902-1989), journaliste français, fondateur du journal *Le Monde*.

Aide à la lecture

Afin de faciliter la lecture et la compréhension de son argumentation, l'auteur a structuré son texte à l'aide de trois citations d'Umberto Eco, présentées en points a, b et c. Cette hiérarchisation évite les adverbes comme *premièrement, deuxièmement, ensuite…*

AU FAIT

Umberto Eco était un philosophe, écrivain et essayiste italien. Il est mort à 84 ans en 2016. Théoricien du langage et auteur de nombreux essais sur l'esthétique et les médias, il a écrit son premier roman, *Le Nom de la rose*, en 1980, et a connu un succès considérable.

📖 COMPRÉHENSION ÉCRITE

1 Expliquez le sens de ces deux phrases qui s'apparentent à des slogans : « le journal, c'est la réflexion et la radio l'émotion », « l'Internet, c'est la pulsion » (lignes 4-6).

2 L'auteur définit le monde d'aujourd'hui par « son accélération totale du temps » (lignes 8-9). Comment comprenez-vous cette expression ? En quoi cela change-t-il notre rapport aux savoirs et à l'information ?

3 Reformulez les citations d'Umberto Eco et résumez en une phrase le sens de chaque paragraphe.

4 Quel lien est fait entre l'accès à l'information et la radicalisation ? Pourquoi l'École se donne-t-elle comme mission de former à l'information dans les médias ?

5 Précisez ce que l'auteur entend par « médias » d'une part et « réseaux numériques » de l'autre. Faut-il opposer ces deux mondes ?

6 Relevez le vocabulaire qui concerne l'information.

💬 PRODUCTION ORALE

7 Comment vous informez-vous ? Êtes-vous un(e) lecteur / lectrice, un(e) auditeur / auditrice, un(e) spectateur / spectatrice ou encore un(e) internaute critique ? Prenez-vous le temps de vérifier le sérieux, la crédibilité de certaines informations ? Avez-vous confiance en tous les médias ?

8 Dans votre pays, quelles sont les pratiques médiatiques des jeunes ? L'École enseigne-t-elle l'usage des médias ? Comment ?

9 Débat
Dans le cadre d'une conférence sur le fonctionnement des médias et de la presse, nous nous interrogeons :

> À quoi servent les journalistes ?

> A-t-on besoin d'eux pour s'informer ?

> La liberté de la presse, une liberté menacée ?

> Pas de médias, pas de démocratie ?

Venez nombreux pour débattre avec nous !

10 Mini-exposé
Choisissez un événement dans l'actualité récente, dont on parle dans trois médias en ligne différents. Présentez cet événement et mettez en évidence les différences de traitement médiatique.

📝 PRODUCTION ÉCRITE

11 Fil de discussion
Face à l'essor de la désinformation portée par les réseaux sociaux et Google, un site d'information organise une semaine de lutte contre les *fake news* et recueille des témoignages d'internautes : *Avez-vous déjà cru à une* fake news *(ou une rumeur) que vous avez ensuite relayée sur Internet sans la vérifier ? Avez-vous un proche qui s'est mis dans l'embarras en partageant une fausse information ? Votre témoignage nous intéresse.*

B Comment détourner les élèves des théories du complot ?

Afin d'éduquer aux médias, des professionnels de la radio initient des collégiens et lycéens aux reportages radiophoniques. *InterClass'* a pour vocation de leur faire découvrir les coulisses du métier de journaliste en allant à leur rencontre dans des établissements scolaires et en les aidant à réaliser des reportages.

 COMPRÉHENSION ORALE | **(3) AUDIO**

Écoutez un extrait de l'émission de France Inter *InterClass'* qui aborde le sujet de la théorie du complot. Répondez aux questions ci-dessous. Puis, réécoutez l'enregistrement et complétez vos réponses.

1 Comment la collégienne Asma définit-elle la théorie du complot ? *Faire nous croire que tous[ce que nous] voyons est faux*

2 Le journaliste Christophe Bourseiller conseille « de pas gober tout ce qu'on reçoit à France Inter comme si c'était du miel ». Reformulez ce conseil. *Tous n'est pas toujours vrai*

3 Selon vous, qui sont les « faiseurs de bobards » dont parle Christophe Bourseiller ? Que font-ils ? *menteurs*

Terre plate **4** Quelles théories complotistes séduisent particulièrement certains jeunes dans les classes de l'enseignant François Da Rocha ? *dénier l'Holocauste 9/11 (11 septembre)*

5 Comment lutter contre la défiance des Français envers les médias ?

6 En quoi le regard des deux collégiennes a-t-il changé concernant le métier de journaliste ? *Les journalistes vérifient ses informations*

 **PRODUCTION ORALE**

7 Pensez-vous que le thème de la théorie du complot soit universel ? Est-il fréquent dans votre pays ? Citez quelques exemples. À votre avis, pourquoi ces théories séduisent-elles autant les jeunes de nos jours ?

8 En petits groupes, discutez des stratégies, outils et bons réflexes pour distinguer les vraies des fausses informations.

9 Mini-exposé
Internet possède près de cinq milliards de pages réparties dans le monde. Comment les moteurs de recherche gèrent-ils ce gigantesque contenu ? Comment sélectionnent-ils les résultats de vos recherches ? Affichent-ils des résultats toujours fiables ? Autant de questions que vous traiterez dans votre exposé.

PRODUCTION ÉCRITE

10 Fil de discussion
Un consortium d'avocats en ligne organise un chat en ligne pour répondre aux questions des internautes sur la législation propre à la mise en ligne d'informations, d'images et de documents privés. Posez vos questions sur le droit à l'image, le droit de reproduction, les sites illégaux, etc. et tentez de répondre à celles des autres.

LORSQUE QUELQUE CHOSE VOUS FAIT RÉAGIR...

1. VOUS PARTAGEZ — LE MONDE DOIT SAVOIR — partagé !

VS

2. VOUS QUESTIONNEZ — MAIS...EST-CE QUE C'EST VRAI ?

ATTENTION !
CETTE INFORMATION VOUS A FAIT RÉAGIR ET VOUS AVEZ ENVIE DE LA PARTAGER. MAIS AVEZ-VOUS PRIS LE TEMPS DE LA REGARDER EN DÉTAIL POUR SAVOIR SI ELLE EST CRÉDIBLE OU NON ?

BON RÉFLEXE !
PRENDRE LE TEMPS DE S'INTERROGER SUR UNE INFORMATION AVANT DE LA RELAYER ÉVITE DE TOMBER DANS LES PIÈGES LES PLUS ÉVIDENTS ET DE RÉPANDRE DE FAUSSES INFORMATIONS.

AU FAIT
Suite aux attentats de janvier 2015 à Paris, l'éducation à l'information a été renforcée à l'école, avec pour objectifs l'éducation à la citoyenneté et la transmission d'une culture de la presse et de la liberté d'expression. Allez voir le site du **Centre pour l'éducation aux médias et à l'information** : *https://www.clemi.fr*

VOCABULAIRE

Cahier d'activités **THÈME 2**

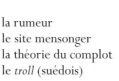

L'éducation aux médias

Les médias en ligne / le monde numérique

interactif
le moteur de recherches
le post, poster un commentaire
réagir à / relayer une information
le réseau social
le site d'informations
le tweet
la vidéo (sur YouTube)
Wikipédia

La course à l'info

l'audience (f.)
le buzz
la dilution, la submersion, l'excès (m.) d'informations
émouvoir à tout prix
l'info-réalité (f.)
le zapping

Le travail du journaliste

décrire, analyser, expliquer
diffuser des analyses et des arguments
enquêter
publier une information
réaliser un reportage
traiter / couvrir l'information
vérifier et recouper les informations
vérifier la crédibilité, la fiabilité de la source

Les risques

la cyberviolence
déserter les médias
(se) détacher des médias *se méfie*
la fermeture des esprits
la fin du dialogue
le harcèlement
l'insulte (f.)
se méfier des journalistes
le propagateur d'idéologie raciste ou terroriste
la propagation de rumeurs
le propos haineux / mensonger / diffamatoire / discriminatoire / radical
la radicalisation
la rupture entre les jeunes et les médias

La désinformation

un canard = article faux

le canular ← *pour rire*
le complot, le complotisme
conspirer
(faire) le *fact-checking* (angl.)
faire courir un bruit ← *pas grave, rumeur mineur*
le fait alternatif
la *fake news* (angl.), la fausse nouvelle
le *hoax* (angl.)
l'intox (f.) / *l'intox*
la manipulation

la rumeur
le site mensonger
la théorie du complot
le *troll* (suédois)

Décrypter l'information

aiguiser son esprit critique
décrypter l'information et l'image
distinguer l'information de l'interprétation
exercer une citoyenneté responsable
faire le tri entre le vrai et le faux
se forger une opinion
s'informer, se questionner et communiquer
promouvoir des sources d'informations objectives
valoriser des actions citoyennes
vérifier la source
l'échange et le débat

Expressions

vrai

criant de vérité
crier au loup
faire avaler des couleuvres

la langue de bois
raconter des salades
tomber dans le panneau

un stratégie / pour pas répondre / à une question

tomber dans le mesonge

1 Reliez chaque mot à sa définition.
a. la désinformation
b. le lobby
c. le complot
d. la rumeur
e. la manipulation

1 Histoire souvent surprenante, non vérifiée, qui circule par le bouche-à-oreille. *la rumeur*
2 Utilisation des techniques de l'information pour induire volontairement le public en erreur. *le désinformation* *maniobra*
3 Manœuvre trompeuse utilisée pour contrôler les actions ou les sentiments d'une autre personne. *la manipulation*
4 Projet secret élaboré par un groupe de personnes contre quelqu'un ou contre une institution. *le complot*
5 Groupe de personnes constitué pour défendre ses opinions face à d'autres personnes ou institutions qui prendraient des décisions pouvant les affecter. *le lobby*

2 Retrouvez les contraires parmi les propositions suivantes : le propos mensonger, la fin du dialogue, le franc-parler, l'information vérifiée.
a. le bouche-à-oreille *l'information vérifiée*
b. la langue de bois *le franc-parler*
c. le fait vérifié *le propos mensonger*
d. l'esprit critique *la fin du dialogue*

PRODUCTION ORALE

3 Réalisez une revue de presse en français que vous présenterez à l'oral. Pour ce faire, répartissez-vous les lectures de quotidiens, mettez-vous d'accord sur les sujets que vous aborderez et hiérarchisez les informations. Citez les points clés des articles dont vous parlez et, bien sûr, leur source.

Thème 2 **SOS sens critique**

JEUX DE CULTURE GÉNÉRALE

1 Chronologie de la presse

Retrouvez les dates de création de la presse française.

a Apparition des journaux d'information gratuits : 1802 - 1902 - ⊂2002⊃

b L'agence Havas, première agence de presse au monde : ⊂1835⊃ - 1900 - 1935

c L'hebdomadaire satirique *Le Canard enchaîné* : ⊂1915⊃ - 1950 - 1965

d Le premier périodique français, *La Gazette* : 1531 - ⊂1631⊃ - 1731

e L'hebdomadaire féminin *Elle* : 1930 - ⊂1945⊃ - 1960

f *Mon Quotidien*, journal pour les enfants de 10-14 ans : 1905 - 1955 - 1995

g Lancement de *lemonde.fr*, site du quotidien *Le Monde* : ⊂1995⊃ - 2005 - 2010

h L'hebdomadaire *Courrier international* : ⊂1990⊃ - 2000 - 2010

i Création de l'organisation *Reporters sans frontières* : ⊂1955⊃ - 1985 - 2015

2 La presse francophone

Reliez chaque titre de presse à son pays d'origine.

a *El Watan* 6   　1 quotidien belge

b *La Presse* 5   　2 quotidien francophone libanais

c *Le Soleil* 4   　3 journal hebdomadaire guinéen

d *Le Soir* 1   　4 quotidien sénégalais

e *Le Temps* 7   　5 hebdomadaire québécois

f *L'Orient-Le Jour* 2   　6 quotidien algérien

g *Le Lynx* 3   　7 quotidien suisse

3 Exercice de style

> Écrire un nouveau Tweet　　　　✕
>
> [champ de texte]
>
> 🖼   GIF   ⊟   ☺

4 Paysage radiophonique français

Retrouvez la programmation des radios françaises suivantes.

a France Inter 7   　e France Culture 6

b Europe 1 5   　f NRJ 3

c France Musique 2   　g France Info 4

d Nostalgie 1

1 Radio musicale de chansons des années 1970 et 1980.

2 Radio publique de musique classique et de jazz.

3 Radio musicale à destination des jeunes.

4 Radio d'information continue.

5 Radio privée généraliste.

6 Radio publique culturelle.

7 Radio publique généraliste d'information et de culture.

Twittez ce fait divers (en 280 caractères).

Le 10 juillet dernier, Agathe, une fillette de 4 ans et ses parents, en vacances dans le Pays basque, visitaient Biarritz et n'avaient pas leurs téléphones portables avec eux, seulement une compote à la fraise pour le goûter de leur fille.
La petite famille décide de visiter l'aquarium, entre dans le musée et emprunte l'ascenseur.
Les portes se ferment... et l'ascenseur se bloque, mais l'alarme ne se déclenche pas. Impossible de prévenir qui que ce soit ! La nuit tombe, le repas du soir s'organise, avec la compote.
Ils passeront 16 h dans 4 m² et ne seront délivrés que le lendemain matin, à l'heure de l'ouverture du musée.

Ah la vache !

OBJECTIFS

- Relever un paradoxe dans un texte littéraire
- Dialoguer sur l'abattage du bétail

Cahier THÈME 3 d'activités

- Exprimer un paradoxe
- **ESSAI** Contribuer à un débat sur la consommation de la viande

A Tragédies d'arrière-cuisine

Personnage important de *La Recherche du temps perdu*, Françoise est l'employée de la tante du narrateur, le jeune Marcel, puis de ses parents. D'une fidélité à toute épreuve, elle excelle dans l'art de la cuisine et régale la famille de ses préparations. Mais elle sait aussi se montrer dure et cruelle, comme dans cette scène où le narrateur la découvre tuant un poulet.

À cette heure où je descendais apprendre le menu, le dîner était déjà commencé, et Françoise, commandant aux forces de la nature devenues ses aides, comme dans les féeries où les géants se

5 font engager comme cuisiniers, frappait la houille[1], donnait à la vapeur des pommes de terre à étuver et faisait finir à point par le feu les chefs-d'œuvre culinaires d'abord préparés dans des récipients de céramiste qui allaient des grandes cuves, mar-

10 mites, chaudrons et poissonnières, aux terrines pour le gibier, moules à pâtisserie, et petits pots de crème en passant par une collection complète de casserole de toutes dimensions. Je m'arrêtais à voir sur la table, où la fille de cuisine venait de

15 les écosser, les petits pois alignés et nombrés comme des billes vertes dans un jeu ; mais mon ravissement était devant les asperges, trempées d'outremer et de rose et dont l'épi, finement pignoché[2] de mauve et d'azur, se dégrade insen-

20 siblement jusqu'au pied – encore souillé pourtant du sol de leur plant – par des irisations[3] qui ne sont pas de la terre [...]

Et cependant, Françoise tournait à la broche un de ces poulets, comme elle seule savait en rôtir, qui avaient porté loin dans Combray l'odeur de ses mérites, et qui, pendant qu'elle nous les servait à table, faisaient prédominer la douceur dans ma conception spéciale de son caractère, l'arôme de

25 cette chair qu'elle savait rendre si onctueuse et si tendre n'étant pour moi que le propre parfum d'une de ses vertus.

Mais le jour où, pendant que mon père consultait le conseil de famille sur la rencontre de Legrandin, je descendis à la cuisine, était un de ceux où la Charité de Giotto[4], très malade de son accouchement récent, ne pouvait se lever ; Françoise, n'étant plus aidée, était en retard. Quand je fus en bas,

30 elle était en train, dans l'arrière-cuisine qui donnait sur la basse-cour, de tuer un poulet qui, par sa résistance désespérée et bien naturelle, mais accompagnée par Françoise hors d'elle, tandis qu'elle cherchait à lui fendre le cou sous l'oreille, des cris de « sale bête ! sale bête ! », mettait la sainte douceur et l'onction de notre servante un peu moins en lumière qu'il n'eût fait, au dîner du lendemain, par sa peau brodée d'or comme une chasuble et son jus précieux égoutté d'un ciboire[5]. Quand il

35 fut mort, Françoise recueillit le sang qui coulait sans noyer sa rancune, eut encore un sursaut de colère, et regardant le cadavre de son ennemi, dit une dernière fois : « Sale bête ! » Je remontai tout tremblant ; j'aurais voulu qu'on mît Françoise tout de suite à la porte. Mais qui m'eût fait des boules aussi chaudes, du café aussi parfumé, et même... ces poulets ?... Et en réalité, ce lâche calcul, tout le monde avait eu à le faire comme moi. Car ma tante Léonie savait – ce que j'ignorais encore – que

40 Françoise qui, pour sa fille, pour ses neveux, aurait donné sa vie sans une plainte, était pour d'autres êtres d'une dureté singulière. Malgré cela ma tante l'avait gardée, car si elle connaissait sa cruauté, elle appréciait son service. Je m'aperçus peu à peu que la douceur, la componction[6], les vertus de Françoise cachaient des tragédies d'arrière-cuisine, comme l'histoire découvre que les règnes des Rois et des Reines, qui sont représentés les mains jointes dans les vitraux des églises, furent marqués

45 d'incidents sanglants.

Marcel PROUST, *Du côté de chez Swann*, Gallimard, 1913.

1. Tisonner le charbon, agiter les braises pour raviver le feu.
2. Peint soigneusement.
3. Reflets aux couleurs de l'arc-en-ciel.
4. Il s'agit du surnom de la fille de cuisine.
5. Vase sacré.
6. Tristesse profonde à l'idée d'avoir offensé Dieu.

Aide à la lecture

Dans ce texte, notez la richesse et la multiplicité des qualificatifs (adjectifs, compléments de comparaison, substantifs), qu'il s'agisse de décrire l'aspect et le goût des petits pois, des asperges et du poulet ou les qualités morales de Françoise.

📖 COMPRÉHENSION ÉCRITE

1 Dans la dernière phrase du premier paragraphe, relevez tous les termes relatifs à la couleur. Qu'en déduisez-vous ? Quel regard le narrateur pose-t-il sur les asperges qu'il s'apprête à manger ?

2 Relevez les termes relatifs à la cuisine, puis les termes liés à la religion et enfin les termes évoquant la cruauté.

3 Étudiez la manière dont Françoise est perçue tour à tour par le narrateur. Quel regard le narrateur porte-t-il sur elle dans le premier paragraphe ? Puis dans le second ? Et dans le troisième ?

4 Quel temps prédomine dans les deux premiers paragraphes ? Et dans le troisième paragraphe ? Comment expliquez-vous ce contraste ?

5 Quel est le paradoxe exprimé par le texte ? Quels éléments sont mis en regard et présentés comme contradictoires ?

6 Quel est ce « lâche calcul » (ligne 38) dont parle Marcel ? Reformulez avec vos propres mots le cas de conscience devant lequel il se trouve.

💬 PRODUCTION ORALE

7 Que pensez-vous de la mise à mort du poulet par Françoise ? Ce geste vous paraît-il cruel ? Nécessaire ? Comment est-il perçu dans d'autres cultures ? Qu'en est-il de la vôtre ?

8 À deux, discutez de la manière dont vous abordez la cuisine. Certaines tâches vous répugnent-elles plus que d'autres ? Êtes-vous sensible à la valeur esthétique des aliments que vous cuisinez ? Avez-vous conservé des souvenirs d'enfance où vous aviez plaisir à regarder quelqu'un faire la cuisine ?

9 Mini-exposé
Le thème des asperges a été également traité dans deux célèbres tableaux réalisés une vingtaine d'années avant la publication du roman de Proust par un grand peintre français. Lequel ? Faites une recherche sur ces tableaux et leur peintre et présentez-les en classe.

📝 PRODUCTION ÉCRITE

10 L'humanité est-elle vouée à rester carnivore ? Répondez en abordant les différentes facettes de la question : écologie, santé, nouvelles modes alimentaires, pénurie de ressources sur la planète…

11 Fil de discussion
Vous participez à un forum de discussion sur nos habitudes de consommation. Vous donnez cinq raisons de diminuer sa consommation de viande.

AU FAIT
Les Français sont très amateurs de viande : actuellement, un Français en consomme en moyenne 89 kg par an.

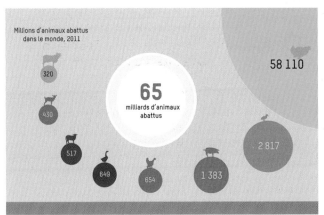

Comprendre le vrai poids de la viande sur l'environnement, Le Monde

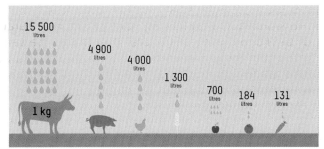

B L'abattage des vaches

COMPRÉHENSION ORALE **4 AUDIO**

Après avoir lu les questions ci-dessous, écoutez deux fois l'extrait de l'émission *On va déguster* de France Inter, consacrée à l'abattage des animaux, et répondez aux questions.

1 D'après Franck Ribière, quelle est la conséquence directe de la surconsommation de viande ?

2 Que peut-on dire du comportement des consommateurs vis-à-vis de la viande, des légumes et du vin selon Franck Ribière ?

3 Que désigne l'expression de « lanceur d'alerte » employée par Franck Ribière ?

4 Quel est le point de vue de Pascal Grosdoit sur l'abattage des animaux ?

5 Quel est le rôle du bouvier ? *herdsman*

6 Qui est Émilie et quelle est son attitude par rapport à l'abattage de ses bêtes ?

7 Quel regard Franck Ribière porte-t-il sur la réaction d'Émilie ?

8 D'après Franck Ribière, quelle est la cause majeure du stress de l'animal au moment de l'abattage ?

9 Quels processus aujourd'hui délaissés *abandonné* Franck Ribière souhaiterait-il voir à nouveau mis en place et pourquoi ?

10 Quelle est la particularité du camion d'abattage visité par Franck Ribière en Suède ?

PRODUCTION ORALE

11 Débat
Au début de l'extrait, Franck Ribière affirme que nous, omnivores, pouvons choisir ce que nous mangeons, et que nous sommes donc responsables de nos choix alimentaires. Discutez cette affirmation.

12 À l'instar d'Émilie dans le document audio, déterminez votre rapport aux animaux. Est-ce la même chose quand il s'agit d'animaux sauvages, d'élevage ou domestiques ? À votre avis, pourquoi ?

13 Mini-exposé
Connaissez-vous une association ou un parti qui milite pour la défense de la cause animale, en France ou dans un autre pays ? Identifiez-en un ou une et présentez ses objectifs et ses moyens d'action.

PRODUCTION ÉCRITE

14 Fil de discussion
Sur le réseau social de votre choix, vous participez à la discussion suivante : L'abattage animal est-il un crime ?

VOCABULAIRE

L'alimentation, la gastronomie

Les modes de cuisson

à la broche / à l'étouffée / à la vapeur
bleu / saignant / à point / bien cuit
braiser / étuver / frire / griller / pocher / poêler /
rôtir / sauter

La viande

l'agneau de lait
les abats : l'amourette (f.), la cervelle, le cœur, le foie, la
fraise, les joues, la langue, le mou, le museau, les oreilles,
le palais, les pieds, la queue, la rate, le ris, les rognons, la
tête, les tripes
le carré d'agneau
l'escalope (f.)
le jarret
le gibier à poils : la biche, le cerf, le chevreuil, le daim, le
lapin de garenne, le lièvre, le sanglier
le gibier à plumes : la bécasse, la caille, le faisan, la grive,
l'oie (f.), la perdrix
le gigot
la selle
la viande blanche : le lapin, le porc, le veau, la volaille
la viande rouge : les abats, l'agneau, le bœuf, le cheval, le
gibier, le mouton
la volaille : la caille, le canard, le chapon, la dinde, le
faisan, le pigeon, l'oie, la pintade, la poularde, la poule.

1 Classez les termes ci-dessus selon qu'ils
désignent une partie d'animal, un type
d'animal ou un type de viande.

Les caractéristiques des aliments

âcre / acidulé / affiné / aigre-doux /
onctueux / relevé
beurre rance
casher
comestible
un goût acide / aigre / amer / insipide /
salé / sucré
halal
une viande faisandée / maturée / tendre

2 Quels mots peut-on former à partir des
adjectifs suivants : *amer, aigre, doux* ?
Créez des phrases dans lesquelles ces
adjectifs qualifient les groupes nominaux *des
pensées* ou *des oranges*.

3 Parmi les termes ci-dessus, lesquels
désignent un goût désagréable ?

4 Classez ces termes selon qu'ils décrivent
un goût, une texture ou un mode de
préparation.

L'élevage

la basse-cour
les bovins : le bœuf, la génisse, le taureau, le taurillon,
la vache, le veau
les caprins : le bouquetin, la chèvre
l'élevage biologique (m.)
l'élevage extensif ou pastoral (m.)
l'élevage intensif ou industriel (m.)
l'élevage traditionnel (m.)
l'étable (f.)
le foin
le hangar
les ovins : le mouflon, le mouton
le pâturage, la pâture
le terroir

5 Comment peut-on traduire le mot *terroir*
dans votre langue maternelle ? Existe-t-il un
mot précis ? Sinon, quelle expression serait la
plus approchante ?

L'abattage

l'abattoir (m.)	l'assommage (m.)
le bien-être animal	le bouvier
le cadavre, la carcasse	le camion d'abattage
l'étourdissement (m.)	le processus d'abattage
les services vétérinaires	le site d'abattage

 **PRODUCTION ORALE**

6 Le processus d'abattage est-il un élément
important pour vous quand vous achetez de
la viande ?

Expressions

avoir du pain sur la planche
avoir du pot
ça ne mange pas de pain !
être à couteaux tirés
être soupe au lait
manger à tous les râteliers
manger du lion
manger les pissenlits par la racine
manger son pain noir
marcher sur des œufs
mettre de l'eau dans son vin
mettre les pieds dans le plat
tourner au vinaigre
mettre du beurre dans les épinards
donner qqch en pâture à qqn

 7 Écoutez la séquence et retrouvez
parmi les expressions ci-dessus, celles qui
correspondent aux phrases.

AU CŒUR DU QUOTIDIEN

1 Quels sont les personnages présents ?
Que font-ils ?
À quel dilemme sont-ils confrontés ? Comment réagit chaque personnage ?

2 Sur quels outils l'auteur s'appuie-t-il pour déclencher le rire ou le sourire ?
D'après vous, que cherche-t-il à *se moquer* tourner en dérision ?

3 Et vous, à quel personnage vous identifiez-vous davantage ? Pourquoi ?

La bûche - log
Mettre la table

-Une seconde, Richard ! Avons-nous <u>suffisamment</u> mesuré toutes les implications personnelles, familiales, économiques, géopolitiques et environnementales, sous-jacentes à court, moyen et long terme à l'achat de ces 18 merguez en promo ?

underlying   *sausages*   *surconsommation*

 **COMPRÉHENSION ORALE** **AUDIO** 6

4 Quel rapport le locuteur entretient-il avec la fête de Noël ? Que rejette-t-il et que préfère-t-il de manière générale ? *les plats traditionnels. Elle n'aime pas l'excès*

5 La nourriture est-elle le seul élément important dans la préparation de cet événement ? Quel autre élément semble essentiel au narrateur ? *La décoration de la table et la beauté du repas*

6 En quoi cet événement consolide-t-il les liens familiaux ?

PRODUCTION ORALE

7 Avez-vous le même rapport à cet événement ou à une autre fête importante dans votre culture ?

8 Certaines traditions culinaires vous déplaisent-elles ? Racontez vos pires expériences.

9 Jeux de rôles : Formez des binômes.

Situation : Deux personnes (couple, amis, parent-enfant...) discutent du repas qu'elles veulent préparer pour une fête importante dans leur pays : nourriture, présentation... L'une voudrait un repas classique ou traditionnel. L'autre souhaiterait surprendre les invités, faire plus original. Chacun défend son point de vue, jusqu'à se disputer... ou au contraire à trouver un accord.

Rôle des deux personnages : Réfléchissez aux différents arguments que vous pourrez mettre en avant pour défendre votre point de vue et réfuter le point de vue inverse. Pensez à l'attitude que vous allez adopter et soyez prêt à faire éventuellement évoluer celle-ci selon la tournure de l'échange (refus, insatisfaction, approbation...).

Registre : Polémique ; soutenu ou familier, au choix.

Exprimer son goût, bon ou mauvais

> C'est appétissant.
> C'est bien parfumé.
> C'est savoureux. / C'est très raffiné.
> Délicieux, j'adore !
> C'est vachement bon.
> Je me régale !   *Institut cordon bleu*
> Tu es un vrai cordon bleu.
> C'est exquis / divin / fameux.
> C'est un délice / une tuerie*.
> C'était à se taper le cul par terre*.   *Très bon*

on aime pas ça
> Je ne raffole pas de ça.
> Je ne suis pas fan.   *C'est pas trop mon truc*
> C'est fade / ça n'a pas de goût.
> C'est du pipi de chat*.
> C'est lourd / ça me reste sur l'estomac.
> Ça m'écœure / me donne envie de <u>vomir.</u>
> Ça me dégoûte / me répugne.
> C'est dégueulasse* / dégueu*.
> Beurk* / berk* !
> C'est immangeable / imbuvable.
> C'est abject / abominable / ignoble / infect / répugnant.   *formal*

* Familier.

La mémoire dans la peau

OBJECTIFS

- Approfondir ses connaissances scientifiques sur la mémoire

- Décrire des techniques de mémorisation

Cahier THÈME 4 d'activités

- Sonder le système pronominal
- SYNTHÈSE Synthétiser deux textes scientifiques sur la mémorisation

A Comment devenir un athlète de la mémoire

Doubler sa capacité de mémorisation, c'est possible et accessible à tous, grâce à un entraînement fondé sur la méthode antique dite du « palais de la mémoire ».

Comment muscler notre mémoire ? La question n'est pas neuve : il y a plus de 2 000 ans, elle occupait déjà la civilisation gréco-romaine. Quatre siècles avant notre ère, une réponse
5 efficace fut trouvée par un poète grec. À Rome, Cicéron la popularisa ensuite : pour exercer cette faculté de notre cerveau, recommande-t-il, il faut « *choisir en pensée des lieux distincts, se former des images des choses que l'on veut retenir, puis*
10 *ranger ces images dans les divers lieux. Alors l'ordre des lieux conserve l'ordre des choses ; les images rappellent les choses elles-mêmes.* » Il s'agit, en somme, de bâtir votre « palais de la mémoire ». Imaginez une maison qui vous est
15 très familière : ce sera votre « palais mental ». Déposez-y tous les éléments dont vous voulez vous souvenir, selon un parcours correspondant à l'ordre de mémorisation voulu. Ensuite, promenez-vous mentalement dans ce « palais » :
20 vous y visualiserez ces souvenirs, là où vous les avez laissés.

Le plus étonnant est que cette méthode antique reste une des techniques les plus efficaces, aujourd'hui encore, pour développer notre
25 mémoire. Une étude publiée le 8 mars dans la revue *Neuron* dévoile les bénéfices d'un entraînement par ce « palais de la mémoire » (ou « méthode des lieux »). Ce travail [...] montre que doper sa capacité de mémorisation est
30 accessible à tous.

[...] Les auteurs ont suivi 51 individus aux capacités mnésiques standard, dont la mémoire n'avait jamais été entraînée. Ils ont été répartis en trois groupes : le premier a suivi la méthode
35 d'entraînement du « palais de la mémoire » ; le second a suivi une technique d'entraînement à court terme, fondé sur le repérage de lettres qui défilent ; le troisième ne suivait aucun entraînement.

40 Avant tout entraînement, ces individus se souvenaient en moyenne de 26 à 30 mots, lors d'un test standardisé. Après trente minutes d'entraînement quotidien à domicile, durant quarante jours, le premier groupe parvenait à
45 se souvenir de 35 mots supplémentaires ; le

second groupe, de 11 mots supplémentaires ; le groupe non entraîné, de 7 mots de plus. Mieux : quatre mois après la fin de l'entraînement, seuls ceux qui avaient suivi la méthode du « palais de
50 la mémoire » avaient conservé une mémoire renforcée. Ils se souvenaient encore de 22 mots supplémentaires.

Une fois cette technique maîtrisée, « *vous conservez des performances mnésiques élevées,*
55 *même sans poursuivre votre entraînement* », relève Martin Dresder, premier auteur. « *Cette étude montre que M. Tout-le-monde peut aussi devenir un as de la mémoire, moyennant pas mal d'entraînement* », renchérit le professeur
60 Jean-François Démonet, neurologue au CHUV de Lausanne [...]

Le « palais de la mémoire » fait appel à une mémorisation des lieux : ceux où l'on « dépose » mentalement les infos à retenir. Au fond, souligne
65 le professeur Démonet, « *cette méthode naïvement promue par Cicéron s'appuie sur le fonctionnement intime de notre cerveau. La mémoire est un voyage : les structures qui nous permettent de mémoriser sont les mêmes que*
70 *celles qui nous permettent de naviguer dans l'espace.* » [...]

Florence ROSIER, *www.letemps.ch*, 8 mars 2017

Vous ne pensez pas être capable de réciter un chapitre entier de votre livre favori ? Et bien, c'est une erreur. Nous en aurions tous la capacité. Dans une vidéo qui circule sur la toile, le journaliste de la revue *Vox*, Dean Peterson nous explique comment – en ayant pourtant une mauvaise mémoire – il a réussi à réciter toute une partie de l'ouvrage *Moby Dick*. Et nous fait ainsi redécouvrir le palais de notre mémoire.

Le Palais de la mémoire

Le principe ? Créer une « mémoire artificielle » en utilisant un lieu connu, dans lequel on aura disposé des informations. En d'autres termes, il s'agit de déposer mentalement des « mots » dans des endroits que l'on connaît pour les retrouver plus facilement. Pour Sébastien Martinez, champion de France de la mémoire et ingénieur des Mines, « *ce qui est intéressant avec cette méthode c'est qu'elle permet de se souvenir dans n'importe quel sens. Nous ne sommes plus obligés de reconstruire tout un raisonnement pour nous souvenir d'un item* ».
Le palais de la mémoire serait le lien entre la mémoire à court terme (qui aurait une durée de 18 secondes) et celle à long terme qui implique des réseaux neuronaux distincts bien qu'interconnectés. Le chiffre 7 serait le « nombre magique » de la mémoire à court terme, c'est-à-dire le nombre d'éléments pouvant être mémorisés simultanément, explique le Pr Francis Eustache dans un rapport rédigé avec l'Inserm[1]. En moyenne, nous sommes donc tous capables de retenir pendant quelques secondes entre 5 et 9 items […]

D'autres techniques de mémorisation

Sébastien Martinez avertit au préalable : « *L'art de l'apprentissage est circulaire. Il faut d'abord, comprendre les enjeux, la façon dont les informations sont organisées, où elles mènent. Puis, en maîtriser le détail. La mémorisation fixe et renforce la compréhension. C'est dans ce double mouvement que réside le secret de l'apprentissage* ». Puis il nous livre quelques techniques des plus simples aux plus sophistiquées.
Pour des listes d'objets concrets, **la méthode SEL (sens, enfance, lien)**. Il existe trois grands types de stratégies pour mémoriser des choses concrètes : classer, répéter et donner du sens à une suite qui, a priori, n'en a pas. Et c'est la troisième, permise grâce au SEL (Sens, Enfance, Lien), qui serait la plus intéressante selon Sébastien Martinez.
Sens : faire appel à nos cinq sens pour donner vie à ce souvenir. Nous « encodons » des expériences dans notre mémoire (synesthésie).
Enfance : inventer une histoire autour de ce souvenir.
Créer des liens car, pour donner du sens aux

choses, encore faut-il qu'elles se tiennent. Chaque item doit en appeler un autre sur le fil de la narration.
Mais le plus souvent, nos trous de mémoire concernent des associations sur des éléments abstraits, conceptuels. Pour y pallier : **la stratégie SAC** (Sélection, Association, Connexion). Tout d'abord, il faut choisir les deux informations que l'on souhaite associer. Ensuite, rendre familière une information qui vous est étrangère. Et enfin créer une histoire entre les personnages inventés. Ainsi pour retenir Minsk comme capitale de la Biélorussie (sélection) et rendre ces données familières (association) : « Une belle russe » pour Biélorussie ? et Minnie ou une tranche de mie pour Minsk, en train de skier ? Pour les connecter, Minnie qui tombe de ski sur cette belle russe qui était tranquillement en train de bronzer. Et surtout utiliser les cinq sens dans cette construction narrative : la caresse de la poudreuse, la douleur de la chute, l'odeur de monoï de la belle femme… […]

Iris JOUSSEN, *www.sciencesetavenir.fr*, 9 janvier 2017

1. Institut national de la santé et de la recherche médicale

COMPRÉHENSION ÉCRITE

1 Quelle est, d'après vous, la problématique commune aux deux textes ? Énoncez-la sous forme de question.

2 Décrivez avec vos propres mots en quoi consiste la technique du « palais de la mémoire ». Quels sont les différences et les points communs avec les autres techniques de mémorisation évoquées ?

3 « M. Tout-le-monde peut aussi devenir un as de la mémoire, moyennant pas mal d'entraînement » (doc A, ligne 57). Reformulez cette phrase de manière à en éclaircir le sens.

4 Ces textes sont particulièrement convaincants : après les avoir lus, il semble facile de devenir un « champion de mémoire ». Quels sont, selon vous, les éléments qui produisent cet effet de persuasion ?

5 Présentez la méthode SAC et ses différentes étapes, puis testez-la à l'aide d'un exemple de votre choix.

PRODUCTION ORALE

6 Avez-vous une bonne mémoire ? Que pourriez-vous mémoriser grâce à la technique du palais de la mémoire ? Quel lieu choisiriez-vous (votre chambre, votre maison d'enfance, votre bureau…) ?
Avec un camarade, choisissez vingt mots au hasard dans le texte, recopiez-les, puis cachez cette liste. Tentez ensuite de la mémoriser dans l'ordre en créant un « palais de mémoire ». Comparez vos résultats.

7 Jacques Brel, dans sa célèbre chanson *Ne me quitte pas*, affirme que « Il faut oublier / tout peut s'oublier ». Êtes-vous d'accord avec lui ?
Quelles techniques existe-t-il pour oublier, notamment les traumatismes ? Quelles sont les vertus de l'oubli ?

👍 Aide à la lecture

Vous devez lire ces deux articles dans l'optique de faire une synthèse. Ils sont plutôt longs, traitent de sujets proches et présentent à la fois des points communs et des différences. Dès votre première lecture, il est souhaitable de prendre des notes ou de souligner les éléments qui vous semblent pertinents, les mots-clés. Vous pouvez éventuellement donner des titres à chaque paragraphe afin d'avoir une vue d'ensemble de ces deux textes. De plus, s'agissant de textes de vulgarisation scientifique, veillez à dégager les idées qui se nichent derrière les données chiffrées (statistiques, résultats d'expérience).

8 Mini-exposé
En 1913, Marcel Proust publie le premier volume de son roman-fleuve, *À la recherche du temps perdu*. Une petite pâtisserie moelleuse et délicate fera de ce roman une référence incontournable de la littérature : la madeleine de Combray, dite « la madeleine de Proust ».
Avez-vous déjà eu la sensation de faire un voyage dans le passé en respirant le parfum d'une fleur ou en entendant un air de musique ? Préparez un exposé de 5 minutes minimum pour présenter votre « madeleine de Proust » de manière détaillée (lieu, atmosphère, sensations).

📝 PRODUCTION ÉCRITE

9 Fil de discussion
Vous lisez ce message sur un panneau d'affichage dans une université francophone : « Bonjour à tous ! Le journal de l'université prépare un numéro spécial intitulé *Comment bien apprendre ?*, et nous avons besoin de vous !!! Quel type de mémoire avez-vous : visuelle, auditive, kinesthésique ? Quelles techniques utilisez-vous pour retenir une information ? Est-ce différent selon le type d'information à retenir (cours, mots étrangers, dates…) ? Quels que soient votre âge ou votre profession, envoyez-nous vos trucs et astuces à redaction@ufi.com. »

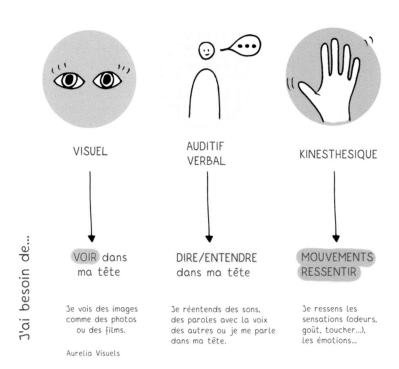

C Quelques pistes pour entretenir sa mémoire

COMPRÉHENSION ORALE   AUDIO

Lisez les questions. Écoutez l'extrait de l'émission *Grand bien vous fasse* de France Inter, puis répondez aux questions. Réécoutez-le si nécessaire et complétez vos réponses.

1 Le journaliste Ali Rebeihi fait allusion à plusieurs souvenirs dans son introduction. Citez au moins deux informations qu'il se rappelle.

2 Parmi toutes les questions posées par l'animateur, à laquelle les invités répondent-ils dans la suite de l'émission ?

3 Citez trois raisons pour lesquelles le sport serait bon pour la mémoire selon Aline Perraudin.

4 Dans cet extrait, deux idées reçues sur la mémoire sont remises en question par le neurologue Stéphane Epelbaum. Lesquelles ?

5 D'après Emmanuelle Giuliani, la carence de sommeil provoque des problèmes de mémorisation à l'école car les enfants se montrent plus...
❏ passifs.
❏ distraits.
❏ agressifs.

6 Le docteur Epelbaum considère-t-il la méditation comme un obstacle pour une bonne mémorisation ? Justifiez votre réponse.

AU FAIT

Avec 225 000 cas diagnostiqués chaque année en France, soit un nouveau cas toutes les 3 minutes, la maladie d'Alzheimer connaît une progression alarmante. On estime que 1,3 million de personnes, majoritairement des femmes, seront atteintes par cette maladie neurodégénérative en 2020, ce qui représente 1 Français sur 4 de plus de 65 ans.

PRODUCTION ORALE

7 En binômes, échangez sur le thème de la mémoire et de l'oubli à l'aide des questions suivantes.

> L'écriture, puis l'imprimerie ont permis à l'homme d'extérioriser une partie de sa mémoire. Fait-on encore l'effort d'emmagasiner des souvenirs, alors qu'ils sont conservés dans des espaces de stockage illimité ?

> Devenons-nous peu à peu dépendants des écrans ?

> Développerons-nous de nouvelles capacités mnésiques dans un futur proche ?

> Lorsque des personnes ou des médias publient des textes ou des images sur Internet, il est possible d'obtenir leur effacement du Web : c'est le droit à l'oubli. Pensez-vous que l'on puisse réellement faire disparaître toutes nos traces aujourd'hui ?

8 Mini-exposé
À partir de recherches sur Internet, présentez un état des lieux de la maladie d'Alzheimer dans un pays de votre choix. Quelles sont ses conséquences du point de vue social et économique ? Existe-t-il des campagnes de sensibilisation et/ou de prévention ? Quelles aides sont proposées aux malades et à leur famille ?
Vous exposerez ces informations de façon structurée, en vous appuyant sur des chiffres et des exemples concrets.

PRODUCTION ÉCRITE

9 Fil de discussion
Vous lisez sur le site *ledebatdujour.com* cette problématique : nos souvenirs sont-ils des trésors ou des fardeaux ? Doit-on oublier pour être heureux ?
En binômes, rédigez deux réponses à cette question. L'un(e) de vous argumentera sur le poids du passé dans le présent, l'autre défendra au contraire les vertus de la mémoire pour se construire au quotidien.

La mémoire

Mémoriser

apprendre / réciter par cœur
un automatisme
une base de données
un Cloud
conserver / emmagasiner / garder un souvenir
consolider
cultiver
développer
un disque dur
doper
entraîner, entretenir, exercer
l'hypermnésie (f.)
la mémoire externe / interne
mémoriser
mnémotechnique
mnésique
muscler
proustien
rafraîchir
se rappeler, se remémorer, se souvenir (de)
raviver
rester en mémoire
retenir
une sauvegarde physique
sauvegarder
un serveur
s'inscrire / se graver dans la mémoire
un support
renforcer

1 Associez chaque dialogue au verbe de la liste qu'il illustre.

2 Repérez les verbes qui décrivent l'entraînement de la mémoire et classez-les en fonction de leur intensité.

Les types de mémoire

à court / à long terme
auditive
déclarative
épisodique
gustative
kinésique
olfactive
perceptive
procédurale
sémantique
sensorielle
tactile
(de) travail
visuelle

3 Associez chaque souvenir au type de mémoire qui lui correspond.
a. Les chatouilles sous les aisselles que m'infligeait ma grande sœur.
b. Les effluves du poulet rôti dans la cuisine de ma grand-mère.
c. Le fracas des vagues qui se brisent sur les rochers, en vacances.
d. La saveur âcre du sirop contre la toux de mon enfance.
e. Le film regardé hier soir à la télévision.
f. Les paroles de ma chanson préférée.

Encoder des données

le cortex
l'encodage (m.)
le neurone
le neurotransmetteur
le processus de mémorisation
la récupération
un réseau neuronal
un stimulus
le stockage
une synapse

Décrire un souvenir...

accablant	agréable
confus	douloureux
embrouillé	émouvant
évanescent	flou
gênant	heureux
impérissable	imprécis
indélébile	inoubliable
lancinant	lointain
marquant	mauvais
obsédant	obsessionnel
pénible	persistant
précis	récent
tendre	vague

4 Repérez dans cette liste d'adjectifs ceux qui expriment un souvenir...
a. positif
b. négatif
c. précis
d. imprécis

Ressasser

accumuler

amasser

comme un déjà-vu

être hanté / rongé par un souvenir

éveiller

exhumer

faire revivre / renaître

rassembler

recueillir

une réminiscence

une trace

ressusciter

se souvenir du bon vieux temps

si j'ai bonne mémoire

si je me rappelle bien

si je ne m'abuse

si ma mémoire est bonne

si mes souvenirs sont exacts

Perdre la mémoire

devenir amnésique

la distraction

l'étourderie (f.)

une mémoire altérée / défaillante / déficiente / déplorable / infidèle / lacunaire

omettre

un souvenir disparaît / refait surface / s'efface / s'estompe / s'évanouit

La maladie d'Alzheimer

un aidant

une agnosie

une amnésie

une apathie

une aphasie

une apraxie

la démence

l'errance (f.)

la plasticité neuronale

les troubles de la mémoire

Expressions

avoir la mémoire courte

avoir la mémoire qui flanche

(l') avoir sur le bout de la langue

avoir un trou de mémoire

avoir une mémoire d'éléphant / de fourmi / de poisson rouge

ce n'est plus qu'un mauvais souvenir

cela m'est sorti de l'esprit

connaître sur le bout des doigts

être doté(e) d'une bonne mémoire

être une tête de linotte (fam.)

ma mémoire me joue des tours

tomber aux oubliettes

tomber / sombrer dans l'oubli

5 Complétez les phrases suivantes avec les mots ou expressions extraits de la liste. Plusieurs réponses sont parfois possibles.

a. Il a encore oublié ses clés ! Son .... devient insupportable !

b. J'ai l'impression de connaître cet endroit. J'ai comme un ....

c. La rénovation de la mairie ? Le projet n'a jamais été financé, et il est ....

d. Mais si, tu sais bien, cet acteur brun, celui qui joue dans *L'Auberge espagnole*... Ça m'énerve, j'ai son nom ....

Commémorer

célébrer un anniversaire

commémorer la naissance / la mort

le devoir de mémoire

élever un monument à la gloire de

un éloge funèbre

éternel

être fidèle à la mémoire de

l'évocation du souvenir (f.)

faire l'éloge de

un hommage national / populaire

honorer / pleurer / réhabiliter la mémoire de

immortel

immuable

inaltérable

indélébile

intemporel

un lieu de mémoire

mémorable

rendre hommage à

se recueillir sur la tombe de

la solennité

6 Avez-vous une mémoire d'éléphant ? Regardez cette liste pendant une minute. Fermez le livre et écrivez le maximum de mots que vous avez retenus. Comparez votre liste avec celle des autres élèves. Quelle technique avez-vous employée ? Faites un sondage dans la classe pour savoir celle qui s'avère la plus efficace.

AU CŒUR DU QUOTIDIEN

1 Quel souci semble avoir cette jeune femme ? Imaginez les notes sur les post-it que vous n'arrivez pas à déchiffrer.

2 La jeune femme est assise devant son ordinateur. Y a-t-il selon vous un lien entre son problème et l'utilisation des nouvelles technologies ?

3 Votre mémoire vous joue-t-elle parfois de mauvais tours ? Comment l'expliquez-vous ? Avez-vous déjà eu recours à cette « méthode post-it » ou à d'autres méthodes anti-oubli dans votre quotidien ?

 COMPRÉHENSION ORALE (9) AUDIO

4 Expliquez quels liens ont les mots suivants avec le document : questionnaire - stress - Bach - le Parrain - madeleine.

5 Le mot « truc » revient souvent dans cette conversation. Cherchez un mot pouvant le remplacer dans ses différentes occurrences.

6 Repérez les onomatopées employées, comme « paf ». Quels sens leur donnez-vous ? Utilisez-vous également des onomatopées dans votre langue maternelle ?

PRODUCTION ORALE

7 Et vous ? Lorsque vous devez étudier (le français, par exemple) ou vous concentrer sur une tâche professionnelle, écoutez-vous de la musique ? Associez-vous certaines musiques à des époques de votre vie ?

8 Jeux de rôles : Disposez deux chaises comme si vous étiez à la terrasse d'un café.

Situation : Deux ami(e)s discutent en prenant un café. L'un(e) commence à avoir des trous de mémoire, l'autre le rassure et le conseille.

Rôle de l'angoissé(e) : Dernièrement, vous avez des pertes de mémoire étranges. Vous racontez ces épisodes à votre ami(e). Vous êtes inquiet / inquiète. Vous refusez catégoriquement d'aller chez le médecin et vous ne croyez pas aux vertus des nouvelles technologies pour améliorer la mémoire.

Rôle de l'ami-conseiller / l'amie conseillère : Vous rassurez votre ami(e). Vous lui conseillez de consulter un médecin spécialiste de la mémoire et de tester des applications pour muscler la mémoire.

Registre : Tragi-comique.

Rassurer quelqu'un

> Ça peut arriver / ce sont des choses qui arrivent.
> Ça va aller.
> C'est pas grave / c'est rien.
> Ne te fais pas trop de mouron*.
> Ne t'en fais pas / ne t'inquiète pas / ne te bile* pas.
> Ne te prends pas la tête / le chou*.
> Pas de panique / t'inquiète* !
> Si ça peut te rassurer…
> Si j'étais toi / à ta place, je… (+ conditionnel)
> Si tu as besoin de moi, je serai là.
> Tu peux compter sur moi / je serai là pour toi.

* Familier.

Vertiges de l'amour

OBJECTIFS

- Interpréter un texte littéraire
- Repérer l'implicite dans le discours

Cahier THÈME 5 d'activités

- Construire des phrases complexes
- **ÉCRITURE CRÉATIVE** Traduire la vision de l'amour d'un personnage fictif

A La vraie maison de l'amour est toujours une cachette

Un matin à l'aube, Jacques Rainier, riche industriel français de cinquante-neuf ans, reçoit un appel : Jim Dooley veut le voir, c'est urgent. Les deux hommes s'étaient rencontrés en 1962, lors d'une compétition de bobsleigh à Saint-Moritz. Jacques, intrigué, repense à leur première rencontre...

Le soir même, une journaliste que j'avais rencontrée au bar du Hoff avait éprouvé le besoin de me confier qu'elle avait « interviewé » Jim Dooley à bord du yacht de celui-ci à Saint-Tropez et que.... « il n'y a pas moyen de l'arrêter, il fait ça toute la nuit ». Ce genre de confidence est en général une invitation à se mesurer sur le terrain avec le légendaire et à donner le meilleur de soi-même. Mais j'étais encore relativement jeune et je n'en étais pas à demander aux femmes de me rassurer. Et j'ai toujours eu le goût des jardins secrets et des mondes à part. J'aimais cette complicité profonde à deux où personne n'est admis. Tout ce qui est « réputation » dans ce domaine est fin du merveilleux. La vraie maison de l'amour est tou-

jours une cachette. La fidélité n'était d'ailleurs pas pour moi un contrat d'exclusivité : elle était une notion de dévouement et de communion dans le même sens des valeurs. Quelques semaines avant le débarquement allié, en mai 1944, alors que je décollais aux commandes de mon Lysander d'un terrain clandestin, l'avion capota et je fus assommé. La femme qui partageait alors aussi bien ma vie que mes luttes fut à mon chevet une heure plus tard, dans la ferme où l'on m'avait transporté. Elle était bouleversée. Mon état n'était pas suffisamment grave pour justifier un tel émoi. Lucienne m'expliqua qu'au moment du coup de téléphone qui l'informait de mon accident, elle était dans une chambre d'hôtel sur le point de coucher avec un de mes amis. Elle le laissa là sans un mot et courut me rejoindre. C'était très exactement ce que j'entendais par fidélité : lorsqu'on fait passer l'amour avant le plaisir. Mais je reconnais qu'il est permis de penser différemment et de déceler dans une telle attitude, justement, un manque d'amour. Peut-être même convient-il de décider que mon psychisme recelait déjà une secrète fêlure, qui n'a cessé de s'étendre depuis pour me mener là où je suis. Je n'en sais rien, et d'ailleurs je ne cherche pas d'alibi. Il ne s'agit pas d'un plaidoyer, dans ces pages. Ce n'est pas non plus un appel au secours et je ne mettrai pas ce manuscrit dans une bouteille pour le jeter à la mer. Depuis que l'homme rêve, il y a déjà eu tant d'appels au secours, tant de bouteilles jetées à la mer, qu'il est étonnant de voir encore la mer, on ne devrait plus voir que des bouteilles.

Je devais encore être souvent agacé par l'image de marque du milliardaire de charme qui me tombait sous les yeux, ici et là, aux alentours des années 1963, et qui avait valu à Dolley le titre de « play-boy » numéro un du monde occidental. Mannequins à la mode, lieux de plaisir obligatoires du moment, Ferrari, Bahamas et cette succession de jeunes beautés tellement obnubilées par l'argent qu'elles ne se font même plus payer... L'Américain paraissait n'avoir ni goût, ni jugements personnels, et semblait se fier entièrement au regard et aux appétits des autres : il lui fallait des garanties de désirabilité. Si tant d'hommes rêvaient alors de Marilyn Monroe, c'était parce que tant d'autres hommes rêvaient de Marylin Monroe...

Romain GARY, *Au-delà de cette limite votre ticket n'est plus valable*, Gallimard, 1975.

Aide à la lecture

Dans ce texte, l'auteur emploie des verbes précis pour exprimer son opinion et rapporter les paroles d'autrui. La narration consiste en effet à relater des sensations, des points de vue de différentes personnes. De plus, de nombreux indicateurs temporels marquent la chronologie du récit (« le soir même, quelques semaines avant, au moment de… ») et aident le lecteur à ne pas perdre le fil de l'histoire.

📖 COMPRÉHENSION ÉCRITE

1 Lisez le titre de l'œuvre dont ce texte est extrait : que vous évoque-t-il ? De quelle limite peut-il s'agir ? Et de quel ticket ? Imaginez quel pourrait être le thème principal du roman.

2 Dressez le portrait psychologique de Jacques Rainier à partir des informations à votre disposition dans le texte.

3 Notez tous les termes qui relèvent de l'intime. À quoi s'opposent-ils dans le texte ?

4 Commentez la phrase suivante : « Mais j'étais encore relativement jeune et je n'en étais pas à demander aux femmes de me rassurer » (ligne 12). La situation a-t-elle changé à l'heure où le narrateur raconte ces événements ?

5 Quelle est la conception de l'amour de Jacques Rainier. Quelle composante d'une relation de couple est la plus importante selon lui ?

6 Que sous-entend l'auteur dans cette phrase : « Cette succession de jeunes beautés tellement obnubilées par l'argent qu'elles ne se font même plus payer... » (ligne 43) ? Comment se nomme ce type de moquerie ?

7 À présent, votre interprétation du titre du roman a-t-elle changé ?

💬 PRODUCTION ORALE

8 Commentez la dernière phrase du texte : « Si tant d'hommes rêvaient alors de Marilyn Monroe, c'était parce que tant d'autres hommes rêvaient de Marylin Monroe... ». Êtes-vous d'accord avec le narrateur ?

9 Est-il plus difficile d'être fidèle de nos jours ? Que pensez-vous de la multiplication des sites et applications de rencontres ?

10 Mini-exposé
Répartissez-vous les lieux romantiques célèbres de Paris. Faites des recherches et élisez en classe le lieu le plus romantique : le parvis du Sacré-Cœur, le banc du Lapin Agile, le pont des Arts, le mur des *je t'aime*, le belvédère des Buttes Chaumont, la fontaine Médicis au jardin du Luxembourg, la tombe d'Héloïse et Abélard, les quais de Seine, le jardin du musée de la vie romantique, le parc de Bagatelle, la tour Eiffel.

✍️ PRODUCTION ÉCRITE

11 Fil de discussion
Vous participez à un échange en ligne autour de cette question : « Vaut-il mieux avoir des remords que des regrets ? » Au choix : créez un groupe de discussion et échangez avec votre groupe sur la question ou bien donnez votre avis sur un forum et commentez les interventions de vos partenaires.

AU FAIT

Romain Gary est le seul écrivain à avoir reçu deux fois le prestigieux prix littéraire Goncourt ce qui est pourtant interdit dans le règlement du concours. Comment a-t-il fait ? Il a écrit sous le pseudonyme d'Émile Ajar et a demandé à son neveu de jouer son rôle devant les médias. Il révéla la supercherie dans un roman *Vie et mort d'Émile Ajar* deux jours avant de se suicider.

B Mélanger l'amour, le sexe et l'amitié

🔟 AUDIO

Écoutez un extrait de l'émission *Mélanger l'amour, le sexe et l'amitié : un exercice pas toujours facile* diffusée sur Radio Canada. Répondez aux questions ci-dessous. Puis réécoutez l'extrait et complétez vos réponses.

1 Quelle est la définition du polyamour ?

2 Julian est dans une relation polyamoureuse. Comment a-t-il vécu cette relation au début ?

3 Pour quelle(s) raison(s) sa compagne ne souhaite-t-elle pas changer sa manière de vivre sa sexualité ?

4 Comment Myriam conçoit-elle le couple ?

5 Carl considère que la question de la séparation de l'amour et de la sexualité est un faux débat, pour quelle(s) raison(s) ?

6 Les deux derniers intervenants évoquent la relation complexe entre l'amour, le sexe et l'amitié. Faites une synthèse du point de vue des jeunes interviewés sur le mélange sexe-amitié.

💬 PRODUCTION ORALE

7 Imaginez le procès de Cupidon. Vous choisissez d'être l'avocat de la défense de Cupidon et de l'amour sous toutes ses formes ou bien l'avocat de la relation de couple dite « traditionnelle ».
Préparez en équipe vos arguments en vous aidant des questions ci-dessous. Le procès commence, les équipes s'affrontent au tribunal autour de la question : Cupidon est-il coupable de la dégradation des relations amoureuses ?

> Quels sont les avantages (ou inconvénients) d'une relation polyamoureuse ?

> Peut-on séparer amour et sexualité ?

> Pensez-vous que l'infidélité soit très répandue ? Où commence l'infidélité d'après vous ?

> Sexe et amitié : quelle compatibilité ?

> Les « nouvelles » formes de relation amoureuse (polyamour, union libre, rencontre d'une nuit, etc.) sont-elles une évolution ou une régression des mœurs ? Pour quelle(s) raison(s) ?

✍️ PRODUCTION ÉCRITE

9 Fil de discussion
Un magazine sollicite ses internautes pour participer à un dossier spécial sur la question suivante : vivez-vous la jalousie comme une preuve d'amour ? Vous décidez d'apporter votre témoignage sur la question.

8 Débat
La vision traditionnelle du couple est-elle amenée à disparaître ?

Cahier d'activités THÈME 5

L'amour

Les formes de relation

une amourette
une aventure
un coup d'un soir (fam.)
un couple
un fantasme
un flirt
une liaison
une passade
le polyamour
une relation érotique ≠ platonique / fantasmatique /
durable / sérieuse ≠ éphémère / légère / libre
une relation intime, complice
une union libre, un couple ouvert

Les symptômes

avoir des papillons dans le ventre
avoir le béguin pour qqn
avoir le cœur qui bat la chamade
avoir un coup de foudre, flasher sur qqn
avoir un faible pour qqn
craquer sur qqn, faire craquer qqn (fam.)
être béat(e) (la béatitude)
être obsédé(e) / obnubilé(e) / envoûté(e) par qqn
n'avoir d'yeux que pour lui/elle
se pâmer pour qqn
tomber sous le charme

1 Mime en couple : mimez à votre partenaire l'un des symptômes de la liste. Quand il trouve la bonne expression, inversez les rôles.

Les méthodes de séduction

aborder / accoster qqn
attirer l'attention de qqn
avoir / donner un rencart à qqn (fam.)
conter fleurette
convoiter
déclarer sa flamme
dérouler le tapis rouge
dévoiler ses sentiments, jouer franc jeu, être cash (fam.)
draguer
faire des avances à qqn
fréquenter qqn
séduire / charmer
sortir le grand jeu
tourner autour de qqn (fam.)

Les actions de l'amour

avoir une relation sexuelle
conclure (fam.)
coucher avec qqn / coucher ensemble (fam.)
faire des galipettes (fam.)
faire l'amour

prendre son pied (fam.)
s'effleurer, s'embrasser, s'étreindre

L'amour heureux

chérir / chouchouter qqn
kiffer
demander la main de qqn
épouser qqn, se marier
être comblé(e)
être fait l'un pour l'autre
être sur un petit nuage
roucouler
une âme sœur
vivre le grand amour
vivre / être en symbiose

L'amour malheureux

avoir le cœur brisé
être cocu(e) (fam.)
larguer qqn / se faire larguer (fam.)
le divorce, la rupture, la séparation
mettre un terme à une relation
plaquer qqn / se faire plaquer (fam.)
quitter qqn, rompre avec qqn
se faire éconduire
se prendre un râteau (fam.)
tromper qqn

Expressions

avoir un cœur d'artichaut
être un bourreau des cœurs
faire des yeux de merlan frit
la prunelle de mes yeux
l'amour rend aveugle
loin des yeux loin du cœur
un/une de perdu(e), dix de retrouvé(e)s
vivre d'amour et d'eau fraîche

2 Classez ces expressions selon leur registre de langue : familier / soutenu / vieilli / standard.
a. avoir le béguin
b. être amoureux
c. battre la chamade
d. flasher sur qqn
e. kiffer
f. chérir
g. larguer
h. roucouler

PRODUCTION ÉCRITE

3 Réemployez un maximum de mots de la liste dans une lettre de rupture adressée à votre amant(e) imaginaire. Il s'agit d'une fiction : ne pleurez pas à chaudes larmes, préférez l'humour !

JEUX DE CULTURE GÉNÉRALE

1 — C'est correc' ? Chui correc !

Devinez la définition des expressions québécoises suivantes. Puis associez-les aux définitions qui vous sont proposées.

Chanter la pomme

accoté

AVOIR UN PAIN AU FOUR

Donner un bec

courir la galipotte

UNE BLONDE

Un chum

se chicaner

Cruiser

Minoucher

caresser – draguer - séduire quelqu'un par des manières romantiques et attentionnées - être en couple sans être marié - une petite amie - un petit ami – se disputer - donner un baiser - rechercher des aventures amoureuses - être enceinte

2 — Les chansons d'amour

Retrouvez la suite des paroles de ces chansons parmi les trois propositions :

a *L'amour à la machine* d'Alain Souchon.
Passer votre amour à la machine….
[1] … faites-le bouillir pour voir si les couleurs d'origine peuvent revenir.
[2] … faites le tri pour savoir si vos amours d'origine vont revenir.
[3] … faites partir le programme court car votre amant pourrait revenir.

b *Quand on n'a que l'amour* de Jacques Brel
Quand on n'a que l'amour…
[1] … pour se battre contre les furidonds et juste un canon pour se parler de velours.
[2] … pour rassembler en chanson et rien qu'une maison pour se cacher du jour.
[3] … pour parler au canon et rien qu'une chanson pour convaincre un tambour.

3 — Qui est qui ?

Trouvez qui se cache derrière chaque portrait.

[a] Mata Hari   [b] Don Juan   [c] Madame de Pompadour   [d] Casanova

[1] Je suis né(e) en 1721. À la cour, on n'avait d'yeux que pour moi, beaucoup me détestaient aussi. J'ai reçu une éducation soignée et j'excelle dans l'art de la conversation et les valeurs de l'esprit. Bien que considéré(e) comme un(e) grand(e) séducteur/séductrice de l'Histoire, je n'ai eu qu'un(e) amant(e).

[2] J'ai fait l'amour, j'ai vu la guerre, j'ai vécu des drames sur scène et dans la vie. J'ai habité à Java, j'ai travaillé dans un cirque, je me suis produit(e) sur scène à Paris, j'ai eu de nombreux(ses) amant(e)s. Mon père était baron, j'ai été très riche et très pauvre. Je suis mort(e) fusillé(e).

[3] Né(e) en 1725, je suis une figure de l'histoire européenne. Le récit de mon évasion de prison me permet de briller à la cour du roi. Pour moi, la séduction n'a pas de limite et je peux aussi bien être charmant(e) que perfide pour arriver à mes fins. Je confesse avoir eu plus de 100 aventures !

[4] Plus mythe que réalité, j'aurais vécu au XIVᵉ siècle, ce qui fait de moi le plus vieux/la plus vieille des séducteurs/séductrices ici présent(e)s. J'ai eu plus de mille conquêtes et je suis prêt(e) à raconter tous les mensonges pour séduire ma proie. J'ai fini par être assassiné(e) et emmené(e) en enfer par la statue d'un homme que j'avais tué après avoir séduit son enfant.

La famille dans tous ses états

- S'informer sur la révolution sociétale de la famille
- Débattre de l'évolution de la famille

Cahier THÈME 6 d'activités

- Approfondir la mise en relief
- ESSAI Argumenter sur la disparition de la famille

A Famille, la fin du modèle unique

Désunie, recomposée et pourtant plébiscitée, la famille a connu une mutation majeure : elle ne naît plus du mariage mais de la filiation. La question de la parenté est aujourd'hui centrale.

Sous des formes plurielles, la famille continue d'être une institution majeure de la société française. Que l'on en prenne pour preuve par exemple son taux de fécondité. De fait, en
5 matière de changement, la « révolution des mœurs » qui est en marche est moins celle de la famille que de la parenté. Entre la parution du premier numéro de *Sciences Humaines* en 1990 et celui-ci, l'institution familiale a poursuivi son
10 évolution, sur la courbe entamée dans les années 1970 : le nombre de mariages hétérosexuels continue de baisser, celui des divorces d'augmenter. Si l'avortement et la contraception sont antérieurs aux années 1990, des changements
15 législatifs importants ont depuis contribué à développer l'égalité entre les sexes au sein du couple. Rappelons qu'en 1987, une loi établit l'autorité parentale conjointe ; en 2002, une loi instaure un congé de paternité et généralise
20 le principe de l'autorité parentale partagée, ouvrant la possibilité d'une résidence alternée pour l'enfant ; elle renforce la coparentalité[1] en cas de séparation du couple ; enfin la loi Gouzes, la même année, ouvre la possibilité de modi-
25 fier le système multiséculaire de transmission patronymique.
Tout en mettant en avant la primauté de l'individu sur l'institution familiale, ces dispositifs organisent l'égalité des parents devant leurs
30 responsabilités éducatives et garantissent le maintien des liens de filiation de l'enfant après la séparation des parents.

L'enfant au centre

Suivant un calendrier parallèle, on observe la
35 montée du droit de l'enfant : il lui est reconnu le statut de personne, d'abord à travers la ratification en 1989 de la Convention internationale des droits de l'enfant votée par l'ONU, puis en 2000 par la création d'une autorité juridique,
40 le défenseur des enfants (depuis fondue dans l'institution de Défenseur des droits). Dans ce monde qui valorise l'autonomie, la constitution de la famille et la forme qu'elle prend reposent désormais sur la volonté des individus. Pour une
45 large partie de la population, le mariage n'est plus l'horizon indépassable de la famille française. Se marier ou non, se séparer ou non, est devenu une affaire de conscience personnelle. En entrant dans ce qu'Irène Théry a nommé le
50 temps du « démariage », le point d'équilibre de

notre système de parenté s'est trouvé déplacé, car il n'échappe pas à une règle universelle : dans les sociétés où le mariage est faible, c'est la filiation qui forme la colonne vertébrale de la
55 famille. La montée de l'individualisme n'a pas affaibli l'importance des transmissions familiales. Les enquêtes montrent la force des liens intergénérationnels qui se tissent d'aides et de transferts réguliers.

60 Parmi les nouveaux personnages de la famille ont émergé au cours des décennies récentes les grands-parents, pivots de ces liens. Longtemps oubliés de la sociologie de la famille, ils offrent aujourd'hui une tout autre figure que celle du
65 vieillard. En bonne santé, bénéficiant d'une retraite encore confortable, ce troisième âge apporte une aide considérable à ses enfants en gardant les petits-enfants, ou directement à ses petits-enfants devenus adultes qui ont à
70 faire face aux difficultés économiques contemporaines. La relation intergénérationnelle s'est désormais inversée : les lignées d'aujourd'hui sont au service des individus, alors qu'autrefois elles étaient à leur charge.

75 Le démariage, par ailleurs, a changé la place de l'enfant. Autrefois, il venait comme une évidence après le mariage. Aujourd'hui, sa naissance est programmée et c'est lui qui est appelé à fonder la famille, alors que 60 % des premiers
80 enfants naissent hors mariage. Construite dans sa vie intime et privée, la socialisation du couple devient alors publique.

Vers de nouvelles configurations

Paradoxalement, alors que jamais l'enfant n'a été autant désiré, jamais son lien avec ses parents n'a été aussi fragilisé par le divorce ou les séparations. Jusque dans les années 1960, les trois registres du mariage, de la filiation, de la socialisation étaient liés. Le démariage, les familles monoparentales, les recompositions familiales ont remis en cause cette intime association. Et les conséquences des nouvelles technologies reproductives, comme la loi sur le mariage pour tous, élargissent singulièrement le tableau des possibles : s'il y a des métamorphoses de la famille, c'est bien dans les mécanismes de la filiation ; le vieux débat déjà abordé par Émile Durkheim, sur la nature du lien de filiation – social ou biologique – retrouve une nouvelle actualité.

Plusieurs déliaisons sont à l'origine de ces métamorphoses de la parenté. Après la contraception qui a permis la sexualité sans procréation, désormais la procréation est possible sans sexualité. Les diverses formes d'assistance médicale à la procréation, la constitution de banques d'ovocytes et de sperme, la maternité de substitution ou le futur possible d'un utérus artificiel bouleversent l'horizon de nos anciennes certitudes concernant la filiation, et ce, dans le contexte d'une société « bébéphile », où le désir d'enfant s'impose de manière impérieuse, y compris pour les couples infertiles. Dans ces conditions, la question *À qui appartiennent les enfants ?* soulève des incertitudes. Et c'est l'État, à travers le droit, qui se trouve interpellé autour de questions à propos desquelles les débats sociaux sont vifs.

L'intervention de la sphère biomédicale dans le processus de fabrication de l'enfant montre bien qu'en matière de parenté, nous sommes entrés dans l'ère « d'après la nature » comme le remarquait Marilyn Strathern dès 1992. C'est pourquoi les questions posées par les nouvelles technologies de la reproduction (NTR) méritent un débat approfondi. Certains anthropologues et sociologues, engagés dans des réseaux militants en faveur de la légalisation de la GPA[2] en France, ont eu tendance à capter ce débat public, justifiant le désir d'enfant à tout prix. Cependant, quoique peu nombreuses, ces naissances hors normes et, en ce qui concerne la France, hors-la-loi, alimentent les craintes diffuses d'une partie de la population, bien au-delà des cercles dits conservateurs. Car elles semblent porter atteinte au système de parenté sur lequel fonctionne notre société, encore dominant comme en atteste le faible usage de la loi Gouzes : la grande majorité des parents opte pour le patronyme paternel alors qu'ils ont désormais le choix du nom de leur enfant. Ainsi que le note Jean-Hugues Déchaux, « les innovations biotechnologiques les plus audacieuses ne pourront d'elles-mêmes transformer ce qui relève du système de croyances et de l'ensemble des facteurs qui en déterminent l'évolution ». Particulièrement en temps de crise, de nombreuses familles demandent des repères normatifs, quand bien même l'État se refuse à juger le comportement des individus.

Famille, la fin du modèle unique par Martine Segalen,
Sciences Humaines n°277 - janvier 2016

1. Concept juridique qui désigne d'une part, la capacité des parents à être compétents, aptes à éduquer leur enfant et d'autre part, l'organisation du maintien du lien de filiation après un divorce.
2. Gestation pour autrui.

👍 Aide à la lecture

Cet article, traitant de l'évolution de la famille sur plusieurs décennies, comporte des marqueurs temporels pour exprimer cette progression dans le temps. Par exemple, on y trouve « depuis », « désormais », « autrefois », « dès » + nom, etc. Entraînez-vous à les repérer. De plus, de nombreux articulateurs logiques jalonnent le texte pour assurer sa cohérence : « de fait », « car », « alors que », « par ailleurs », « c'est pourquoi », « cependant ». C'est très utile pour comprendre l'enchaînement des idées.

AU FAIT

Instauré en 1999, le Pacs (pacte civil de solidarité) est une forme d'union qui avait pour vocation de protéger les couples de même sexe. En 2016, 96 % des Pacs concernent des couples hétérosexuels qui le préfèrent au mariage. Le mariage pour tous a été introduit en France en 2013.

BON, RÉCAPITULONS... QUI SONT LES ENFANTS DE PAPA, CEUX DE MAMAN ET CEUX DE PAPA ET MAMAN ?...

1 Pour l'auteur, « la révolution des mœurs » qui est en marche est moins celle de la famille que de la parenté. Relevez les faits principaux mis en avant pour étayer ce constat.

2 D'après le texte, quel regard la société française porte-t-elle sur ces transformations ?

3 Quels termes juridiques sont employés pour définir et organiser les différentes situations familiales (exemple : « le congé de paternité ») ? Expliquez-les.

4 Quels mots appartenant à la sphère biomédicale se trouvent dans cet article (exemple : « les nouvelles techniques reproductives ») ? Précisez-en le sens.

5 Résumez oralement l'article avec vos propres mots.

Séverin Millet

6 Que pensez-vous des changements relatifs à la famille en France ? Quelle est la situation dans d'autres pays ? Et vous, comment est votre famille ? Votre arbre généalogique reflète-t-il les évolutions de la société dans laquelle vous vivez ?

7 Mini-exposé
En France, la PMA et la GPA font débat. Mais de quoi est-il question exactement ? Et qu'en est-il dans différents pays du monde ? Formez des petits groupes et répartissez-vous le travail : un pays par groupe. Faites des recherches afin d'établir un état des lieux précis, puis présentez-le dans un bref exposé (5 à 10 minutes).

8 Débat
Selon vous, le législateur est-il en phase avec la société concernant la PMA, la GPA et le statut des beaux-parents ?

9 Fil de discussion
Et vous ? Que pensez-vous de la PMA et de la GPA ? Débattez-en ensemble sur le réseau social de votre choix.

AU FAIT
En janvier 2018, des États généraux de la bioéthique ont été organisés en France pour débattre sur les problèmes éthiques et les questions de société soulevés par les progrès de la connaissance dans les domaines de la biologie, de la médecine et de la santé. Ils permettent aux citoyens de s'informer et de débattre.

La famille

La composition familiale

une famille…
- adoptive
- d'accueil
- homoparentale
- monoparentale
- nombreuse
- recomposée
- traditionnelle

la famille nucléaire ≠ élargie
la famille proche ≠ éloignée
fonder une famille
la fratrie
un ménage, un foyer
les parents adoptifs ≠ biologiques

L'union / la désunion

le divorce par consentement mutuel
le divorce pour faute
divorcer
établir un contrat de mariage chez le notaire
une famille unie, soudée ≠ désunie, déchirée
le mariage pour tous
se marier à la mairie / à l'église
se pacser, conclure un Pacs
présenter un certificat de vie commune / de concubinage
la séparation de corps / de biens
se séparer
vivre en union libre

L'organisation de la famille après séparation

l'autorité parentale conjointe / exclusive
le droit de l'enfant
le droit…
- de garde partagé / exclusif
- d'hébergement
- de visite

l'intérêt de l'enfant
le juge aux affaires familiales
la parentalité / la coparentalité / la pluriparentalité
la résidence alternée
verser / recevoir une pension alimentaire
verser / recevoir une prestation compensatoire

La filiation

un(e) ancêtre, un(e) aïeul(e)
une branche de la famille
la descendance
un enfant…
- adoptif
- légitime
- naturel

la filiation biologique / sociale
un lien étroit, fort ≠ distendu, ténu, fragile
les liens intergénérationnels
la lignée
la parenté
la transmission

Les nouvelles techniques reproductives

une banque de sperme / d'ovocytes, d'ovules
un bébé-éprouvette
un couple infertile
un donneur / une donneuse
être stérile
faire un don de gamètes : un ovule, un spermatozoïde
la fécondation in vitro (FIV)
un géniteur / une génitrice
la gestation pour autrui (GPA)
les innovations biotechnologiques
l'insémination artificielle
une mère porteuse
la procréation médicalement assistée (PMA)
procréer, concevoir
l'utérus artificiel

Expressions

avoir un air de famille
avoir l'esprit de famille
c'est de famille !
être de bonne famille
laver son linge sale en famille

 1 Écoutez ces 4 dialogues et retrouvez le type de famille dont il est question.

2 Retrouvez sur cette page les mots définis ci-dessous.
a. l'importance du rôle de la mère et du père dans l'éducation est la même
b. personne qui fait don de son matériel génétique à des fins de procréation
c. vivre ensemble sans être mariés ou pacsés
d. avoir la possibilité de recevoir son enfant chez soi le week-end et pendant une partie des vacances
e. ensemble des personnes liées par filiation ou par alliance

3 De quelles façons est-il actuellement possible d'avoir un enfant ? Faites une liste puis expliquez les différents procédés existants.

💬 **PRODUCTION ORALE**

4 D'après vous, comment sera la famille du futur ? (composition, liens, droits et devoirs de chacun de ses membres, etc.)

5 En France, le don de gamètes est un acte volontaire, anonyme et gratuit. Certains enfants nés d'un don souhaitent la levée de cet anonymat. Qu'en pensez-vous ?

B L'art d'être grands-parents, un peu, beaucoup, passionnément, pas du tout

COMPRÉHENSION ORALE  (12) AUDIO

Écoutez un extrait de l'émission *Grand bien vous fasse* de France Inter, consacrée aux grands-parents. Répondez aux questions ci-dessous. Puis, réécoutez-le et complétez vos réponses.

1 Pourquoi l'animateur de l'émission a-t-il invité Serge Guérin et Patrick Avrane ?

2 Quels éléments soulignés par Patrick Avrane caractérisent les grands-parents d'aujourd'hui ?

3 Comment Serge Guérin explique-t-il l'intérêt des grands-parents pour leurs petits-enfants ?

4 Qu'est-ce que « les nouveaux grands-parents » ?

5 Quelle fonction les grands-parents occupaient-ils au sein de la famille de Thomas Chauvineau ?

6 Selon Monique Desmedt, quelles difficultés certains grands-parents rencontrent-ils et pourquoi ?

7 Quel rôle crucial les grands-parents peuvent-ils jouer en cas de conflit entre les parents et comment ?

8 Quelles preuves d'amour de sa grand-mère Sabrina partage-t-elle sur les ondes de France Inter ?

9 Quel constat Patrick Avrane tire-t-il du témoignage de Sabrina ?

PRODUCTION ORALE

10 En binômes, discutez de vos grands-parents en vous aidant de ce questionnaire :

> Combien de grands-parents avez-vous connus ? Caractérisez chacun d'entre eux par un adjectif.

> Que savez-vous de leur enfance ? De leur vie d'adulte ?

> Où vivent-ils (vivaient-ils) ? Comment est (était) l'ambiance chez eux ?

> Que faites-vous (faisiez-vous) avec eux ?

> Quelle place et quel rôle ont-ils (avaient-ils) dans votre famille (au sens large) ?

> Que vous ont-ils transmis ?

> Racontez un bon ou un mauvais souvenir avec eux.

> D'après vous, qu'est-ce qui distingue les grands-parents des parents ?

> Quelles questions auriez-vous aimé poser à vos grands-parents ? Pourquoi ?

11 Mini-exposé
Certains grands-parents n'ont plus de contact avec leurs petits-enfants suite à un divorce, à un décès ou à un conflit. Pourtant, ils ont des droits. Quelles démarches peuvent-ils entreprendre pour les faire reconnaître ?

Formez trois groupes et faites des recherches pour la France, la Belgique et la Suisse. Partagez-vous la tâche. Exposez ensuite le fruit de vos recherches (5 à 10 minutes).

PRODUCTION ÉCRITE

12 Fil de discussion
Quand ils confient leurs enfants aux grands-parents, certains parents leur donnent une « feuille de route ». Qu'en pensez-vous ?

AU FAIT
Des seniors ont récemment inventé le terme « chicoufs » pour désigner les petits-enfants : « Chic, ils arrivent, ouf, ils repartent ! »

VOCABULAIRE

Les grands-parents

Les liens relationnels

être…

 aimant(e), affectueux / affectueuse, tendre
 attentif(ve), à l'écoute
 autoritaire, intransigeant(e)
 blessant(e), cassant(e)
 comblé(e), enchanté(e), ravi(e)
 disponible
 fier / fière de qqn, content(e) de qqn
 permissif(ve), indulgent(e), laxiste
 préoccupé(e), se faire du souci pour qqn
 sévère, dur(e), raide
une influence réciproque
se montrer compréhensif(ve)
nouer / tisser des liens avec qqn
une relation…

 bienveillante ≠ toxique
 complice ≠ conflictuelle
 distante, qui s'étiole
 profonde, essentielle
 riche
 spontanée, authentique ≠ artificielle

Les rôles

aider à faire les devoirs
apaiser, sécuriser
chouchouter, cajoler, câliner
constituer un repère pour qqn
encourager qqn
être un modèle, donner l'exemple
être un pilier affectif, un refuge
être un rempart contre qqch
gâter qqn
favoriser les échanges au sein de la famille
initier qqn à qqch / transmettre qqch à qqn
inscrire les petits-enfants dans l'histoire familiale
s'occuper des petits-enfants, les garder
offrir une ouverture sur des centres d'intérêt différents
raconter des souvenirs, être un passeur de mémoire
réconforter, consoler
stabiliser qqn
transmettre des valeurs

Les seniors

avoir une bonne qualité de vie
avoir du temps pour soi
bien vivre son âge
être dans le coup / moderne / ouvert(e) d'esprit
être pris(e), occupé(e), actif(ve)
lutter contre le vieillissement / les rides
ne pas faire son âge ≠ avoir l'air vieux
refaire sa vie
rester autonome, indépendant(e)
s'engager dans une association
se sentir bien dans sa peau, être épanoui(e)
la silver génération, les papy-boomers

se tenir informé(e) des innovations

La jeunesse des grands-parents français

les contrôles douaniers aux frontières
l'émergence de la société de consommation
le féminisme
la foi dans le progrès
la guerre froide
la libération de la femme
Mai 68
le plein emploi
la pratique religieuse
le syndicalisme
les Trente Glorieuses
les yéyés

Expressions

faut pas pousser mémé dans les orties
une mamie / un papi-gâteau
le papy-boom
un remède de grand-mère

 1 Écoutez ces 4 témoignages et caractérisez à chaque fois le lien qui unit ces petits-enfants à leurs grands-parents.

2 Précédemment, vous avez discuté de vos grands-parents avec un autre apprenant. À l'écrit, résumez ce qu'il vous a livré de cette relation.

3 Que signifient ces expressions désuètes employées par les grands-parents ?
a. Il file un mauvais coton !
b. Je me porte comme un charme.
c. Le premier film que j'ai vu au cinéma, c'était un western, j'en avais plein les mirettes !
d. Ça fait belle lurette que je ne suis pas allée en vacances à l'étranger.
e. Tu es fagoté comme l'as de pique !
f. Il faisait une tête de 6 pieds de long !
g. Toute leur vie, mes parents ont tiré le diable par la queue, cela n'a pas été mon cas heureusement.

1. avoir des difficultés financières
2. être de mauvaise humeur
3. être ébahi
4. traverser une période difficile
5. être mal habillé
6. être en forme
7. il y a longtemps

💬 **PRODUCTION ORALE**

4 Quel type de grands-parents aimeriez-vous être un jour ?

5 Comment les seniors sont-ils considérés dans votre pays ? Connaissez-vous des pays où il en va autrement ? Qu'en pensez-vous ?

Thème 6 La famille dans tous ses états

AU CŒUR DU QUOTIDIEN

1 Qui est mécontent et pourquoi ?
Comment le voyez-vous ?
Qui en rajoute ?
Comment le savez-vous ?

2 Quelle situation similaire avez-vous rencontrée ou observée ? Racontez-la à votre voisin.

3 Qu'en est-il de la relation mère-fils ?
Quel dessin pourrait la dépeindre ?
Quel titre lui donneriez-vous ?

MÈRE/FILLE :
UNE RELATION COMPLEXE

Maman !
Tu m'écoutes,
oui ?!

Hein ?
Qui me
parle ?

Gosse

COMPRÉHENSION ORALE   AUDIO

4 Au début du document sonore, la dame mentionne « les Pâques de sa fille » (c'est-à-dire les cadeaux offerts à cette occasion) et évoque un incident. Lequel ?

5 De quel autre sujet épineux a-t-il été question ensuite ? Finalement, qu'est-ce qui va être mis en place concrètement ?

6 La dame établit alors une comparaison avec la situation durant son enfance. Quelle était-elle ?

PRODUCTION ORALE

7 Qu'avez-vous pensé de ce document (contenu, style, débit, intonation) ?

8 À votre tour, racontez un conflit familial. Essayez d'utiliser des expressions imagées comme le fait la dame dans l'audio.

9 **Jeux de rôles** : formez des binômes. À la fin de chaque scène, le public vote pour le/la membre de l'équipe qui lui a le plus plu. Les binômes changent toutes les 3 à 5 minutes au signal de l'arbitre.

Situation : vous êtes chez un psychologue, vous lui parlez de vos relations familiales difficiles.

Rôle du patient / de la patiente : imaginez les anecdotes et situations conflictuelles que vous allez mettre en avant. Pensez à l'attitude que vous allez adopter (la plainte, la colère, la résignation, la satisfaction...).

Rôle du psy : réagissez de manière professionnelle ou inattendue.

Registre : Comique ou tragique au choix.

Exprimer son ras-le-bol

> Elle/il me prend la tête* / le chou*.
> Elle/il m'agace.
> Elle/il est casse-pieds*.
> C'est un emmerdeur* / une emmerdeuse*
  de première !
> Elle/il est parano*.
> On ne peut rien lui dire, elle/il prend immédiatement
  la mouche !
> Elle/il est grave*.
> Elle/il est auto-centré(e).
> Tout tourne autour d'elle / de lui.
> C'est un vrai boulet* !
> Elle/il est toxique.
> Elle/il s'immisce dans ma vie privée.
> Elle/il trouve toujours quelque chose à redire
  concernant mes choix.
> Elle/il prend un malin plaisir à lancer des piques.
> Elle/il tient des propos déplacés.
> Je prends mes distances.
> J'ai dû couper les ponts.

* Familier.

L'art de résister

OBJECTIFS

- Définir l'engagement d'un artiste
- Défendre la place de l'art dans la société

- Enrichir l'expression de la volonté
- **ESSAI** Défendre l'expression artistique

A DU NON AU OUÏ... AVEC DEUX POINTS LEVÉS

Qu'est-ce qu'une chanson ? Ce sont des couplets et un refrain qui revient. Cette répétition définit la chanson, plus encore que la narration. C'est elle qui permet qu'on retienne ce refrain. Pour moi, la chanson a une vocation collective, sociale, parce qu'elle est faite pour bercer et pour être répétée, interprétée et réinterprétée par tous ceux qui l'entendent. Elle est comme un relais, une lumière qui se transmet de personne à personne. J'aimerais que dans deux cents ans mes chansons soient chantées même si on ne sait plus qui les a écrites. Une chanson, c'est un cierge allumé collectivement au moment où on la chante, mais elle traverse les âges.

Quand une chanson parle de politique, on dit qu'il y a du fond et qu'elle s'adresse à la société, mais je pense qu'une berceuse a la même fonction. Ce qui compte, c'est la façon dont on chante. Sur mon dernier disque, j'ai voulu une douceur, ferme et puissante. En soi, cela constitue un message pour la société. Il n'est pas nécessaire de dire littéralement ce que je crois être bon pour elle. La chanson, par le seul fait qu'elle est et qu'elle continue à exister, constitue un lien social et c'est crucial aujourd'hui. Il est essentiel que les gens continuent à se regrouper.

Il existe toutes sortes de chansons : pour bercer, pour accompagner les morts, les mariages ou les festins. Il y en a pour la maternité ou pour les révolutions. La chanson peut avoir toutes les fonctions qu'on veut lui donner, mais toutes ces fonctions sont sociales, qu'elles soient dans le poétique ou le politique, dans la tendresse ou la colère. Juliette Gréco, cette merveilleuse dame, disait que toutes les chansons d'amour sont révolutionnaires et que toutes les chansons révolutionnaires sont des chansons d'amour.

Dans la note d'intention de l'album, j'ai écrit : « Je voulais faire un disque protestataire, je voulais dire non, et voilà que je dis OUÏ. » Je suis passée du non au oui. J'avais au départ des textes plus dans l'émotion, portant un discours plus explicite sur la société. J'en ai gardé, ce qui parle des graines et de la terre (comme les chansons *Seeds* et *Twix*). C'est symptomatique, ce n'est pas forcément un choix que j'ai fait. La création raconte où l'on en est, au plus juste. Si les chansons les plus explicites politiquement sur cet album sont celles qui parlent de la nature, c'est sûrement parce que je suis sauvée par la poésie de quelque chose qui n'est pas proprement humain. Avec la musique, on ne ressasse pas l'humain et ses conflits, on les dépasse. La musique appartient à une autre sphère, de réconciliation et de paix. Parce qu'il est fondamental de dépasser notre égocentricité, mes textes les plus engagés parlent davantage de ce qui nous entoure que de nous. Et ceux qui parlent de nous, comme *Nuit debout*[1], restent volontairement dans un registre très impressionniste. Mais c'est un moment, c'est là où j'en suis maintenant, je trouverai peut-être plus tard d'autres mots [...]

Chacun d'entre nous peut devenir un artiste s'il veille à exprimer ce qui le définit singulièrement. On peut créer la culture comme on cultive un champ, là où on est. Chacun – je le dis sans démagogie – peut écrire, faire un cercle. Chaque famille, chaque immeuble peut chanter tous les jours. Ce sont de vraies pratiques de paix, de joie de vivre et de dignité [...]

Chanter et danser ensemble est essentiel. Il faut un guide. C'est le rôle que j'ai sur scène, mais j'aimerais aller plus loin encore que le partage. Dans un concert pop classique, il y a toujours ce côté où l'artiste donne quelque chose à un spectateur un peu passif. C'est déjà une forme de catharsis. Mais on a besoin aussi d'une assemblée plus horizontale [...]

Pour moi, le rôle de l'artiste, c'est bien sûr de créer, mais aussi de transmettre aux autres l'idée qu'ils sont à leur tour capables de créer, comme quelqu'un qui sème des graines et qui dit « vous aussi vous êtes une culture, vous êtes vivants ».

Les plantes qui ont la saveur la plus particulière et qui sont les plus résilientes, ce sont celles qui sont le plus enracinées, très loin des champs de monoculture muets qui n'ont plus de goût ni de résistance aux maladies. Quelles que soient nos migrations personnelles, il faut prendre conscience que nous venons de quelque part, que nous avons un goût particulier et qu'il faut le cultiver.

Le i tréma de *Ouï* avec ses deux points levés est un combat pour la paix. J'ai été élevée dans l'esprit de résistance. Ma grand-mère était résistante. En France, nous sommes tous

marqués par l'histoire de la Seconde Guerre mondiale. Mon père était un militant de gauche, il s'est fait tabasser à une manif. Il a perdu un ami qui s'est fait tuer par un membre du FN à l'arme blanche alors qu'il collait des affiches. Je viens d'une culture du « non », je suis française et aujourd'hui je dis « oui » car je trouve cette culture du « contre » complètement ringarde, je pense qu'au XXIe siècle, s'il faut parfois résister fermement, nous devons surtout aller vers le vivant et vers la paix. On dira que ce que je propose est « bobo » ou « New Age » mais ça m'est égal ! Si l'écologie, la méditation, les pratiques collectives deviennent quotidiennes, alors cela change drastiquement les choses. À mon humble niveau, je peux affirmer que je n'en serais pas là si je ne chantais et ne dansais pas tout le temps. Les choses douloureuses le sont moins quand on les accompagne. La chanson est là pour ça. Même les chansons intimes qui disent le chagrin ou la colère aident les gens parce qu'elles les accompagnent dans les moments difficiles de la vie [...]

CAMILLE, *Du non au ouï... Avec deux points levés*
© le1hebdo, n°163 juillet 2017

1. Le mouvement « Nuit debout » a rassemblé plusieurs nuits, sur la place de la République à Paris, des étudiants et travailleurs rêvant de réinventer un monde.

 Aide à la lecture

Observez les nombreuses phrases qui se composent avec « c'est... que... » Cette forme syntaxique s'appelle **la mise en relief**, elle permet de mettre en valeur une partie de la phrase. En sortant du schéma classique sujet + verbe + complément, les définitions de la chanson sont mises en avant. Vous noterez aussi que ce texte est écrit à la première personne, l'auteure livre ainsi son opinion sur l'écriture artistique tout en se confiant sur l'histoire de sa famille. L'utilisation du « je » positionne fortement l'auteure dans la sphère de l'intime.

1 On peut déjà déduire, à partir du titre seulement, deux informations clés pour comprendre l'état d'esprit de Camille aujourd'hui. Lesquelles ?

2 Camille dit « je voulais dire non, et voilà que je dis OUÏ » (ligne 39). Relevez d'autres phrases dans le texte qui reprennent cette idée. Puis donnez les arguments de Camille pour justifier son choix.

3 Camille donne plusieurs définitions et fonctions de la chanson, relevez-les et utilisez-les pour formuler ensuite votre définition de la chanson.

4 Remplacez le mot *chanson* par une autre forme d'expression artistique (peinture, danse, sculpture…), dans les phrases que vous avez relevées précédemment. Que déduisez-vous sur le rôle de l'art dans la société ?

5 Relevez le vocabulaire lié à la résistance et au lien social. En quoi ces deux listes s'opposent-elles ?

💬 **PRODUCTION ORALE**

6 Pensez-vous que la musique puisse changer le monde ? Dans le texte, Camille cite Juliette Greco : « Toutes les chansons d'amour sont révolutionnaires et toutes les chansons révolutionnaires sont des chansons d'amour ». Êtes-vous d'accord avec cette idée, pourquoi ?

7 Mini-exposé
De tout temps, la production et l'exposition d'œuvres artistiques ont été limitées pour des raisons politiques, idéologiques, religieuses, morales ou au nom d'une autre conception de l'art. Face à la censure, de nombreux artistes ont résisté.
Dans un exposé de 10 minutes, présentez l'acte de résistance de l'un d'entre eux et dites pourquoi vous l'avez choisi.

📝 **PRODUCTION ÉCRITE**

8 Fil de discussion
Sur un forum d'idées, vous expliquez comment l'art peut être une forme pacifique pour exprimer ses opinions même les plus engagées. Soulignez l'importance de la diversité d'opinions notamment sur le plan artistique.

B *Prélude à l'après-midi d'un faune* de Claude Debussy

② VIDÉO

CONSERVATOIRE DE PARIS

👁 **COMPRÉHENSION AUDIOVISUELLE**

Écoutez la vidéo de la RTBF *Je ne sais pas vous*, mais sans la regarder. Répondez à la première question. Puis regardez la vidéo et répondez aux autres questions.

1 Imaginez le paysage qui ressort de cette première écoute. Décrivez-le au reste de la classe.

2 Debussy souhaite « n'écouter les conseils de personne sinon du vent qui passe et nous raconte l'histoire du monde ». Expliquez son intention artistique et précisez à qui il s'oppose.

3 Relevez les deux phrases qui définissent le mieux le titre de l'œuvre de Debussy.

4 Quand se situe l'œuvre de Debussy par rapport au poème de Mallarmé ? Relevez les mots et expressions qui justifient votre réponse.

5 La vidéo associe chaque instrument cité à certaines caractéristiques d'interprétation. Quelles sont-elles ?

6 Qu'apprenez-vous dans cette vidéo sur les deux œuvres artistiques, sur ce qui les rapproche et ce qui les distingue ?

💬 **PRODUCTION ORALE**

7 Mallarmé a dit, en parlant du prélude à son poème, composé par Debussy : « Je ne m'attendais pas à cela. La musique évoque l'émotion de mon poème et dépeint le fond du tableau dans les teintes plus vives qu'aucune couleur n'aurait pu rendre ». Il a apprécié ce qu'apporte l'interprétation musicale de son poème. Pensez-vous que ce soit toujours le cas ? Lorsqu'un artiste souhaite s'inspirer de l'œuvre d'un autre, quelles sont les ambitions et les craintes qui peuvent surgir ?

8 Mini-exposé (à deux)
Les rappeurs s'inspirent souvent d'écrivains classiques, beaucoup de peintres se sont inspirés de grandes œuvres littéraires. Cherchez quelques exemples et présentez-les dans un exposé d'une dizaine de minutes.

📝 **PRODUCTION ÉCRITE**

9 Fil de discussion
Votre groupe de musique préféré organise un chat avec ses fans pour discuter de ce qu'ils attendent de leur prochain album et comprendre pourquoi ils apprécient leur musique. Vous décidez d'y participer en postant votre avis.

VOCABULAIRE

Musique

La carrière

un agent
un/une attaché(e) de presse
un autographe
une boîte de production
un cachet
un concert
une conférence de presse
des déplacements
un disque d'or / de platine
des droits d'auteur
des fans, être fan de…
un festival
un/une intermittent(e) du spectacle
partir en tournée
des répétitions, répéter, s'entraîner
sortie d'un album

Avoir du succès

être récompensé(e), primé(e)
reconnu(e), plébiscité(e)
la célébrité
la considération
la gloire
un/une lauréat(e)
la notoriété
la popularité
la renommée

Les phénomènes de société

les conflits
l'écologie (f.)
l'extrémisme religieux
une génération délaissée
le génocide
l'intolérance (f.)
les malaises
la montée du fascisme
les préjugés
la révolution
le racisme
les travers

Un artiste ou son œuvre peut être…

Quand on aime :

un coup de cœur
élaboré(e), complexe, épatant(e)
réfléchi(e)
extraordinaire, hors du commun, original(e)
profond(e)
sophistiqué(e), recherché(e)

Quand on n'aime pas :

bizarre
excessif(ve)
exécrable
extravagant(e)
exubérant(e)
futile
superficiel(le)
ringard(e)

Un artiste peut…

dépeindre un monde…
représenter une génération
s'imposer comme…
sortir du lot

La résistance

combattre, un combattant
être ferme, ne pas céder
manifester, une manif,
une manifestation, un(e) manifestant(e)
militer, un(e) militant(e)
résister, un(e) résistant(e)
s'engager, un engagement
se rebeller, un(e) rebelle(e)
s'opposer, un(e) opposant(e)

Les supports musicaux

un album
un CD
un fichier audio MP3
une pochette
un titre, un tube
un vinyle

Les genres artistiques

classique
contemporain
décoratif
engagé
explicite
impressionniste
jazz
new age
poétique
politique
pop
rap
réaliste
le slam
surréaliste

Expressions

avoir de l'oreille
avoir le sens du rythme
avoir l'oreille musicale
chanter comme une casserole
chanter les louanges de quelqu'un
des lendemains qui chantent
donner de la voix
être dur d'oreille / de la feuille
être sourd comme un pot
faire chanter quelqu'un
on connaît la chanson
se faire entendre
si ça me chante

1 **Complétez les phrases avec l'expression qui convient.**
a. Mon grand-père n'entend pas quand je lui parle au téléphone, il est tellement … que je suis obligé de crier.
b. Hier je suis allé au dernier concert d'Anaïs, j'ai adoré, j'ai eu un vrai … en l'écoutant chanter.
c. Manuela avait découvert la double vie de son voisin quelques années auparavant et l'avait … pendant quelque temps.
d. Ça va, … : le patron va encore une fois nous promettre une augmentation de salaire et dans quelques mois il nous ressortira l'excuse de la crise.

2 **Associez les artistes ci-dessous aux genres artistiques de la liste correspondante.**
a. Cézanne **f.** Mallarmé
b. Corneille **g.** Mozart
c. Corneille (Pierre) **h.** Picasso
d. Dali **i.** Renaud
e. Zola **j.** Zebda

3 **Chantonnez votre chanson préférée au groupe et à votre professeur en remplaçant les paroles par « lalala »… Celui qui reconnaît ce que vous chantez gagne.**

4 **Présentez l'actualité de votre artiste préféré.**

💬 PRODUCTION ORALE

5 **Essayez-vous au slam : écrivez une courte poésie chantée et rythmée sur un sujet qui vous révolte.**

AU CŒUR DU QUOTIDIEN

1 Décrivez et identifiez les personnages du dessin. À quelles générations appartiennent-ils ? Quelles références culturelles connaissent-ils ?

2 Qu'est-ce qui déclenche le rire dans ce dessin ? Comment qualifier l'attitude du personnage de droite ?

3 Selon vous, peut-on comparer la philosophie et le rap ? Justifiez vos propos.

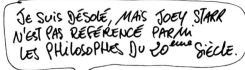

 COMPRÉHENSION ORALE (15) **AUDIO**

4 Selon l'interlocuteur, à quel rap appartiendrait plutôt le rappeur Orelsan ?

5 D'après le dialogue, deux courants du rap s'opposent, décrivez-les en relevant leurs caractéristiques.

6 Relevez les mots qui se répètent le plus. Quel effet ont-ils dans une discussion ?

7 D'après cet échange, quelle est la raison pour laquelle « le rap est né au départ » ?

8 Êtes-vous sensible à ce style musical ? Que représente-t-il pour vous ?

PRODUCTION ORALE

9 Le rap est souvent synonyme de revendications et de protestations. D'après vous, quelles autres disciplines artistiques peuvent exprimer le mécontentement et la révolte ?

10 Et vous, écoutez-vous du rap ? Qu'est-ce qui vous plaît ou vous déplaît dans ce style musical ?

11 Jeux de rôles

> **Situation** : Vous êtes invité(e) chez des ami(e)s et vous ne comprenez pas que l'un(e) de vos ami(e)s déteste le style musical que vous aimez. Vous tentez de le/la convaincre du contraire.

> **Rôle du/de la passionné(e)** : Vous êtes passionné(e) par le rap, le rock, la pop, le jazz, la musique classique… Vous présentez votre style aux autres et tentez de les persuader d'écouter.

> **Rôle de la personne à convaincre** : Vous n'aimez pas du tout le style musical de votre ami(e) et refusez ces arguments.

Registres : Polémique, courant ou familier au choix

Exprimer sa passion

> Ça déchire grave* !
> Ça donne envie de danser.
> Ça me détend.
> Ça te ferait du bien d'écouter.
> C'est énorme / génial.
> C'est rythmé.
> C'est trop bien / cool.
> C'est vraiment chanmé* comme style.
> Franchement, c'est tip top* !
> J'adore / je vénère cette musique.
> J'aime grave*.
> Je (sur)kiffe* cette musique.
> Je partage souvent leurs idées.
> Je suis trop à fond* sur ce morceau.
> Je suis trop fan* de…
> Je suis trop love* de…
> Non, mais écoute, ça va te plaire.
> Tu devrais écouter, sérieux* !

* Familier.

La fureur de lire

OBJECTIFS

- Relever les pouvoirs du roman
- Lier un récit autobiographique à son auteur

Cahier
THÈME 8
d'activités

- S'approprier les différents temps du récit
- **ESSAI** Sensibiliser à la protection des œuvres

A Les Mots

 16 AUDIO

À peine eus-je commencé d'écrire, je posai ma main pour jubiler. L'imposture était la même mais j'ai dit que je tenais les mots pour la quintessence des choses. Rien ne me troublait plus que de voir mes pattes de mouche échanger peu à

5 peu leur luisance de feux follets contre la terne consistance de la matière : c'était la réalisation de l'imaginaire. Pris au piège de la nomination, un lion, un capitaine du Second Empire, un Bédouin s'introduisaient dans la salle à manger ; ils y demeureraient à jamais captifs, incorporés par les

10 signes ; je crus avoir ancré mes rêves dans le monde par les grattements d'un bec d'acier. Je me fis donner un cahier, une bouteille d'encre violette, j'inscrivis sur la couverture : « Cahier de romans. » Le premier que je menai à bout, je l'intitulai : « Pour un papillon ». Un savant, sa fille, un jeune

15 explorateur athlétique remontaient le cours de l'Amazone en quête d'un papillon précieux. L'argument, les personnages, le détail des aventures, le titre même, j'avais tout emprunté à un récit en images paru le trimestre précédent. Ce plagiat délibéré me délivrait de mes dernières inquiétudes : tout était forcément vrai puisque je n'inventais rien […] Me tenais-je pour un copiste ? Non. Mais pour un auteur original : je retouchais, je rajeunissais […]

20 Je ne fus jamais tout à fait dupe de cette « écriture automatique ». Mais le jeu me plaisait aussi pour lui-même : fils unique, je pouvais y jouer seul. Par moments, j'arrêtais ma main, je feignais d'hésiter pour me sentir, front sourcilleux, regard halluciné, *un écrivain*. J'adorais le plagiat, d'ailleurs, par snobisme et je le poussais délibérément à l'extrême […]

Tout destinait cette activité nouvelle à n'être qu'une singerie de plus. Ma mère me prodiguait les

25 encouragements, elle introduisait les visiteurs dans la salle à manger pour qu'ils surprissent le jeune créateur à son pupitre d'écolier ; je feignais d'être trop absorbé pour sentir la présence de mes admirateurs ; ils se retiraient sur la pointe des pieds en murmurant que j'étais trop mignon, que c'était trop charmant. Mon oncle Émile me fit cadeau d'une petite machine à écrire dont je ne me servis pas, Mme Picard m'acheta une mappemonde pour que je pusse fixer sans risque d'erreur

30 l'itinéraire de mes *globe-trotters*. Ma mère recopia mon second roman *Le Marchand de bananes* sur le papier glacé, on le fit circuler. Mamie elle-même m'encourageait : « Au moins, disait-elle, il est sage, il ne fait pas de bruit. » Par bonheur la consécration fut différée par le mécontentement de mon grand-père.

Il n'avait jamais admis ce qu'il appelait mes « mauvaises lectures ». Quand ma mère lui annonça

35 que j'avais commencé d'écrire, il fut d'abord enchanté, espérant, je suppose, une chronique de notre famille avec des observations piquantes et d'adorables naïvetés. Il prit mon cahier, le feuilleta, fit la moue et quitta la salle à manger, outré de retrouver sous ma plume les « bêtises » de mes journaux favoris. Par la suite, il se désintéressera de mon œuvre […]

À peine tolérées, passées sous silence, mes activités littéraires tombèrent dans une semi-clan-

40 destinité ; je les poursuivais, néanmoins, avec assiduité : aux heures de récréation, le jeudi et le dimanche, aux vacances et, quand j'avais la chance d'être malade, dans mon lit ; je me rappelle des convalescences heureuses, un cahier noir à tranche rouge que je prenais et quittais comme une tapisserie […] Mes romans me tenaient lieu de tout.

[…] Je suis né de l'écriture : avant elle, il n'y avait qu'un jeu de miroirs ; dès mon premier roman,

45 je sus qu'un enfant s'était introduit dans le palais de glaces. Écrivant, j'existais, j'échappais aux grandes personnes ; mais je n'existais que pour écrire et si je disais : moi, cela signifiait : moi qui écris. N'importe : je connus la joie ; l'enfant public se donna des rendez-vous privés.

Jean-Paul Sartre, *Les mots*, © Editions Gallimard

👍 **Aide à la lecture**

Dans l'oeuvre *Les Mots*, c'est l'adulte Jean-Paul Sartre qui raconte comment, enfant, sa passion d'écrire est née. L'extrait entraîne le lecteur à plusieurs moments de l'histoire : le temps de sa propre lecture, celui de l'écriture du texte par l'auteur, ou encore celui de l'avant-écriture.

COMPRÉHENSION ORALE

Écoutez un extrait des *Mots* de Jean-Paul Sartre.
Répondez aux questions ci-dessous. Puis réécoutez-le et
complétez vos réponses.

1 Quel pouvoir Jean-Paul Sartre a-t-il découvert quand il
a commencé à écrire ?

2 Quel sentiment éprouvait-il quand il écrivait ? Relevez
trois verbes pour le justifier.

3 Comment Sartre écrivait-il enfant ? Adulte, quel
regard porte-t-il sur cette façon d'écrire ? Pour répondre,
réemployez le lexique du plagiat, présent dans le texte.

4 Quelle image de l'écrivain trouve-t-on dans le texte ?

5 Relevez l'attitude des adultes face à un enfant qui
écrit : comment le vivait Jean-Paul Sartre ? À quelle
occasion cet effet prend-il fin ?

6 Quelle place l'écriture a-t-elle prise dans sa vie
d'enfant ? Pourquoi ?

7 Qu'apporte la lecture à voix haute à l'extrait ?

PRODUCTION ORALE

8 En binômes, discutez de l'écriture en vous aidant des
questions suivantes.

> Quels types de textes écrivez-vous dans votre vie
quotidienne ?

> Prenez-vous du plaisir à écrire ? Pourquoi ?

> Avez-vous déjà écrit ou pensé à écrire un journal
intime, un texte, un poème ? Pourquoi ?

> Quelle image avez-vous de l'écrivain ?

> D'après vous, comment naît la vocation d'un écrivain ?

> Quelles questions aimeriez-vous poser à un écrivain
que vous appréciez ? Pourquoi ?

> Quel rôle joue le lecteur pour l'écrivain ?

9 Mini-exposé
En France, le monde de l'édition compte plus de 10 000
éditeurs ! Par petits groupes, recherchez sur Internet
ce qui caractérise une maison d'édition, puis définissez
la « ligne éditoriale » de la maison d'édition idéale.
Présentez-la lors d'un court exposé de 10 minutes
environ.

> **AU FAIT**
>
> *Les Mots* est un récit autobiographique
> publié en 1964. Jean-Paul Sartre y
> évoque son enfance entre 4 et 11 ans
> et son rapport à la lecture et à l'écriture.
> Pour ce récit, on lui a donné le prix
> Nobel de littérature qu'il a refusé.

PRODUCTION ÉCRITE

10 Fil de discussion
Et vous, que pensez-vous des prix décernés en
littérature ? Avez-vous tendance à les suivre pour choisir
vos lectures ? Pourquoi ? Discutez-en sur un forum
consacré à la littérature.

> **AU FAIT**
>
> Les écrivains de la langue française
> peuvent espérer recevoir l'un des prix
> littéraires suivants : le prix Nobel de
> littérature, le prix Goncourt (le plus
> connu, même si l'auteur ne gagne
> que 10 euros !), le prix Renaudot ou
> encore le prix Femina (dont le jury est
> exclusivement composé de femmes).

B Une bibliothèque de possibles

Le roman n'impose rien. Il est moins péremptoire qu'une kalachnikov, moins despotique qu'un discours prononcé en chaire, il n'est pas invasif comme un parfum ni même agaçant comme le
5 vrombissement d'une mouche. Le roman est une liberté : tu l'ouvres, tu le refermes à volonté, tu peux même l'abandonner inachevé sur un banc, tu ne lui dois rien. Nul besoin de finir ton assiette ! Il se grignote par petits bouts ou se
10 boit cul sec. Certains l'ouvrent au hasard et se contentent d'y picorer quelques lignes avant de décider de s'y glisser ou non. Il y a tant de façons de le déguster.

Le roman est un véhicule à mille vitesses, une
15 porte, une multitude de voix. Il témoigne des grandes révolutions sociales, des métamorphoses de nos regards, de l'avènement de l'intime. C'est un espace à déplier, à partager, de fines tranches de texte à laisser fondre à voix
20 haute sur le bout de sa langue, un paradis artificiel, une chambre à soi, un coup d'un soir à voix basse, un tissu de mots, un textile trouvé à ravauder en silence aux couleurs de sa sensibilité, de sa sensualité.
25 Le roman est une graine. Et qui sait ce qu'il fera surgir en nous, car cette matière du livre devient la nôtre.

Comment se démêler des romans lus ?
Comment savoir ce qu'on leur doit ?
30 Le pouvoir du roman est subtil et lent.

J'ai été un homme bien des fois, j'ai été fou, étranger, esclave, fils de pute, idiot, j'ai été Michel-Ange, j'ai été une lignée et un enfant adultérin, j'ai tué, aimé, migré, enfanté, désiré,
35 j'ai joui et souffert. Je suis morte tant de fois. J'ai trouvé l'autre à l'autre bout du monde tout en m'enfonçant au plus profond de moi. J'ai touché l'humanité, senti une force commune, une immense empathie par la grâce d'un millefeuille
40 de papier, et le souffle de l'auteur s'est mêlé à mon souffle pour faire œuvre. Les romans lus et oubliés m'ont dissoute et étoffée, multipliée et unifiée. Certains me hantent la nuit.

Je suis un peu ici et un peu là. Je suis ce livre que
45 je porte au-devant de mon corps à bout de bras, bouclier de papier, je suis l'écran où s'enfonce mon regard dans ce petit troquet et l'au-delà de la page. Dans ma bulle, hors du temps, j'explore le monde, je sillonne les possibles, je vis à
50 Calcutta, je visite Dublin, je chronique Mars. Je m'absente à moi-même en me plongeant dans une sublime solitude peuplée de personnages à animer. Le roman est un courant intime qui remue nos profondeurs et fait parfois remonter
55 des souvenirs oubliés tout en nous entraînant au-dehors dans des mondes que nous n'avons jamais vus, jamais visités.

Le roman n'impose rien, il se perd, se déchire, se laisse contester, biffer, surinterpréter, adapter.
60 Même radical, il nous assouplit, c'est un exercice de tolérance qui nous aide à baisser la garde, nous permet de comprendre l'autre, de vivre ensemble, d'imaginer demain.

Je suis une bibliothèque de possibles, je suis
65 de chair et d'encre.
Je suis lectrice de romans…

Une bibliothèque de possibles par Carole MARTINEZ,
© le1hebdo, n°163 juillet 2017

📖 COMPRÉHENSION ÉCRITE

1 Le roman exerce-t-il un pouvoir sur son lecteur ? Si oui, lequel ?

2 Relevez le champ lexical culinaire. Puis expliquez la comparaison avec la gastronomie.

3 L'auteure parle à la fois de l'intime et du partage. Que veut-elle dire ?

4 Relevez les images qu'utilise Carole Martinez pour définir le livre.

5 « Je vis à Calcutta, je visite Dublin, je chronique Mars ». Selon Carole Martinez, quel lien unit le lecteur au héros du roman ? Relevez un autre extrait du texte qui coïncide avec votre réponse.

6 Quels sont les bénéfices du roman pour le lecteur ?

💬 PRODUCTION ORALE

7 En binômes, discutez de la place de la lecture dans votre vie, en vous aidant des questions suivantes.

> Que vous apporte la lecture?

> Quel(le) lecteur/lectrice êtes-vous ?

> Aimez-vous acheter, emprunter, prêter des livres ?

> Quel est votre livre préféré ? Pourquoi ?

> Vous arrive-t-il d'annoter un livre ou d'écrire dessus ? Ou bien craignez-vous de l'abîmer ?

> Si un livre ne vous plaît pas, vous obligez-vous à le finir ?

> Avez-vous déjà relu un livre ? Lequel ?

8 « La littérature ne sert à rien, ne peut rien, elle est un immense gaspillage [...] Mais je dirais aussi qu'elle est essentielle quand je pense à cette centaine de livres qui ont transfiguré le monde (en bien ou en mal). » (*Le Un*, 2017, « La vie est un roman »). Partagez-vous cette opinion de l'écrivain algérien Boualem Sansal, qui a obtenu le grand prix du roman de l'Académie française ? Qu'est-ce que cela vous inspire ?

AU FAIT

En France, tous les ans en septembre, environ 600 nouveautés sortent dans les librairies, dont 80 premiers romans, c'est la « rentrée littéraire ». Selon le Centre national du livre (CNL), les Français lisent pour s'évader (95 %) et mieux comprendre le monde qui les entoure (85 %).

9 Mini-exposé
Dans son article, l'auteure, Carole Martinez, se demande comment savoir ce qu'on doit aux livres. Et vous, à quel livre devez-vous quelque chose ? Autrement dit, quel livre a profondément marqué votre vie ? Recherchez des informations sur son histoire, son auteur, etc., et présentez-le à la classe lors d'un court exposé de 10 minutes environ.

📝 PRODUCTION ÉCRITE

10 Fil de discussion
Sur un blog dédié à la littérature, un blogueur remet en cause le rôle des libraires dans l'accès aux livres. Et vous ? Préférez-vous acheter vos livres en ligne ou dans une librairie ? Pourquoi ? Vous rédigez un commentaire dans lequel vous donnez votre opinion.

Le livre

Les métiers du livre

un/une auteur(e) classique ≠ contemporain(ne), moderne
un/une auteur(e)
un/une bibliothécaire
un/une coauteur(e)
un correcteur / une correctrice
un/une critique littéraire
un/une dramaturge
un/une écrivain(e)
un éditeur / une éditrice
un/une essayiste
un homme / une femme de lettres
un lecteur / une lectrice, un/une bibliophile, un rat de bibliothèque
un/une libraire
un/une poète
un prête-plume
un relecteur / une relectrice
un romancier / une romancière
un traducteur / une traductrice

L'objet livre

un avant-propos
un bouquin (fam.), bouquiner (fam.), un bouquiniste
un chapitre
une couverture, la première de couverture
le dos
un incipit
un index
une liseuse numérique
un livre au format papier / numérique
un livre audio
un livre broché / cartonné / relié
un livre de poche
un livre en grands / gros caractères
un livre interactif
un livre multimédia
un livre neuf / ancien / d'occasion
un manuscrit, un tapuscrit (tapé à la machine)
une note de bas de page
une œuvre
un ouvrage
une page
un pavé (fam.)
une postface
une préface
une quatrième de couverture
un serre-livres
un sommaire
une table des matières
un titre, un sous-titre
un tome
une tranche
un volume

1 **Trouvez dans la liste les mots qui légendent cette photo.**

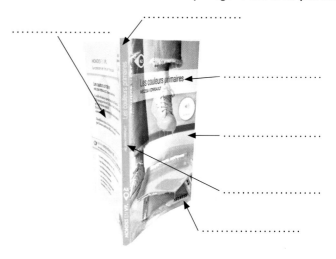

L'écriture

biffer, rayer, annoter, crayonner
coucher ses idées sur le papier
écrire à la main ≠ à l'ordinateur
écrire au courant de la plume
écrire comme un cochon (fam.)
écrire en prose ≠ en vers
écrire sous la dictée de quelqu'un
écriture lisible ≠ illisible
être une source d'inspiration
le fil conducteur
un genre littéraire
une/des patte(s) de mouche
plagier, le plagiat, le plagiaire
prendre sa plus belle plume
un registre soutenu / standard / familier / populaire
le style
la trame

Un procédé narratif

la description
la digression
la narration
le portrait

Les figures de style

une comparaison
un euphémisme
une gradation
une litote
une métaphore
un paradoxe
une périphrase
la personnification
un pléonasme

La publication

un contrat d'édition
les droits d'auteur (m.)
éditer, l'édition (f.), la maison d'édition
se faire publier
imprimer, l'impression (f.)
un livre à succès, un *best-seller* (angl.)
un ouvrage épuisé
paraître, la parution
le prix de vente
publier, la publication à compte d'auteur
un salon littéraire / du livre
tirer à X exemplaire, le tirage
les ventes (f.)
vivre de sa plume
se voir décerner un prix littéraire

Le rapport à la lecture

dévorer un livre
être captivé(e)
feuilleter / parcourir / survoler un livre
lire à voix haute ≠ en silence
lire avec avidité
lire en diagonale

La critique d'un livre

adorer, aimer, raffoler, apprécier
détester, exécrer
émouvoir, faire pleurer, effrayer, faire peur
être emporté(e) par
faire réfléchir
faire rire
permet de comprendre / découvrir
procurer des émotions
s'évader

Une histoire...

à mourir de rire (fam.)
audacieuse
banale
bizarre, étrange
bouleversante, poignante
captivante
déstabilisante, choquante, provocatrice
drôle, amusante, cocasse, humoristique, pleine d'humour, rigolote (fam.)
dure, difficile
efficace, percutante
effrayante, angoissante, terrifiante
émouvante, touchante
ennuyeuse, ennuyeuse à mourir (fam.)
étonnante, surprenante
excellente
idéaliste
intéressante
loufoque, absurde
magnifique, merveilleuse
médiocre, nulle
optimiste, pleine d'espoir
originale, singulière
passionnante, captivante
pessimiste

pleine d'émotions
pleine de suspense, intrigante
poétique, onirique
puissante
réaliste, authentique
remarquable, admirable
riche ≠ pauvre
sans intérêt, inintéressante
simple ≠ compliquée
sombre, déprimante, lugubre
soporifique, assommante
tragique, triste, déchirante

 2 Écoutez ces 4 personnes qui donnent leur opinion sur un livre. Retrouvez sur cette page l'adjectif qui résume chaque avis.

Les genres littéraires

une autobiographie
une autofiction
une bande dessinée
un billet
une biographie
un brief
une comédie
un conte
un essai
une fable
une fiction
une nouvelle
une pièce de théâtre
une poésie
un roman d'amour /d'aventures / d'espionnage / d'horreur / de science-fiction / épistolaire / fantastique / historique / noir / policier
un roman graphique
un synopsis
une tragédie
une tragi-comédie

 3 Écoutez ces 4 dialogues et retrouvez, parmi les mots présents sur cette page, de quoi parlent les personnes.

4 Retrouvez sur cette page les mots définis ci-dessous.
a. Mot latin qui désigne les premiers mots d'un livre.
b. Mot composé, objet décoratif qui permet de maintenir plusieurs livres les uns contre les autres, debout.
c. Personne qui écrit anonymement les livres signés par un autre. Ce n'est ni l'auteur ni le coauteur.
d. Genre littéraire dont le sujet est la vie de l'auteur.

💬 **PRODUCTION ORALE**

5 Quel est le dernier livre que vous avez lu ? Racontez son histoire, présentez son auteur(e), décrivez le genre littéraire auquel il appartient et ses caractéristiques.

JEUX DE CULTURE GÉNÉRALE

1 Un lieu, un roman

Associez chaque lieu à son roman :

a

b

c

d

1 *Le comte de Monte-Cristo* d'Alexandre Dumas

2 *Le Château de ma mère* de Marcel Pagnol

3 *Notre-Dame de Paris* de Victor Hugo

4 *Zazie dans le métro* de Raymond Queneau

2 Un peu d'histoire

Retrouvez les grandes dates de l'histoire de la langue française.

1 Le français, langue royale, devient la langue juridique et administrative

2 1er document non écrit en latin (les Serments de Strasbourg)

3 Publication de la loi Toubon relative à l'emploi de la langue française face à l'anglais

4 1re édition du Dictionnaire de l'Académie française

a 842   b 1539

c 1694   d 1994

3 Reconnaissance

a **Parmi les écrivains français suivants, seuls deux ont reçu le prix Nobel de littérature. Lesquels ?**

• Saint-John Perse   • Honoré de Balzac   • Frédéric Mistral   • Rabelais   • Simone de Beauvoir

b **Les auteurs français ci-dessous ont reçu le prix Nobel de littérature à la date indiquée entre parenthèses. Reliez-les au titre d'un de leurs romans.**

• André Gide (1947)
• Jean-Paul Sartre (1964)
• Gao Xingjian (2000)
• Jean-Marie Gustave Le Clézio (2008)
• Patrick Modiano (2014)

• *Le chercheur d'or*
• *Huis clos*
• *Les faux-monnayeurs*
• *Rue des boutiques obscures*
• *La montagne de l'âme*

4 Qui suis-je ?

Associez ces écrivains francophones à leur présentation :

a Albert Camus   b Molière   c Jules Verne   d Marguerite Duras

1 J'ai vécu au XIXe siècle. J'ai écrit des romans d'aventures destinés à la jeunesse comme *Vingt mille lieues sous les mers* ou *Le Tour du monde en quatre-vingts jours*. Je suis l'auteur(e) français(e) le/la plus traduit(e) au monde.

2 Mon pays, l'Indochine, n'existe plus. J'ai écrit des romans et des pièces de théâtre. J'ai aussi réalisé des films. Mon autofiction *L'Amant* a connu un immense succès.

3 Comédien(ne) et dramaturge, j'ai fréquenté la cour de Louis XIV. Je suis presque mort(e) sur scène en jouant une de mes nombreuses pièces de théâtre : *Le Malade imaginaire*. Mon nom est utilisé pour désigner la langue française.

4 Je suis né(e) en 1913. J'ai été un/une journaliste engagé(e) dans la Résistance pendant la Seconde Guerre mondiale. J'ai été proche de Jean-Paul Sartre avant qu'on ne se dispute. J'ai notamment écrit *L'Étranger* et *La Peste*.

Homo **futurus**

OBJECTIFS

- ○ Appréhender l'intelligence artificielle et l'avenir de l'homme

- ○ Confronter transhumanisme et éthique

Cahier THÈME 9 d'activités

- ○ Émettre des hypothèses

- ○ SYNTHÈSE Synthétiser des documents sur le transhumanisme

A Transhumanisme *versus* bioconservateurs

La fusion de la technologie et de la vie

Si la première utilisation du mot « transhumaniste » remonte aux années 1950, sa popularisation date du milieu des années 1990. C'est à cette période que les chercheurs commencent à cerner les promesses de la convergence NBIC[1]. Le projet transhumaniste de fusion de la technologie et de la vie se déploie en trois étapes : d'abord, la technologie pénètre la vie grâce aux prothèses médicales et à la bio-ingénierie ; puis, la technologie crée la vie artificielle [...] ; enfin, la technologie dépasse, voire remplace la vie ; la montée en puissance de Google, embryon d'intelligence artificielle, prouve que cette étape n'est plus si loin.

Un véritable lobby bioprogressiste est déjà à l'œuvre, qui prône l'adoption enthousiaste de tous les progrès NBIC, quitte à changer l'humanité [...]

Le mouvement transhumaniste, cœur du technopouvoir

La domestication de la vie est l'objectif central des transhumanistes qui soutiennent l'augmentation de nos capacités. Bien entendu, l'« amélioration » de l'humain soulèvera des débats moraux et éthiques. Mais, dans la guerre pour ou contre la modification de l'homme, les transhumanistes ont gagné la bataille de l'expertise et de l'influence [...]

Pour les transhumanistes, l'humanité n'a aucun scrupule à avoir dans l'utilisation de toutes les possibilités de transformation de l'humain offertes par la science. Cette idéologie se présente comme progressiste : elle souhaite faire profiter l'ensemble des êtres humains [...] des bienfaits de la technologie [...] On mesure le piège : s'opposer au transhumanisme revient à légitimer les inégalités biologiques et à défendre une société à plusieurs vitesses au nom de valeurs conservatrices comme le respect de la nature. Les bioconservateurs d'aujourd'hui ne défendent plus le slogan « travail, famille, patrie » mais « dignité, nature, divinité » [...]

Et le débat ne porte plus sur l'opportunité de transformer l'homme mais sur les moyens d'assurer l'égalité de tous dans l'accès à ces techniques. Dernièrement, un éditorialiste d'une prestigieuse revue médicale (*The Lancet*) s'inquiétait, non des dérives technologiques de renforcement du cerveau humain, mais des conditions nécessaires pour accorder aux étudiants pauvres des bourses leur permettant d'avoir accès à ces traitements [...] La question n'est déjà plus celle de l'acceptabilité mais de l'égalité de la diffusion de ces technologies.

De la science-fiction à la médecine-réalité : nous sommes déjà des transhumains

Nous sommes beaucoup plus proches du transhumanisme que nous ne le pensons. En fait, on peut même dire qu'en ce début de XXIe siècle, nous sommes déjà des transhumains. La science nous a permis d'augmenter doucement notre espérance de vie. Nous avons des médicaments efficaces pour de nombreuses pathologies, des prothèses pour réparer nos genoux, nos hanches, nos artères, nos veines, les valves de notre cœur, nos dents ou nos os. Nous savons greffer une main, un cœur ou même un visage. Nous avons créé des prothèses, comme les lentilles de contact, ou des machines comme le pacemaker, pour lutter contre nos imperfections physiques [...]

Qui voudra résister à la « médecine d'amélioration », ce concept défini en 2003 dans un rapport du comité de bioéthique des États-Unis ? Ce document expliquait qu'à l'avenir, il n'y aurait plus de frontière entre la médecine thérapeutique et la médecine de maintien et de prévention. Dans la biomédecine de demain, les nouveaux médicaments et les technologies thérapeutiques se combineront pour améliorer les capacités humaines.

La science-fiction de naguère devient médecine-réalité. Toute la question est de savoir si, au nom des risques, il faut – et s'il est possible de – s'opposer à la convergence des NBIC. L'Histoire a montré que l'homme ne résiste jamais à l'attrait de la nouveauté, quand bien même celle-ci recèlerait un danger. L'homme résistera d'autant moins à la révolution biotechnologique que celle-ci lui promet un développement de sa propre puissance et une victoire sur la mort [...]

Transhumanisme versus bioconservateurs par Laurent ALEXANDRE © Presses de Sciences Po

1. NBIC : ce sigle désigne un champ scientifique multidisciplinaire, celui des nanotechnologies, biotechnologies, informatique et sciences cognitives.

B Google ne contrôle pas encore le monde

Robots personnels, véhicules autonomes et même « robots tueurs » ou cyborgs, la robotique est et sera omniprésente dans notre société. Pour *Nom de Zeus*, Raja Chatila, directeur de recherche au CNRS et directeur de l'Institut des systèmes intelligents et de robotique (ISIR), évoque les questions éthiques auxquelles nous aurons très rapidement à faire face. Avec un pragmatisme aux antipodes des transhumanistes de la Silicon Valley.

La robotique est sûrement l'incursion la plus visible du « futur » dans notre présent. Mais la vitesse des avancées technologiques dépose sur place la question législative, morale ou éthique. Raja Chatila estime qu'il faut que la société entière prenne la mesure des questions éthiques : « au début il s'agissait d'un débat de spécialistes, mais on voit que cela arrive sur la place publique. Puis il faudra que le législatif s'en saisisse » [...]

Ray Kurzweil[1], futurologue chez Google et leader du mouvement transhumaniste américain, estime que la frontière humain/robot tombera d'elle-même d'ici 2045. La singularité[2] (l'intelligence artificielle dépassera celle de l'Homme) nous poussera à devenir des cyborgs, mi-humains mi-robots. Pour Raja Chatila, certains aspects de ce discours peuvent être crédibles, mais ils sont mêlés à de purs fantasmes voire à des délires potentiellement très dangereux. « Première- ment, les dates avancées me semblent assez douteuses, estime-t-il. Mais de telles prévisions s'apparentent un peu à la méthode Coué[3]. L'ob- jectif daté n'est pas l'important, c'est de chercher dans cette direction qui importe. Reste qu'il demeure une difficulté technique majeure : on ne sait absolument pas "construire" de cerveaux. On sait qu'un cerveau est composé de 100 mil- liards de neurones, mais ça n'est pas parce que je vous donne 100 milliards de neurones que vous me ferez un cerveau avec ».

Il s'agit donc de démêler le futur crédible et l'avenir fantasmé. « Concernant les "cyborgs", il y a une différence majeure entre augmentation et réhabilitation. Si vous "ajoutez" quelque chose pour développer vos capacités, c'est de l'aug- mentation. Si vous perdez un bras et qu'on vous en greffe un nouveau, c'est de la réhabilitation ». Les deux sont-ils crédibles et « éthiques » ?

« Concernant l'augmentation, on peut considérer que les exosquelettes c'est le début du cyborg ! Ils seront capables de permettre à une personne handicapée de marcher, ou de surdévelopper les forces physiques, que ça soit pour des métiers pénibles ou pour une utilisation militaire, évi- demment ». Mais un exosquelette, comme un vêtement, on peut toujours l'enlever. « Avec la CERNA[4], nous avons beaucoup insisté sur cette obligation de la réversibilité des systèmes d'augmentation. D'un point de vue éthique, il faut toujours que l'utilisateur puisse décider, qu'il n'y ait pas de caractère définitif » [...]

Et si dans la tête de Kurzweil il semble évident que nous deviendrons des transhumains, Raja Chatila lui n'est « pas du tout convaincu du caractère inéluctable ». Certes cette idée semble assez à la mode, notamment du côté de la Sili- con Valley. Mais « estimer qu'il n'y a que cette possibilité, c'est aller trop vite en besogne : la société peut tout à fait s'y opposer. Estimer que les transhumanistes vont décider seuls du futur, c'est accepter l'idée que l'on ait un gros problème de démocratie. Bien sûr, des gens voudront se faire augmenter ; des tas de gens, sûrement. Mais ça sera à eux d'en décider. Google ne contrôle pas encore le monde. Que fera-t-on si quelques individus deviennent des surhommes incontrôlables dans leur coin ? »

Si ce scénario catastrophe n'est pas à l'ordre du jour, on ne peut ignorer le fait qu'une poignée de chercheurs concentre ses recherches sur l'intelligence artificielle et l'immortalité et entend bien les mener à terme. « On ne peut pas laisser faire ça seulement par la bande de Google. C'est l'humanité entière qui doit en discuter, estime Raja Chatila. L'humain décidera en conséquence. Si nous voulons réellement devenir immortels et que nous en avons les moyens, très bien, alors nous en subirons les conséquences, qu'elles soient positives ou négatives. Mais l'éthique devra se penser de manière collective, pas dictée par quelques individus qui, justement, dirigent les sociétés parmi les plus puissantes de la planète » [...]

Google ne contrôle pas encore le monde,
le 5 janvier 2016, par Pierre BELMONT, Journaliste,
fondateur de *Nom de Zeus*

1. Ray Kurzweil, le grand défenseur du transhumanisme, dirige la *Singularity University*.
2. *La Singularity University*, parrainée par Google et la Nasa, organise des séminaires afin de former aux progrès technologiques NBIC. La *singularity* (« singularité ») défend l'idée que la civilisation humaine sera un jour inévitablement dépassée par l'intelligence artificielle.
3. La méthode Coué est une méthode d'autosuggestion positive inventée par le pharmacien français Émile Coué au début du XXe siècle (qui repose sur le fait de se répéter des phrases positives pour améliorer son quotidien).
4. La CERNA : Commission de réflexion sur l'éthique de la recherche en sciences et technologies du numérique d'Allistene.

Aide à la lecture

Ces spécialistes (L. Alexandre, médecin bioprogressiste, et P. Belmond, fondateur de *Nom de Zeus, le magazine de tous les futurs*) adoptent une posture scientifique et nuancée. Ils confrontent des faits aux évolutions technologiques possibles, souhaitées ou redoutées. Pour ne pas confondre la réalité et le virtuel, attention aux temps et aux modalisateurs ! En outre, ils opposent la parole des partisans et des détracteurs. Soyez donc vigilant(e)s lors de la lecture à bien distinguer qui dit quoi et qui pense quoi, en associant les passages au discours direct et indirect au bon énonciateur.

 COMPRÉHENSION ÉCRITE

Document A

1 Avant de lire le document A, faites des hypothèses sur l'idéologie des deux groupes : les transhumanistes et les bioconservateurs, en vous aidant de l'étymologie. Lisez le texte et vérifiez vos hypothèses.

2 Cherchez pourquoi les transhumanistes sont jugés progressistes et pourquoi, au contraire, les détracteurs de ce mouvement sont considérés comme des conservateurs.

3 Quels sont les deux principaux sujets des débats actuels concernant le transhumanisme ?

Document B

4 Que signifie cette phrase : « La robotique est sûrement l'incursion la plus visible du "futur" dans notre présent. Mais la vitesse des avancées technologiques dépose sur place la question législative, morale ou éthique » (lignes 11-15) ?

5 Quelle est la différence entre l'augmentation et la réhabilitation ? Trouvez les différentes techniques actuellement employées et celles en cours d'élaboration.

6 Relevez les différents passages du discours de Raja Chatila indiquant sa méfiance à l'égard du transhumanisme.

Documents A et B

7 Relevez dans les deux documents les arguments des transhumanistes en faveur de l'homme augmenté.

8 À quelle phase de l'évolution transhumaniste en sommes-nous actuellement et quel est l'avenir annoncé par L. Alexandre ? La chronologie de Raja Chatila est-elle identique à celle donnée dans le premier texte ?

 **PRODUCTION ORALE**

9 Connaissez-vous des personnes qui ont subi une médecine de réhabilitation (prothèse, pacemaker, etc.) ? Pensez-vous que nous soyons déjà des transhumains ?

10 Imaginez à quoi ressemblera l'homme du futur en décrivant les améliorations possibles au niveau physiologique.

11 Débat
Êtes-vous plutôt transhumaniste ou bioconservateur ? Pourquoi ?

12 Mini-exposé
Vous êtes membre d'une association de bioconservateurs. Choisissez une technique spécifique d'augmentation de l'homme (les organes bioniques ; la lutte contre le vieillissement ; la sélection du génome…) et indiquez quels risques éthiques et sociaux elle pose.

 PRODUCTION ÉCRITE

13 Fil de discussion
Un(e) ami(e) Facebook invite ses contacts à assister à une conférence de la *Singularity University* qui défend l'idée que la civilisation humaine sera un jour dépassée par l'intelligence artificielle. Expliquez sur son mur pourquoi vous souhaitez ou non y aller. Argumentez.

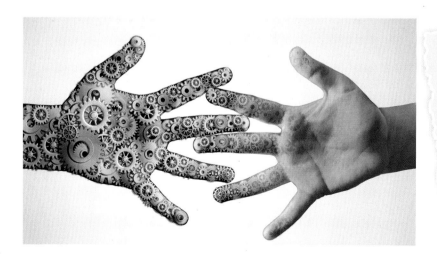

AU FAIT

Les acronymes FANG (Facebook, Amazon, Netflix, Google), NATU (Netflix, Airbnb, Tesla, Uber) ou les BATX (Baidu, Alibaba, Tencent, Xiaomi) en Chine désignent ces géants d'Internet et du numérique qui possèdent un pouvoir immense du fait de leur puissance financière et technologique. Hasard ? *Fang* signifie en anglais la canine, du requin ou du vampire…

C Ce qui manque aux machines…

COMPRÉHENSION ORALE

Écoutez un extrait de l'émission *L'invité d'Ali Baddou* sur France Inter consacrée à l'intelligence artificielle. Il reçoit Yann Le Cun, directeur du laboratoire de recherche de l'intelligence artificielle de Facebook. Répondez aux questions ci-dessous. Puis réécoutez l'extrait et complétez vos réponses.

1 Avant l'écoute. Comment définiriez-vous l'intelligence artificielle ? Quels sont ses dispositifs les plus connus ?

2 Écoutez l'extrait. Techniquement, comment améliore-t-on le fonctionnement des machines ? Quel parallèle existe-t-il avec les êtres humains ?

3 Selon le journaliste, quel préjugé le grand public a-t-il sur la machine intelligente ? Quel exemple conforte cette idée ?

4 Quelle est la limite des systèmes intelligents qui jouent aux jeux de stratégie ?

5 Que fait le bébé que la machine ne peut pas faire ?

6 Quelle est la position de l'astrophysicien Stephen Hawkings sur l'intelligence artificielle ?

7 Pour les deux décennies à venir, quelles sont les prévisions en termes d'intelligence artificielle ?

PRODUCTION ORALE

8 En binômes, imaginez quelle place occuperont les robots dans notre vie d'ici 50 ans et ce que la robotisation de la société changera.

> Utilisez-vous beaucoup les nouvelles technologies ou les robots intelligents au quotidien ? À quelles fins ?

> Selon vous, quelles machines intelligentes vont le plus se développer à l'avenir ? Que feront-elles à notre place ?

> Les robots peuvent-ils nous libérer du travail ?

> Pensez-vous comme Ray Kurzweil que la machine pourra dépasser l'intelligence naturelle ? Si oui, dans combien de temps et dans quelles conditions ?

> Quels risques comporte la robotisation de la société ? Comment lutter contre les dérives possibles ?

> Les machines ont-elles une âme ? Faudrait-il leur donner des droits ?

9 Jeux de rôle

L'entreprise dans laquelle vous travaillez projette de remplacer plusieurs employés par des robots (robot-secrétaire, robot-hôtesse d'accueil, robot-assistant, etc.). Vous vous retrouvez en commission pour débattre de la pertinence de cette politique. Chacun prend un rôle spécifique à définir dans chaque camp, celui des partisans et des opposants (par ex. : le patron ultra-libéral, la salariée geek, l'employé technophobe, le syndicaliste, l'actionnaire, etc.).

PRODUCTION ÉCRITE

10 Fil de discussion

On connaît l'influence et le pouvoir mondial des sociétés du Web aujourd'hui : la collecte et l'utilisation de nos données personnelles, le financement de recherches sur l'intelligence artificielle et sur l'immortalité. Comment pouvons-nous faire, nous, citoyens, pour échapper à cette mainmise mondiale ? Partagez vos idées.

AU FAIT

Le robot intelligent a acquis une nouvelle place en littérature en devenant… auteur ! Au concours japonais *Hoshi Shinichi Literary Award*, un ordinateur a été mieux placé que des candidats de chair et d'os avec *Le jour où un ordinateur écrit un roman*. Il n'a cependant pas remporté le prix !

Les nouvelles technologies

Le transhumanisme

(se faire) augmenter
bioconservateur ≠ bioprogressiste
la convergence NBIC / GAFA
la domestication, la maîtrise de la vie
un géant du numérique
lutter contre les imperfections physiques
la singularité
un surhomme
surpasser
surdévelopper ses forces physiques
le techno-progressisme
le technopouvoir

La biomédecine

affiner un diagnostic
un algorithme d'aide au diagnostic
les artères, les veines, les valves du cœur
l'augmentation (f.)
la bio-ingénierie
la biomédecine
une cellule souche
dépister une maladie
une donnée clinique
la fiabilité
l'immortalité (f.)
la longévité
la médecine d'amélioration
la médecine de maintien
la médecine de prévention
la médecine thérapeutique
la réhabilitation
réparer
prédire à court / long terme
le séquençage génétique

💬 PRODUCTION ORALE

1 Vous êtes médecin. Expliquez à un non-spécialiste la différence entre la médecine d'amélioration et la médecine de maintien en donnant des exemples précis.

La robotique

un androïde
l'automatisme (m.)
un automate
cybernétique
un cyborg
la loi de Moore
mi-humain mi-robot
un réseau de neurones
un robot
un super-ordinateur
un système intelligent

💬 PRODUCTION ORALE

2 Quelles sont les tâches que vous aimeriez confier à un robot et celles que vous n'aimeriez pas lui confier ? Pensez-vous que ces technologies vous rendraient plus heureux / heureuse ?

Exploits en action

l'audace (f.)
un fait d'armes
fatal
un haut fait
l'imprudence (f.)
inexorable / inéluctable
se lancer / se risquer à
optimiser ses performances
oser
réaliser une prouesse
s'aventurer / s'enhardir
tenter
un tour de force
y aller

Le numérique

un accélérateur de start-up
analogique ≠ digital(e)
la dématérialisation
un *hacker* (angl.)
un *hackaton* (angl.)
les humanités numériques
Internet, le Net, la Toile, le Web
la numérisation
un système binaire
le traitement de l'information
virtuel(e)

Les inventions

un/une assistant(e) de vie personnel(le)
les cryptomonnaies, les monnaies virtuelles (f.)
la domotique
un drone
un exosquelette
une greffe d'organe
l'impression 3D (f.)
l'intelligence artificielle (f.)
des lunettes / un casque de réalité augmentée
un objet connecté
un pacemaker / un stimulateur cardiaque
une prothèse
la reconnaissance vocale
un robot tueur
une technologie prédictive
un *tracker* (angl.) de sommeil
un véhicule autonome

3 Classez la liste des différentes inventions dues aux nouvelles technologies en fonction de leur intérêt : inutile, révolutionnaire, dangereuse. Complétez ensuite chaque catégorie avec d'autres inventions.

Expressions

ad vitam æternam
aller vite en besogne
à vitesse grand V
battre à plate couture
le bras armé de
démêler le vrai du faux
être monnaie courante
être une vraie machine (de guerre)
jouer les pygmalions
mettre la puce à l'oreille
Nom de Zeus !
prendre son courage à deux mains
prendre un virage
se prendre pour Dieu

4 Trouvez dans les mots ou expressions ci-dessus les racines grecques ou latines signifiant :
a. la vie
b. le traitement
c. le cœur
d. à l'extérieur
e. moral
f. ayant la forme de

5 Écoutez ces dialogues. Quelle expression illustrent-ils ?

a. mettre la puce à l'oreille
b. jouer les pygmalions
c. être une vraie machine
d. se prendre pour Dieu

Éthique

accuser
alarmer
alerter
ameuter les foules
alimenter les fantasmes
amplifier les inégalités socio-économiques ≠ servir la justice sociale
la cybersécurité
un délire dangereux
une dérive incontrôlable
désapprouver, s'opposer
une idéologie néo-libérale
un lanceur d'alerte
mettre fin à l'espèce humaine
la protection des données personnelles
receler un danger
un scénario catastrophe
sceptique
s'indigner, s'insurger ≠ se résigner

Débats éthiques

au nom de
au détriment de ≠ au profit de
avoir des scrupules
bannir / proscrire ≠ adopter
un cas de conscience
un comité de bioéthique
concilier les idéaux démocratiques et la technophilie
convaincre du bien-fondé
nuancer
tempérer
se revendiquer de
soulever un débat moral

6 Trouvez les problèmes éthiques liés aux situations suivantes, possibles ou fantasmées.
a. Un sportif amputé des deux jambes a participé à une course grâce à des prothèses ultra-perfectionnées. Il a gagné avec une avance impressionnante sur les autres candidats.
b. Un accident mortel a eu lieu impliquant un piéton et une voiture autonome.
c. Des drones et autres robots tueurs sont mis en place par les armées : ils peuvent décider seuls d'exécuter une cible choisie sans intervention humaine.
d. Capables de s'offrir toutes les médecines de réhabilitation et d'amélioration, des milliardaires vivent pluri-centenaires, au contraire des moins fortunés.
e. Chaque homme possède un clone de réparation. Il sert de banque d'organes en cas de maladie.
f. Un androïde a obtenu la nationalité en Arabie saoudite. Son système informatique a planté et a causé la mort de plusieurs personnes.

💬 **PRODUCTION ORALE**
7 En petits groupes, discutez des solutions possibles pour résoudre ces problèmes.

JEUX
DE CULTURE GÉNÉRALE

1 Qui suis-je ?

Retrouvez le nom de ces célèbres personnages.

a Mon talentueux sculpteur m'a faite si belle qu'il est tombé amoureux de moi. Touchée, la déesse de l'amour, Aphrodite, m'a donné la vie pour que je puisse l'épouser.

b Mon nom signifierait « humanité » ou « de la terre ». Je suis le premier homme pour certaines religions. Mon créateur m'a fait à son image avec de l'argile et m'a animé de son souffle.

c Après m'avoir créé avec de la chair de cadavres, l'illustre scientifique qui m'a servi de père m'a repoussé, effrayé par le monstre que j'étais. Mais il m'avait aussi doté d'intelligence et ma vengeance a été terrible.

2 Fictions

Retrouvez les titres de ces films de science-fiction ayant des robots comme héros.

a Dans le Los Angeles de 2049, le policier Rick Deckard traque une bande de réplicants rebelles, androïdes créés à partir d'ADN humain et utilisés comme esclaves modernes.

b En 2029, un cyborg assassin, équipé d'un puissant système informatique et d'un endosquelette, est envoyé pour éliminer une femme. Elle est la future mère du chef des rebelles humains luttant contre des machines surpuissantes.

c En 2019, une contamination oblige les derniers survivants sur Terre à vivre dans un monde clos et aseptisé. Le seul espoir d'en sortir est d'être tiré à la Loterie pour partir vivre dans le dernier espace préservé : l'Île. À moins que la réalité ne soit tout autre...

3 Chronologie des inventions

Associez chaque objet à sa date de commercialisation.

| 1962 | 1968 | 1976 | 1984 |

1 Premier casque de réalité virtuelle, l'Épée de Damoclès

2 L'Apple I, le premier micro-processeur de la marque Apple

3 Le Motorola Dynatac (ou BRICK PHONE), premier téléphone mobile

4 Premier jeu vidéo sur ordinateur, Space War

4 Réalité ou fiction ?

Pour chaque invention, dites si cela existe déjà ou si c'est encore de la science-fiction.

a Remplacer le cœur humain par un cœur artificiel.

b Nager sous l'eau sans respirer.

c Redonner la vue aux non-voyants.

d Permettre à un tétraplégique de bouger le bras et la main par la pensée.

Les sens dans tous les sens

OBJECTIFS

- Décortiquer une forme poétique

- S'imprégner du monde des sens

Cahier
THÈME 10
d'activités

- Explorer les figures de style

- **ÉCRITURE CRÉATIVE** Imaginer un monde dépourvu d'un sens

DOCUMENTS

A Bouche

Le corps veut que nous mangions, et il nous a bâti ce théâtre succulent de la bouche tout éclairé de papilles et de houppettes pour la saveur. Il suspend au-dessus d'elles, comme le lustre de ce temple du goût, les profondeurs humides et avides des
5 narines.

Espace buccal. Une des inventions les plus curieuses de la chose vivante. Habitation de la langue. Règne de réflexes et de durées diverses. Régions gustatives discontinues. Machines composées. Il y a des fontaines et des meubles.

10 Et le fond de ce gouffre avec ses trappes assez traîtresses, ses instantanés, sa nervosité critique. Seuil et actes — cette fourrure irritée, la Tempête de la Toux.

C'est une entrée d'enfer des Anciens. Si on décrivait cet antre introductif de matière, sans prononcer de noms directs, quel
15 fantastique récit !

Et enfin le Parler... Ce phénomène énorme là-dedans, avec tremblements, roulements, explosions, déformations vibrantes...

Paul VALÉRY, *Mélange*, 1941

📖 COMPRÉHENSION ÉCRITE

1 Imaginez un autre titre à ce poème.

2 Parmi les cinq sens répertoriés pour l'être humain, quel est celui qui est exploré dans ce poème ? Relevez le vocabulaire associé à ce sens.

3 Quels phénomènes sont liés à la bouche ? Dans quel ordre sont-ils traités dans le poème ?

4 Quelle image de cet organe donnent les mots suivants : « profondeurs », « gouffre », « antre » ?

5 Que représente « le lustre » (ligne 3) ? Quelle figure de style utilise le poète pour les rapprocher de cette partie du corps : la métaphore, la comparaison ou l'accumulation ?

6 Relevez les expressions qui décrivent la bouche par analogie avec un lieu géographique.

7 Pourquoi l'auteur décrit « le Parler » avec « tremblements, roulements, explosions, déformations vibrantes... » ?

👍 Aide à la lecture

Un poème peut être écrit en vers (octosyllabes, décasyllabes, alexandrins ou libres) ou en prose. Dans ce type d'écrits, l'auteur utilise généralement des figures de style qui permettent de mettre en avant sa pensée de manière stylisée. Les comparaisons, métaphores, métonymies sont fréquentes. Pour analyser un poème, on doit prendre en compte la structure du texte, la syntaxe et les symboles utilisés.

B Correspondances

La Nature est un temple où de vivants piliers
Laissent parfois sortir de confuses paroles;
L'homme y passe à travers des forêts de symboles
Qui l'observent avec des regards familiers.

5 Comme de longs échos qui de loin se confondent
Dans une ténébreuse et profonde unité,
Vaste comme la nuit et comme la clarté,
Les parfums, les couleurs et les sons se répondent.

Il est des parfums frais comme des chairs d'enfants,
10 Doux comme les hautbois, verts comme les prairies,
— Et d'autres, corrompus, riches et triomphants,

Ayant l'expansion des choses infinies,
Comme l'ambre, le musc, le benjoin et l'encens,
Qui chantent les transports de l'esprit et des sens.

Charles BAUDELAIRE, *Les Fleurs du mal*, 1857

📖 COMPRÉHENSION ÉCRITE

1 Comptez le nombre de vers et le nombre de strophes et cherchez le nom de cette forme poétique.

2 Dans ce poème, diriez-vous que c'est l'homme qui prédomine sur la Nature ou l'inverse ?

3 Relevez les termes liés aux cinq sens.

4 Que signifie « Les parfums, les couleurs et les sons se répondent » ? Trouvez dans le texte le terme qui désigne cette relation. Expliquez le choix du titre.

5 Lequel des cinq sens semble être le plus important tout au long du poème ? Justifiez votre réponse.

6 Quel type de parfums représente « l'ambre, le musc, le benjoin et l'encens » ?

💬 PRODUCTION ORALE

7 Quel sens est pour vous le plus important ? Trouvez-vous qu'ils soient tous traités de manière similaire dans nos sociétés ? Y en a-t-il qui l'emportent sur d'autres ?

8 Mini-exposé
Pour Baudelaire, une sensation en appelle une autre mais peut également évoquer un sentiment ou une idée. Jean-Paul Sartre écrit par ailleurs dans *L'Être et le Néant* : « si je mange un gâteau rose, le goût est en rose ; le léger parfum sucré et l'onctuosité de la crème au beurre sont le rose. »
Racontez ou imaginez une expérience similaire où différents sens sont liés.

✍ PRODUCTION ÉCRITE

9 Fil de discussion
« Aujourd'hui encore, nous avons du mal à accepter notre animalité. C'est peut-être pourquoi nous déprécions notre olfaction », pointe Ivan Rodriguez, de l'université de Genève. Vous réagissez à ce commentaire.

AU FAIT

L'odorat génère à lui seul environ 80 % des sensations liées au goût ! Jouent également le contexte (l'ambiance), la mémoire (le souvenir que nous avons d'un vin), l'humeur du moment, etc. La couleur d'un aliment influence aussi notre évaluation gustative : un bonbon à la fraise de couleur jaune sera perçu au citron.

C Pourquoi la civilisation des odeurs ?

🎧 **COMPRÉHENSION ORALE**   **AUDIO**

Écoutez cet extrait de l'émission radiophonique *Autour de la question* de RFI. Répondez aux questions ci-dessous. Puis réécoutez-le et complétez vos réponses.

1 Quels sont le thème et la problématique de l'émission ?

2 La désodorisation de nos sociétés semble inévitable depuis le XIXe siècle. Qu'est-ce qui motive ce phénomène selon Alain Corbin ?

3 Selon Robert Muchembled, nous sommes tous « des animaux très éduqués ». Quelles en sont les conséquences en ce qui concerne le parfum ?

4 Entre le XVIIe siècle et le XVIIIe siècle, La France est passée d'une civilisation de « guerriers à cheval » à une civilisation « d'hommes du XVIIIe siècle ». Qu'est-ce que cela signifie ?

5 Quel est le portrait du jeune homme idéal aux États-Unis fait en 2014 ?

6 Quelles en sont les conséquences concrètes sur l'industrie du parfum aujourd'hui ?

💬 **PRODUCTION ORALE**

7 Quelles sont les odeurs qui vous dégoûtent et celles qui vous attirent ? Pensez-vous que nos sociétés soient « inodores » comme le dit l'historien ?

8 Aimez-vous vous parfumer ? Quels sont vos critères de choix et vos habitudes en matière de parfum ?

9 Mini-exposé
Faites des recherches et décrivez l'histoire d'un parfum, ou les différentes étapes de création d'un parfum.

📝 **PRODUCTION ÉCRITE**

10 Fil de discussion
Pourquoi l'olfaction était vitale avant ? Comment notre sens olfactif a-t-il évolué au fil du temps ?

D Le sens du toucher   **VIDÉO**

👁 **COMPRÉHENSION AUDIOVISUELLE**

1 De quoi souffrent les protagonistes dans ce court-métrage ?

2 Comment le réalisateur fait-il pour pallier l'absence de ce sens ?

3 Le réalisateur dit lui-même, dans le *making-of*, que son but était de permettre aux personnages de « s'épanouir tout en s'extirpant du verbe pour aller vers le corps ». Que pensez-vous de cette communication non verbale ?

💬 **PRODUCTION ORALE**

4 Dans les pays que vous connaissez, est-ce que les gens se touchent ou pas ? Est-ce qu'ils se font la bise, se serrent la main ? À quelles occasions ? Depuis quelque temps, certaines personnes proposent de serrer les gens dans leurs bras gratuitement dans la rue, qu'en pensez-vous ?

📝 **PRODUCTION ÉCRITE**

5 Choisissez une scène du court-métrage qui met en lumière l'un des cinq sens. Racontez dans un court texte cette scène.

Les sensations

L'odorat

un arôme
dégager une odeur
une effluve
empester
exhaler
une fragrance
un fumet
humer
une odeur…

chaude,	discrète,
douce,	écœurante,
enivrante,	exquise,
fétide,	fine,
florale	forte,
fraîche	fruitée,
infecte,	légère,
nauséabonde,	pestilentielle,
puissante,	suave,
subtile,	tenace,
vague,	violente

olfactif
parfumer, embaumer
un remugle
renifler
s'oxygéner
une senteur

1 Dites quel verbe vous utilisez quand :
a. vous êtes devant un paysage.
b. quelque chose sent mauvais.
c. vous parlez à voix basse.
d. vous attendez quelqu'un en regardant pas la fenêtre.
e. vous bousculez quelqu'un.

2 Racontez une des situations proposées ci-dessus.

Le toucher

une caresse, caresser
chatouiller
doux / douce, glacé(e), gras(se), humide, dur(e), coupant(e), tranchant(e), brûlant(e), glacé(e), râpeux / râpeuse, rêche, visqueux / visqueuse, rugueux / rugueuse, moelleux / moelleuse, soyeux / soyeuse, rude
un frôlement
frôler, effleurer
un frottement
gratter
heurter, bousculer
malaxer, masser, palper, pétrir

s'y frotter
tactile
tâter, tâtonner

La vue

la cécité
contempler
des couleurs éclatantes, chatoyantes, criardes
dévisager
discerner
écarquiller les yeux
entrevoir
épier, guetter, lorgner
une lueur, une clarté
luisant(e)
une lumière vive, aveuglante, crue, éblouissante, ténue, tamisée
une teinte, un coloris, une tonalité, une nuance
translucide, transparent(e)
visuel(le)

L'ouïe

faire grand bruit
faire un bruit d'enfer
grésiller
gronder
murmurer, susurrer
ouïr
prêter l'oreille
résonner
sans faire de bruit,
un son aigu, grave, perçant, strident, cristallin, vibrant, assourdissant, caverneux, net, saccadé, étouffé
tinter, sonner
un bruissement, un vrombissement, un sifflement, le tapage, un vacarme, le tintamarre, un grincement
une voix forte, tremblante, chevrotante

Le goût

aigre / aigre-doux, acidulé(e), âcre, corsé(e), exquis(e), fade, infect(e), insipide, rance, relevé(e), pimenté(e), savoureux / savoureuse, succulent(e)
l'amertume (f.)
un arrière-goût
avaler, déguster, se délecter, savourer
avoir du/un goût
croquer
dégoûtant(e)

écœurement
gustatif / gustative
un goût de reviens-y
ragoûtant(e)
la saveur, le bouquet

Expressions

à vue de nez
avoir du nez
avoir l'eau à la bouche
avoir les yeux plus gros que le ventre
avoir quelqu'un dans le nez
ça crève les yeux
dévorer des yeux
écouter aux portes
écouter d'une seule oreille
en toucher un mot à quelqu'un
entendre des voix
entendre raison
être au goût du jour
être aux aguets
être myope comme une taupe
faire de l'œil
faire les gros yeux
faire les yeux doux
faire venir l'eau à la bouche
l'argent n'a pas d'odeur
les murs ont des oreilles
mener quelqu'un par le bout du nez
mettre au parfum
ne pas l'entendre de cette oreille
ne pas sentir la rose
ne pas tomber dans l'oreille d'un sourd
prendre goût à quelque chose
sentir le roussi
toucher du bois
toucher la corde sensible

3 Que signifient ces expressions ?
a. boire les paroles
b. bas les pattes !
c. faire du genou
d. toucher deux mots
e. s'en lécher les doigts

4 Classez les expressions ci-dessus selon le sens exprimé.

AU CŒUR DU QUOTIDIEN

1 Cette situation semble-t-elle agréable ? Quels éléments de l'image vous inspirent de la quiétude ?

2 Est-il fréquent dans votre pays de se faire masser ? Racontez pourquoi vous aimez cela ou dites si cela vous gêne.

3 Quelle place le toucher a-t-il dans votre vie ? Certaines personnes n'aiment pas être touchées, qu'en pensez-vous ?

 COMPRÉHENSION ORALE ㉒ AUDIO

4 Qu'est-ce qui est arrivé récemment à la masseuse ?

5 En quoi le toucher est-il important pour elle ? Quel exemple donne-t-elle ?

6 De quel autre sens est-il question ? Que signifie l'expression « souvenir olfactif » ?

PRODUCTION ORALE

7 À votre tour, racontez une situation ou un souvenir plaisant ou déplaisant lié à une sensation.

8 Jeux de rôles : Formez des binômes. Le public doit deviner les plats que vous décrivez sans jamais dire le nom des ingrédients.

> Situation : Votre ami(e) vous invite à manger au restaurant « Dans le noir ». Vous décrivez à votre binôme ce que vous mangez, sans savoir réellement ce que c'est.

> Rôle de l'ami(e) qui invite : Expliquez le concept de ce restaurant sans lumière, avec des serveurs et serveuses aveugles. Faites monter le suspens auprès de votre ami(e) pendant tout le repas et décrivez, commentez avec lui/elle ce que vous mangez sans mentionner les ingrédients.

> Rôle de l'ami(e) invité(e) : Réagissez à la situation, décrivez les aliments et donnez votre appréciation positive ou négative sur les sensations que vous ressentez.

Registres : Courant, familier.

Caractériser les aliments

> Ah mais c'est cru / rôti / gratiné / frit / mariné / bouilli !
> C'est drôle, c'est étrange.
> C'est moelleux / tendre.
> C'est quoi ce truc de malade* ?
> C'est tout visqueux.
> C'est un peu spécial / spé*, non ?
> Ça a un drôle de goût, dis donc.
> Ça colle aux dents / c'est pâteux.
> Ça croque sous les dents / c'est croustillant.
> Ça dégouline.
> Ça me dégoûte.
> Ça me fait penser à / ça me rappelle qqch.
> Ça me fait saliver.
> Ça ne me dit rien du tout.
> Ça pétille dans la bouche.
> Euh, c'est spécial là, tu trouves pas ?
> J'en ai l'eau à la bouche.
> J'en bave.
> Juste l'odeur, ça m'écœure.
> On dirait / ça ressemble / ça a l'air de…
> T'as une idée de ce que t'es en train de manger toi ?

* Familier.

Guerres des mondes

OBJECTIFS

- Déceler les caractéristiques de la guerre moderne
- Mesurer les enjeux des cyberattaques

Cahier THÈME 11 d'activités

- Rendre un texte neutre et distancié
- ESSAI Donner sa perception de la guerre

A À quoi ressemblent les nouvelles guerres ?

On croyait la guerre à bout de souffle. Elle resurgit sous de nouveaux visages. Les armées régulières côtoient sur le terrain d'autres figures combattantes : l'insurgé, le mercenaire, le robot,
5 le cyber.
L'année 2014 a été largement rythmée par les commémorations de la Première Guerre mondiale. Celle-ci incarne un événement majeur qui sonne l'entrée dans le xxᵉ siècle, un siècle qui
10 voit l'irruption de guerres que l'on qualifiera de « totales ». Ce type d'affrontements entre armées institutionnalisées contrôlées par les États mais aussi entre sociétés investies dans l'effort de guerre s'est progressivement étiolé.
15 Depuis 1989, les statistiques montrent que le nombre de conflits armés interétatiques diminue par rapport aux conflits infra-étatiques ou aux conflits internes institutionnalisés (ces derniers opposent un gouvernement à des rebelles ou
20 bien des groupes internes entre eux avec intervention d'acteurs ou d'États étrangers). Certes, les données quantitatives compilées par les différents instituts spécialisés convergent : le nombre de victimes au combat baisse, comme
25 l'ensemble des conflits armés, quelle que soit leur nature. Néanmoins, cette baisse des affrontements interétatiques interroge la conception moderne de la guerre qui, si l'on se réfère à Jean-Jacques Rousseau, n'est pas une relation
30 d'homme à homme mais d'État à État [...]

La guerre se désétatise

On assiste en réalité à l'émergence de deux phénomènes. D'une part, une tendance à la désétatisation de la guerre qui altère à la fois les
35 causes et les modalités du combat. En d'autres termes, le fait guerrier ne se confond plus avec le fait militaire monopolisé par l'État. D'autre part, l'apparition de nouvelles façons plus insidieuses de faire la guerre entre les États. C'est la juxtapo-
40 sition de ces deux mouvements qui caractérise la situation stratégique contemporaine.
« L'État fait la guerre. La guerre fait l'État. » Cette célèbre expression du sociologue Charles Tilly met en relief la relation étroite entre construction
45 des structures étatiques et recours à la force armée contre des puissances étrangères dans l'histoire européenne. L'effort de guerre a toujours servi la construction des États, notamment via la conscription qui contribue à façonner la
50 loyauté des citoyens. Aujourd'hui, cette modalité de penser et de faire la guerre a changé. Tout d'abord, de nombreux États délaissent l'armée de conscrits au profit d'une professionnalisation, voire d'une privatisation sous la forme
55 d'un retour au mercenariat [...] Cette tendance entraîne un affaiblissement de la participation populaire aux pratiques guerrières [...]

La guerre se voile

Parallèlement, la guerre semble disparaître des
60 discours publics. Les États ne procèdent plus aux déclarations de guerre (ce qui affecte le contrôle parlementaire *a priori* dans la plupart des régimes démocratiques). De plus, la terminologie elle-même s'effiloche puisque les
65 dirigeants préfèrent engager des « interventions humanitaires » au nom de la protection des droits humains ou bien des « opérations de stabilisation » ou de « pacification » dans

des configurations d'asymétrie (États *versus* insurgés) ; comme le souligne Pierre Hassner, « la guerre n'ose plus dire son nom ». Ce reflux du terme ne doit pas aveugler. D'une part, les forces engagées sont conscientes d'agir en situation de guerre sur le plan stratégique (il s'agit bel et bien de faire plier la volonté de l'ennemi). D'autre part, les formes que revêt le combat entre États subissent une transformation. Le rapport guerrier prend une autre dimension. Le développement de la robotisation et celui du cyber en sont des indicateurs. La robotisation dans le domaine militaire résulte de trois facteurs. Le premier est technologique. Il renvoie à la mécanisation croissante des fonctions du combattant ainsi qu'aux progrès technologiques récents en matière de navigation et de communication. Le deuxième est sociétal avec l'aversion aux risques ainsi qu'à la mort au sein des sociétés occidentales. Le troisième et le dernier facteur – et de loin le plus décisif – correspond aux impératifs stratégiques. La très forte endurance du drone permet une pérennité de la mission ainsi qu'une plus grande distanciation physique (à savoir l'accroissement de l'allonge) [...] Aucun espace en tant que tel n'est considéré comme inaccessible grâce, notamment, à la vélocité et à la furtivité des drones. Notons que l'usage des drones fait l'objet d'un large débat éthique entre ceux qui dénoncent une déshumanisation progressive du rapport à la guerre et ceux qui soulignent le respect de plusieurs préceptes moraux à travers cette pratique.

Le cyber tend également à modifier les interactions stratégiques. Les armées se dotent d'unités spécialement dédiées et de budgets de plus en plus conséquents pour cet effort. Dans le cadre d'un rapport guerrier, paralyser les forces de l'ennemi en le bombardant de logiciels malveillants peut contribuer à l'affaiblir [...] Évidemment, la grande difficulté réside dans l'attribution des cyberattaques [...] L'exemple du cyber montre que les États ne s'affrontent plus directement par armées interposées, mais de manière plus larvée. L'objet de ces interactions réside moins dans la conquête de nouveaux territoires (une logique souvent à l'œuvre dans l'histoire stratégique) que dans l'accès à des espaces non terrestres, accessibles à tous mais

détenus par personne : la haute mer (les eaux internationales), l'air (l'espace aérien international), l'espace extra-atmosphérique et bien sûr le cyberespace. Les États cherchent à maîtriser ces espaces [...]

D'un « monde d'États en guerre » à un « monde d'états de guerre »

La guerre se désétatise. La guerre se voile. La confluence de ces mouvements aboutit à une transformation du rapport guerrier. Les guerres interétatiques au sens de batailles entre armées orchestrées par les États semblent s'altérer. Ce qui, en soi, constitue un progrès historique trop peu souligné. En revanche, les situations de guerre infra-étatiques demeurent préoccupantes, notamment parce que les perspectives de résolutions sont minces. De plus, des états de guerre s'insinuent dans les espaces sociaux jusqu'alors plutôt préservés comme le cyber ou plus généralement les espaces communs. Ils surgissent également sous la forme d'attentats de nature terroriste. Cette transformation du fait guerrier confirme la thèse défendue par Clausewitz : la guerre est un caméléon dont les couleurs varient en fonction des circonstances historiques.

À quoi ressemblent les nouvelles guerres ?,
Frédéric Ramel, Sciences Humaines Hors-série
Les Essentiels n°1, mars-avril 2017

👍 **Aide à la lecture**

Avez-vous noté le ton plutôt froid et aseptisé de l'article ?
La quasi-absence de point de vue de l'auteur ?
C'est le propre d'un texte scientifique qui se doit de présenter les faits de la manière la plus objective possible.

AU FAIT

En France et en Belgique, le tourisme de mémoire est très développé.
Êtes-vous déjà allé(e) à Ypres, sur les plages du débarquement en Normandie, à Verdun, au Mémorial de Caen ?

1 Avant de lire le texte, quelles images la guerre vous évoquait-elle ?

2 Quelles sont les caractéristiques de la guerre contemporaine qui ont retenu votre attention dans le texte ? Sont-elles nouvelles pour vous ?

3 Comment interprétez-vous cette phrase de Pierre Hassner, « la guerre n'ose plus dire son nom » (ligne 71) ?

4 Avez-vous déjà entendu parler des drones ? Comment comprenez-vous le débat éthique entre ceux qui dénoncent une déshumanisation progressive du rapport à la guerre et ceux qui soulignent le respect de plusieurs préceptes moraux à travers cette pratique (lignes 96-101) ?

5 Pourquoi les États contemporains cherchent-ils à maîtriser le cyberespace ?

6 En partant du principe que nous voulons tous vivre en paix, pour quelles raisons le texte nous pousse à l'optimisme ? Ou alors au pessimisme ?

💬 **PRODUCTION ORALE**

7 Est-ce que la guerre « moderne », désétatisée et larvée, vous semble moins cruelle et terrible que les guerres du passé ? Débattez-en de manière argumentée et structurée.

8 Mini-exposé
Présentez un conflit passé ou actuel (belligérants, enjeu, période, issue, etc.)

✍️ **PRODUCTION ÉCRITE**

9 Fil de discussion
Le fait guerrier prend de plus en plus la forme d'attentats terroristes. Comment vivre avec cette menace ? Comment s'y préparer ? Qu'est-ce que cela implique ? Vous donnez votre avis sur un forum.

B Cybersécurité

💬 **PRODUCTION ORALE**

7 Peut-on imaginer le monde de demain sans conflits, sans terrorisme, sans guerre ? Est-ce utopique ou réaliste ? Être pacifiste aujourd'hui vous semble-t-il être encore possible ? À votre avis, comment faire en sorte que la guerre disparaisse aujourd'hui ?

8 Mini-exposé
En France, on recense près de 40 000 monuments aux morts consacrés à la Première Guerre mondiale. Dans votre pays, en existe-t-il également ? Quels événements militaires commémore-t-on durant l'année (bataille, paix, armistice, militaires célèbres) ? Préparez un exposé sur le thème de la mémoire de guerre.

👁️ **COMPRÉHENSION AUDIOVISUELLE**

Écoutez l'interview de Solange Ghernaouti, experte en cybersécurité, invitée de l'émission *Géopolitis* de Radio Télé Suisse. Répondez aux questions ci-dessous. Puis réécoutez-la et complétez vos réponses.

1 Quelle est la cible des cyberattaques et quel est leur but ?

2 Qu'est-ce qui reste complexe à évaluer dans le cas des cyberattaques ?

3 Selon l'invitée, dans quelle mesure la démocratie est-elle en danger ?

4 À quelles difficultés se heurte-t-on quand on cherche à identifier les auteurs de cyberattaques ?

5 D'après l'invitée, qu'est-ce qui est sous-estimé ?

6 Quel constat et quelle recommandation l'invitée fait-elle quant au cyberespace ?

✍️ **PRODUCTION ÉCRITE**

9 Fil de discussion
Sur le forum de l'émission *Géopolitis*, le débat est lancé : pensez-vous comme l'experte que les cyberattaques constituent un risque majeur pour nos démocraties ?
Vous décidez de répondre. Donnez des exemples pour illustrer votre point de vue.

La guerre

L'armée

l'armée de l'air (f.)
l'armée de terre (f.)
un bataillon
la conscription
la marine
un régiment

Les armes

une arme blanche
une baïonnette
une bombe
un canon
un char
un drone
un fusil
les gaz chimiques
une mine
un missile
une munition
un obus
un pistolet
un revolver
une roquette
un tank

Les soldats

un cavalier / une cavalière
un commando
un/une combattant(e)
un enfant-soldat
s'insurger, un/une insurgé(e)
un fantassin
un guerrier
un/une kamikaze
un/une légionnaire
un/une mercenaire
un/une militaire
un/une parachutiste (« les paras »)
un sniper
un/une vétéran(e)

Le matériel militaire

une armure
un arsenal
un blindage
un blindé
un blockhaus
un bunker
un casque
une caserne
une fortification
un QG (quartier général)
un uniforme

La bataille

un affrontement
un assaut
une attaque
un bombardement
une cible
un combat
une cyberattaque
une expédition
une force
une guerre larvée
une lutte
un massacre
un/une mort(e)
un *no man's land* (angl.)
une opération de pacification
un siège
un théâtre d'opération
une tactique
une victime

La diplomatie

s'allier, une alliance
un/une belligérant(e)
un/une civil(e)
un cessez-le-feu
un conflit
un couvre-feu
une campagne militaire
un crime de guerre
un militarisme
une stratégie

Combattre

(s')affronter
attaquer
assassiner
bombarder
(se faire) canarder (fam.)
dézinguer (fam.)
égorger
exécuter
lutter
massacrer
pacifier
se bastonner (fam.)
se battre
se castagner (fam.)
se fritter (fam.)
se mettre sur la gueule (fam.)
tabasser (fam.)
tuer
zigouiller (pop.)

Expressions

à la guerre comme à la guerre
branle-bas de combat
c'est de bonne guerre
de guerre lasse
de la chair à canon
enterrer la hache de guerre
être sur le pied de guerre
mettre à feu et à sang
une guerre sans merci

 1 Écoutez ces deux témoignages et relevez les mots qui évoquent la guerre.

2 Retrouvez les mots correspondant à ces définitions.
a. un soldat caché spécialisé dans les tirs lointains
b. objet servant à protéger la tête des soldats
c. un soldat qui ne combat pas nécessairement pour son pays, qui est payé pour combattre
d. verbe familier désignant l'acte de frapper violemment une personne
e. arme blanche montée sur le fusil, utile au corps-à-corps

🗨 PRODUCTION ORALE

3 Quelle arme, quel type de soldat ou bien quel type de conflit vous vient spontanément à l'esprit lorsque le phénomène de la guerre est évoqué ? Est-ce une image classique ou bien une image moderne ?

4 Légendez cette photo.

JEUX DE CULTURE GÉNÉRALE

1 Dates en vrac

Réunissez chaque personnage historique à la bataille qui en a fait sa gloire.

Jeanne d'Arc • • Bataille de Wagram (1809)

Clovis • • Siège de Gergovie (52 av. J.-C.)

Napoléon Bonaparte • • Siège d'Orléans (1428-1429)

Vercingétorix • • Bataille de Bouvines (1214)

Philippe Auguste • • Bataille de Soissons (486)

2 Vrai ou faux ?

a. Omaha Beach est une plage du débarquement situé en France.　V ☐　F ☐

b. Le défilé militaire du 14 Juillet est une parade militaire organisée à Paris sur les Champs-Élysées à l'occasion de la fête nationale française.　V ☐　F ☐

c. Pour honorer tous les soldats morts pour la patrie pendant la Première Guerre mondiale, un Soldat inconnu est inhumé dans l'Hôtel des Invalides.　V ☐　F ☐

3 Quiz

a. Quel monument a été érigé pour honorer les armées de Napoléon ?

a La pyramide du Louvre

b La colonne Vendôme

c L'Arc de Triomphe

b. Aux yeux des Français, quelle bataille de 1916 incarne la Première Guerre mondiale ?

a La Somme

b Verdun

c Ypres

c. Quel ingénieur militaire français, sous Louis XIV, a construit des fortifications en formes d'étoiles (citadelle de Lille, de Besançon...) ?

a Louvois

b Vauban

c Colbert

4 Mode militaire

Associez chaque tenue de soldat à son époque.

| Moyen Âge | 1804-1815 | 1914-1918 | 1940 |

a

b

c

d

Sous toutes les coutures

OBJECTIFS

- Percevoir l'impact de la mode sur la société

- Débattre de la liberté de s'habiller

Cahier THÈME 12 d'activités

- Distinguer les registres courants, familiers et soutenus

- EXPOSÉ Déclarer son admiration pour un style vestimentaire

DOCUMENTS

A La lettre aux lookés

Chers vous,

Cela fait bien longtemps que je veux vous écrire, pour vous parler d'originalité, dans ce monde où la mode a l'air de tout autoriser et ne le fait pas tant que ça. C'est vous que j'observe toujours partout, pendant les *fashion weeks* ou même dans la rue chaque jour, vous les originaux frôlant le ridicule, les alternatifs sexuels trop sapés et frôlant la caricature, les coquets frôlant l'écœurement. C'est vous que je remarque en premier toujours, jamais pour me moquer, même quand c'est raté. Je vous le jure. Je sais votre courage, vos couilles et votre générosité. Vous si exubérants, faisant tout pour vous faire remarquer, je vous aime. C'est à vous, si voyants, que je confierais d'emblée un secret, si j'en avais un d'inavouable, par exemple. Un proverbe arabe dit : « Si tu veux cacher quelque chose, place-le dans le cœur du soleil ». Soleils, vous êtes. Et je sais aussi pourquoi on peut vous faire tant confiance : derrière vos extravagances, il y a les replis tout muets de votre pudeur. Il y a votre délicatesse. Votre extravagance est d'ailleurs une forme supérieure de pudeur. Vous êtes une minorité. C'est parce que vous n'êtes pas si nombreux à vous habiller comme bon vous semble, à savoir de manière étonnante, que vous vous reconnaîtrez aisément dans ces lignes.

Je n'aime pas quand on vous appelle « *fashion victim* », d'abord parce que le terme est immonde, galvaudé par une presse féminine qui s'est discréditée toute seule à ressasser ses propres formules. Et puis, en plus, l'expression est négative. Selon moi, les seules victimes de la mode sont celles que la mode terrifie, et qui se rangent, mornes et timorées, dans des slims et des pulls et du gris les vouant à jamais à l'invisibilité. L'invisibilité, vous savez, cette chose aussi triste que la mort et l'oubli. Mais vous, Dieu merci, ce n'est pas du tout cette ambiance. Vous, vous en faites trop, tout le temps. Je reconnais qu'il existe, bien sûr, une autre liberté vestimentaire que la vôtre, qui est notamment celle de s'affranchir des habits, dit-on, de se faire oublier par eux, avec eux, de ne jamais se distinguer, de s'en tenir aux basiques. Aussi attachée que je sois à l'aplomb d'une certaine sobriété, j'aurais plutôt tendance à trouver que cette liberté soi-disant louable, presque intellectuelle, est surtout le renoncement des lâches. Donc, au fond, pas tout à fait liberté, eh. Mais bon […]

Je trouve qu'on devrait vous aimer davantage. Vous arrivez à prouver sans argent (vous êtes fauchés la plupart du temps) que l'excentricité est une richesse en soi. Je vous vois chez Free'p'star, 20 rue de Rivoli, fomentant[1] vos looks avec des trucs à 10€. D'autres que vous, plus fortunés, ou plus gâtés (habits prêtés, offerts) échouent à s'arranger aussi bien. C'est peut-être même pour ça, au bout du compte, qu'ils n'osent se faire remarquer autant que vous : et s'ils en venaient à se rater, hein… J'aimerais qu'on vous considère comme des éclaireurs. Ce que vous êtes. C'est par vous que bien des émancipations sont venues. L'originalité vestimentaire est une telle force vitale, un tel *statement*, un tel appel à l'individualité, que bien sûr, dès qu'une société se radicalise, elle s'abat sur le statut des habits et commande aux gens de porter ceci plutôt que cela. Elle uniformise.

Sans aller jusqu'aux dictatures, je connais une jeune fille en BTS de commerce, qui se désespère du code vestimentaire qu'on lui impose, à elle si audacieuse, si intrépide. À elle qui est de votre trempe. Malgré ses 17 ans, elle a même été jusqu'à suggérer, sur le lieu de son stage (boutique de luxe dans un quartier huppé), qu'on pourrait la laisser être différente, sans jupe droite noire et talons hauts, et que ce serait peut-être une façon simple et tacite d'ouvrir le commerce du luxe à un nouvel art de vivre, un terrain où l'aspérité créerait du lien, à des ponts entre l'argent et la vie. Mais allait-on écouter cette enfant ? On lui a dit de faire comme les autres. Ce que je voudrais encore vous chanter, c'est que vous avez raison. Au fond, je ne vois d'autre solution, ni même d'autre beauté pour un être humain que de se faire remarquer. Bien sûr, ça peut être, ça doit être par des qualités morales, oui on sait tout ça par cœur, on ne va pas revenir là-dessus. […]

Sophie FONTANEL, *magazineantidote.com*, 2016-2017

---

1. Entretenant, alimentant.

👍 Aide à la lecture

Tels les fils qui composent un tissu, les registres de langue familière, orale et soutenue s'entrelacent dans ce texte, et créent un ton singulier, à la fois littéraire et proche du quotidien. La journaliste mélange ainsi la haute-couture et les fripes, dessinant les contrastes du monde de la mode. Finie l'ambiance papier glacé des défilés, on s'adresse aux gens de la rue, ceux qui font et défont les tendances.

📖 COMPRÉHENSION ÉCRITE

1 Citez deux éléments du texte qui démontrent qu'il s'agit bien d'une lettre.

2 Relevez au moins quatre adjectifs employés dans le texte pour décrire un « looké » et donnez votre définition du terme.

3 Si vous deviez dessiner les vraies victimes de la mode selon Sophie Fontanel, comment les représenteriez-vous ?

4 La journaliste parle du « renoncement des lâches » au sujet des personnes qui s'habillent sobrement. Comment comprenez-vous cette expression ?

5 « L'excentricité est une richesse en soi » (lignes 56-57) : reformulez cette phrase en précisant le lien entre l'argent et la mode évoqué par l'auteur.

6 Analysez la fin du texte : quelle place donne l'auteur aux « qualités morales » d'un individu ?

💬 PRODUCTION ORALE

7 Discutez ensemble de votre rapport à la mode, en vous aidant des questions suivantes.
> Personnellement, comment vivez-vous le regard des autres sur votre tenue ?
> Vous habillez-vous pour vous ou pour les autres ?
> À quoi ressemble votre garde-robe ?
> Quel est le vêtement que vous préférez ?
> Suivez-vous la mode ? Pourquoi ?
> Avez-vous déjà cousu vos vêtements ?
> Que pensez-vous des vêtements faits sur-mesure ?

8 Débat
« L'habit ne fait pas le moine » ou « L'habit fait l'homme » ? Lequel de ces proverbes vous semble-t-il le plus juste dans les sociétés d'aujourd'hui, où l'image joue un rôle prépondérant ?

9 Mini-exposé
Il existe déjà des textiles dits « intelligents », capables de réguler la température du corps ou de détecter des problèmes de santé. Comment imaginez-vous la mode de demain ? Technologique ou nostalgique ? Présentez-la dans un exposé d'une dizaine de minutes, que vous illustrerez à l'aide d'exemples concrets.

✍️ PRODUCTION ÉCRITE

10 Fil de discussion
Vous répondez à la question suivante sur le forum d'un magazine : « La mode accentue-t-elle les différences socio-économiques ou est-elle au contraire un vecteur d'égalité ? ». Donnez au moins trois arguments accompagnés d'exemples pour défendre votre opinion.

B Mode jetable

COMPRÉHENSION ORALE **24 AUDIO**

Lisez les questions ci-dessous. Écoutez l'extrait de l'émission de France Inter, puis répondez aux questions.

1 Quelle problématique évoque cette émission ?

2 À partir des informations données dans l'extrait, proposez une définition de la *fast-fashion*.

3 Citez le seul point positif évoqué en faveur de la mode jetable.

4 Valère Corréard emphatise la prononciation de l'adjectif « énorme ». Expliquez à quoi se réfère ce mot, et pourquoi il le met en valeur.

5 Quelles sont les conséquences sociales de la production de vêtements à bas prix ?

6 Que signifie l'expression « enfoncer le clou » employée par Valère Corréard ? À quel exemple est-elle associée ?

7 Selon Emmanuelle Vibert, comment les consommateurs peuvent-ils faire bouger les choses ?

8 Pourquoi parle-t-on de « fils et d'aiguilles » à la fin du reportage ?

PRODUCTION ORALE

9 Débat
Vous intervenez dans un débat télévisé sur le thème « Est-on libre de s'habiller comme on le veut ? ». Chaque élève choisit un rôle, et prépare ses arguments pendant 10 minutes. Un(e) élève joue le rôle de l'animateur-modérateur / l'animatrice-modératrice, chargé(e) de limiter le temps de parole et de relancer le débat par des questions pertinentes.

> Rôle 1 : Styliste dans une maison de haute couture parisienne, vous êtes convaincu(e) que la mode est un art, et que ce sont les grands créateurs qui dictent les codes vestimentaires de la rue.

> Rôle 2 : Propriétaire d'une boutique de vêtements éthiques et bio, vous défendez le droit à s'habiller de façon durable, dans le respect de l'environnement.

> Rôle 3 : Directeur/trice d'un collège, vous avez décidé d'imposer le port de l'uniforme afin de réduire le risque de discrimination socio-économique entre les élèves.

> Rôle 4 : Père/mère d'un adolescent de 15 ans, vous critiquez la manipulation que la publicité et les magazines de mode exercent sur les jeunes, incapables de s'affranchir des modèles qui leur sont proposés.

10 Mini-exposé
Comment peut-on s'assurer de la valeur éthique d'un vêtement ? Peut-on faire confiance aux étiquettes ? Choisissez un vêtement dans votre armoire et cherchez à identifier la chaîne de production de celui-ci (matière première, transformation, confection, transport, distribution).

PRODUCTION ÉCRITE

11 Fil de discussion
En binômes. Vous lisez ce commentaire publié sur un forum de discussion : « Aujourd'hui dans la mode, le seul tabou qui existe encore, c'est la nudité. Sortir nu en pleine rue, ça, c'est encore scandaleux. » Vous réagissez.

VOCABULAIRE

La mode

Les vêtements

un boubou
une brassière
un bustier
un caban
un caraco
un cardigan
un corsage
un débardeur
une djellaba
une doudoune (fam.)
se fringuer (fam.)
un froc (fam.)
un futal, un fute (fam.)
une jupe à godets / crayon /
fourreau / plissée
un kilt
un marcel
un pantalon slim / pattes d'eph' / à
pinces
une parka
un perfecto
une redingote
se saper (fam.)
un sarouel
un sarong
un top
un *trench* (angl.)
se vêtir (soutenu)

1 Retrouvez les mots
correspondant à ces définitions :
a. jupe droite à taille haute et
arrivant au genou
b. pantalon à la mode dans les
années 1970
c. haut très moulant, sans
manches et sans bretelles
d. débardeur traditionnellement
de couleur blanche
e. ample tunique à manches
courtes portée en Afrique

Les accessoires

un bandeau
une bandoulière
une besace
un cabas
un couvre-chef
un fermoir
un fourre-tout
un haut-de-forme
une lavallière
la maroquinerie
une pochette

des pompes (fam.)
des souliers

Les matières

le chanvre
le cuir
la dentelle
la fourrure
le jersey
une matière souple / transparente /
grainée / veinée / lisse / rugueuse
la mousseline
l'organdi (m.)
le satin
la soie
le synthétique
la toile
le tulle

2 Classez les matières en deux
catégories : matière d'origine
végétale ou animale.

La couture

une aiguille
ajuster
un bouton
une boutonnière
une broderie
un cintre
cintrer
un croquis
un dé à coudre
une doublure
échancrer
une fermeture Éclair
une frange
les épaulettes
une machine à coudre
une manche
un ourlet
un patron
une retouche
raccourcir
rallonger
un ruban

La haute-couture

les coulisses du défilé
le créateur / la créatrice
le/la *fashionista* (angl.)
la *fashion week* (angl.)
le grand couturier / la grande
couturière

un modèle phare
les petites mains
le plumassier
le styliste

3 Quel est l'intrus et pourquoi ?
a. une aiguille - du fil - un dé à
coudre - un ourlet
b. un col - une manche - une
retouche - une jambe
c. le fashionista - le couturier -
les petites mains - le créateur

Un look...

classique	incontournable
décontracté	intemporel
démodé	innovant
déstructuré	minimaliste
élégant	moderne
emblématique	raffiné
épuré	révolutionnaire
éternel	sexy
excentrique	sophistiqué
extravagant	tendance
exubérant	visionnaire

4 Placez dans la bonne
catégorie les adjectifs pour
qualifier un style...
a. tourné vers le futur
b. simple
c. qui dure

Tenue de soirée

un costard (fam.)
un nœud papillon
les paillettes
une queue-de-pie
un smoking
le strass

Expressions

ça te va comme un gant
en tenue d'Adam et Ève
être à poil / à oualpé (fam.)
être habillé(e) comme un sac
être nu(e) comme un ver
être tiré(e) à 4 épingles
faire du lèche-vitrine
se mettre sur son 31

 5 Écoutez et associez à chaque
phrase un ou plusieurs mots de
la liste.

JEUX DE CULTURE GÉNÉRALE

1 Les pièces de mode emblématiques

Reliez chaque modèle à sa date de création et à son créateur.

1947 1954 1965 1966 1983

a Marinière	1 André Courrèges
b Robe Corolle	2 Christian Dior
c Smoking pour femme	3 Gabrielle Chanel
d Mini-jupe	4 Jean-Paul Gaultier
e Tailleur en tweed	5 Yves Saint-Laurent

2 Nuancier

Associez chaque nuance à la bonne couleur.

1 vert amande   2 vert anis   3 vert bouteille   4 vert émeraude   5 vert olive   6 vert sapin

a

b

c

d

e

f

3 Qui suis-je ?

Je suis né en 1937, à Paris. Je suis en soie et je mesure traditionnellement 90 cm de large et 90 cm de long. Je suis généralement coloré. Mes motifs peuvent être classiques ou très contemporains. On me porte au cou, mais aussi sur la tête, à la taille ou noué à la poignée d'un sac. Qui suis-je ?

4 Du désordre dans la penderie...

Saurez-vous retrouver les vêtements et accessoires cachés dans ces anagrammes ?

a LACHE   B RECHAPE   C AMOLLIT   D TCHATTEUSES

5 Vrai ou faux ?

a Le surnom de Coco pour Gabrielle Chanel vient du fait qu'elle adorait les noix de coco.

b Yves Saint-Laurent est né à Oran, en Algérie.

c « Salopette » est une insulte sexiste.

d « Cravate » a comme étymologie le mot « croate ».

6 Charade

Mon premier est un synonyme de « parole », qui peut être gros ou doux.

Mon deuxième est égal à 1 + 1.

Mon tout est un prénom ET une activité à la fois artistique et commerciale.

La faim de la consommation

OBJECTIFS

- ○ Discerner le lien entre la consommation et le bonheur
- ○ Dénoncer les stratégies consommatoires

Cahier THÈME 13 d'activités

- ○ Affiner son propos avec des périphrases verbales
- ○ **ESSAI** Argumenter sur le lien entre bonheur et consommation

A Quand la philosophie décrypte nos façons de consommer

C'est peu de dire que les philosophes ne se sont jamais vraiment intéressés à la consommation. Inversement, il est (malheureusement) bien rare qu'un responsable de marque vous parle d'Aristote ou de Spinoza. Et pourtant, comment pourrait-on décemment penser la consommation sans un arrière-fond philosophique ? Car les biens que nous consommons posent des questions de nature philosophique : quel sens ont-ils dans notre existence ? [...]

La dimension éthique

[...] Les marques auxquelles s'adressent les individus revendiquent des principes (et des convictions) qui articulent des prises de position et des actes quant aux produits proposés, aux processus de production, aux conditions de travail, aux discours publicitaires, etc. Parler d'éthique, c'est [...] partir du principe que les individus qui achètent des biens ne recherchent pas qu'une valeur d'utilité ; ils choisissent et décident en fonction de ce qu'ils estiment bon.

Le bonheur comme horizon

Il est donc possible d'identifier des stratégies consommatoires, auxquelles les individus peuvent avoir recours. Pour ce faire, il faut d'abord partir de ce premier moteur qu'est le bonheur. En essayant de lier des valeurs instrumentales (la facilité d'usage, la rapidité, le prix bas) à des valeurs terminales (l'amour, l'être ensemble, le bonheur), le marketing a créé une sorte d'échelle des êtres qui est orientée vers une quête de la félicité. De fait, les biens marchands montrent ou cachent toujours plus ou moins un désir de bonheur. Telle est l'une des fictions fondatrices de la société d'hyper-consommation. Mais comment atteindre le bonheur par la consommation ? Tel est bien ce dont ne cessent de nous parler les marques, ces émettrices de vérité. Partons, par exemple, d'une campagne de publicité pour une marque de yaourts ; celle-ci nous annonce sans ambages : « C'est bon de se faire plaisir ! ». Quelle est la portée philosophique d'une telle assertion et que nous dit-elle du désir consommatoire ?

Décryptage épicurien

Revenons à ce que nous dit le philosophe antique Épicure du désir, à savoir qu'il importe de prendre en compte deux caractéristiques : est-il naturel ? Est-il nécessaire ? Partant de cette double clé de lecture, il est possible de mettre en évidence quatre stratégies consommatoires possibles.

Préserver la sobriété

La première consiste à favoriser des désirs qui sont à la fois naturels et nécessaires. Il s'agit tout bonnement d'une stratégie consommatoire qui

peut s'apparenter à une éthique de la sobriété. Cette logique critique des plaisirs correspond à l'idée épicurienne selon laquelle il convient de s'écarter des biens qui pourraient tôt ou tard susciter de la douleur ou de la servitude. Cette représentation de la consommation prône l'absence de fioritures et de futilités. On valorise le bien dans sa dimension fonctionnelle, en le réduisant souvent à sa valeur d'usage. La consommation est une affaire d'essentialité [...]

Rechercher le plaisir

La seconde stratégie se focalise sur les désirs qui sont naturels mais qui ne sont pas nécessaires. L'idée est ici de ne se laisser guider que par des désirs naturels dont l'insatisfaction n'engendre aucune douleur, ce en quoi ils ne sont pas nécessaires. Cette stratégie renvoie à une quête de plaisir, en tout cas de plaisirs simples qui ne suscitent pas d'addiction ou de dépendance. Ce sont, pour Épicure, des désirs qui ne font que varier le plaisir sans supprimer la douleur (à l'image des mets délicats). Dans son *Zilbadone* qui contient notamment une théorie du plaisir, le grand penseur italien Giacomo Leopardi montre très bien la vanité d'une telle quête. Le désir du plaisir est inné et illimité mais ce qui existe étant toujours individuel, c'est-à-dire fini, un bien ne pourra donc donner

qu'un plaisir limité. Aucun plaisir n'est éternel,
tant il est vrai qu'il dure peu et varie de contenu
sous peine de se laisser user par l'habitude […]
Un plaisir infini n'existe pas dans la réalité, mais
seulement dans l'imagination, d'où l'importance
des images et des simulacres qui peuplent la
société de consommation.

Intensifier les émotions

La troisième stratégie se concentre sur les
désirs qui ne sont ni naturels ni nécessaires, ce
qu'Épicure appelle les vains plaisirs comme les
honneurs ou l'accumulation de richesse. Il s'agit
d'une stratégie d'intensification des plaisirs et
des émotions à laquelle on peut légitimement
donner le nom d'intensivisme. Les biens sont
recherchés parce qu'ils procurent des sensations, des émotions, que celles-ci soient d'ailleurs plaisantes ou non. L'idée est ici que c'est
dans l'extraordinaire, l'insolite, l'inattendu que
l'on vit vraiment. En examinant l'histoire du
capitalisme, Dany-Robert Dufour montre dans
son ouvrage *Le Divin marché*, comment nous
sommes justement passés de commandements
nous interdisant de jouir à un impératif de jouissance à tout prix […]
La mise à jour de ces types de désirs pose plusieurs questions […] [sur lesquelles] le regard
du philosophe semble s'imposer pour pouvoir
véritablement penser la consommation.

Benoît HEILBRUNN, *La Tribune*, 09/02/2017.

👍 Aide à la lecture

Une introduction avec une problématique, un développement
en plusieurs parties pour y répondre par une démonstration solide
et objective, une brève conclusion : cet article s'apparente à un écrit
académique de type dissertation. Les citations, nombreuses, ont ici
un rôle d'arguments d'autorité ou d'exemples. Rassurez-vous, ne pas
connaître les auteurs n'entrave pas la compréhension générale.

AU FAIT

Depuis *Au Bonheur des dames*
(1883) d'Émile Zola, d'autres
écrivains ont dénoncé les méfaits de
l'hyperconsommation : Georges Perec
(*Les Choses*, 1965), Frédéric Beigbeder
(*99 francs*, 2000), ou encore Michel
Houellebecq. Mais les plasticiens ne sont
pas en reste, en témoignent des artistes
issus du pop art comme le Chinois Wang
Guangyi ou de l'art urbain tel Banksy.

📖 COMPRÉHENSION ÉCRITE

1 Quel est l'objectif de cet article ? Quelle thèse soutient l'auteur, professeur de marketing, sur la société de consommation ?

2 Résumez en trois phrases l'idée développée dans chaque paragraphe sans reprendre les mots du sous-titre.

3 Pour chaque stratégie consommatoire, relevez les mots ou groupes de mots qui indiquent que le désir est – ou non – naturel et/ou nécessaire.

4 Relevez les exemples de la philosophie antique utilisés par l'auteur pour illustrer ses propos. Trouvez d'autres exemples concrets tirés de la vie quotidienne pour chaque stratégie.

5 Reformulez la thèse développée par Leopardi.

6 Au terme de son article, Heilbrunn évoque les questions que pose la société de consommation aujourd'hui. Imaginez lesquelles.

💬 PRODUCTION ORALE

7 Discutez ensemble des stratégies consommatoires que vous utilisez le plus souvent, en tant que consommateur/consommatrice, en répondant à ces questions.

> Quel type d'acheteur / d'acheteuse êtes-vous (compulsif(ve), modéré(e), dépendant(e)…) ?

> Qu'est-ce qui vous décide à acheter ?

> Comment choisissez-vous les magasins dans lesquels vous faites vos courses ?

> Que pensez-vous des soldes ou des promotions ?

> Quelle importance le bilan écologique des produits que vous achetez a-t-il pour vous ?

> Quel budget consacrez-vous aux achats-plaisir ?

8 Mini exposé
Faites des recherches pour présenter les idées d'un penseur qui a étudié la société de consommation : Marx, Adorno, Certeau, Baudrillard, ou d'autres. Expliquez-les à la classe de façon claire en les illustrant d'exemples.

✍️ PRODUCTION ÉCRITE

9 Fil de discussion
À l'occasion d'une élection présidentielle, des capitalistes et des « décroissants » (contre la croissance) ou « consomm'acteurs » (consommateur exigeant) s'opposent sur un forum autour de la question : peut-on réduire sa consommation personnelle sans que la croissance économique du pays n'en souffre ? Vous participez au débat.

B Haro sur la pub !

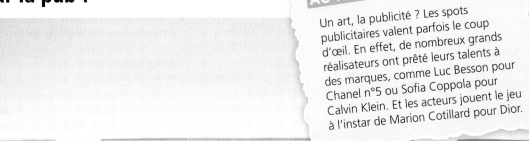

COMPRÉHENSION ORALE

Écoutez l'émission *La petite philo* de France Inter. Répondez aux questions ci-dessous. Puis réécoutez-la et complétez vos réponses.

1 Avez-vous déjà entendu les trois phrases qui commencent l'émission ? À votre avis, qu'est-ce que c'est ? Analysez le contexte sonore pour vous aider à répondre.

2 Que sont les RAP et le BAP ? Quels sont leurs points communs ?

3 Sur quoi portent les accusations des militants anti-pub ?

4 Quel est l'intérêt de la publicité ? Qu'est-ce qui compte le plus dans une publicité ?

5 Quelle comparaison fait le journaliste pour expliquer la fonction de la publicité ?

6 Quel malentendu sur la publicité le journaliste cherche-t-il à dissiper ? Quelle idée du philosophe Gaston Bachelard reprend-il pour se justifier ?

7 Pour Spinoza, quel est le rapport de cause à effet entre le désir et le jugement que nous avons de ce désir ?

8 Comment le journaliste répond-il à la réflexion initiale « et si pour consommer moins, on supprimait la pub » ? Que propose-t-il ?

9 En somme, qui serait responsable de la surconsommation, selon cette émission ?

PRODUCTION ORALE

10 À votre tour de donner votre point de vue sur la publicité. À deux ou davantage, échangez sur ce thème à partir de ces questions.

> La publicité est-elle omniprésente dans notre vie quotidienne ? Peut-on y échapper ?

> Racontez des publicités qui vous ont marqué(e), irrité(e), ou amusé(e).

> Pour vous, la publicité nous incite-t-elle vraiment à consommer davantage ? Est-ce de la manipulation ?

> Selon vous, la publicité, et plus généralement les marques, sont-elles responsables de l'épuisement des ressources et du gaspillage ?

> Quel est l'impact de la publicité sur les enfants ? Peut-elle être dangereuse ?

11 Mini exposé
Présentez une publicité francophone (en version papier, télévisée ou radiophonique) et dites en quoi vous la trouvez efficace ou pas. Précisez le public ciblé, analysez le slogan, les images, la musique, etc.

PRODUCTION ÉCRITE

12 Fil de discussion
Vous recevez un mail, transféré par un ami à tous ses contacts, intitulé « Stop à la publicité envahissante sur Internet » vous recommandant un logiciel pour la bloquer. Vous répondez à tous les destinataires en disant ce que vous pensez de la publicité sur Internet (publicité ciblée, intrusion dans votre vie privée…).

VOCABULAIRE

La consommation

Le marketing

une agence de pub
un bandeau publicitaire
une campagne / un spot publicitaire
le discours publicitaire
fabriquer des désirs vains
une incitation à la surconsommation
influencer, manipuler
une marque
prôner
revendiquer des principes / convictions
une réclame, une publicité, une pub
un simulacre
une stratégie consommatoire
un tour de passe-passe
valoriser

La société de consommation

les biens marchands
le capitalisme
le circuit de distribution
la croissance
le marché
le prix bas
une promotion, une ristourne, les soldes
la société d'hyperconsommation

Militantisme anti-pub

la brigade anti-pub
gaspiller / le gaspillage
une pollution visuelle
une publicité mensongère
la résistance à l'agression publicitaire

Le plaisir

l'allégresse
atteindre le bonheur
le bien-être
le contentement
démultiplier / varier les plaisirs
épicurien(ne)
l'euphorie (f.)
hédoniste
insolite, extraordinaire, inattendu(e)
intensifier les émotions
jouir, la jouissance
une quête de félicité
plaisant(e)
procurer de la satisfaction
la prospérité

La dépense et l'addiction

l'addiction, la dépendance
la démesure
dépenser
engendrer / susciter de la douleur
être dépensier, dépensière / avare
l'excès
la gabegie, le gaspillage
la servitude

Consommation responsable et éthique

un circuit court
le commerce équitable
être consomm'acteur
consommer des produits labellisés
la décroissance
directement du producteur
une éthique de la sobriété
être éco-responsable
fait(e) maison
un label éthique
locavore

Expressions

l'argent ne fait pas le bonheur
le bling-bling
ça coûte une blinde
le m'as-tu-vu
mettre du beurre dans les épinards
ne pas avoir un radis / un kopeck
vendre du rêve

1 Trouvez dans cette liste le ou les mots qui désignent :
a. quelque chose de faux
b. quelque chose de sans intérêt
c. quelque chose poussé à son maximum

2 Imaginez le circuit d'un jean, de la production à la vente.

3 Quels sont, dans la liste, les contraires des mots suivants ? Proposez-en d'autres de même sens.
a. le fait de faire des économies
b. la liberté
c. le malheur

4 Associez chaque phrase à une expression.
a. Les vêtements de cette marque valent une petite fortune.
b. Avec sa dernière campagne de pub sur les nouveaux milliardaires, le loto ferait rêver n'importe qui.
c. Tout riche qu'il soit, il n'a jamais été satisfait de ce qu'il a.

💬 **PRODUCTION ORALE**

5 Vous êtes commercial(e) : imaginez une publicité radiophonique pour vendre un produit spécifique en recourant à la stratégie consommatoire du bonheur.

AU CŒUR DU QUOTIDIEN

1 Que vous rappelle cette statue ? Et le message ?

2 Le jeu de mots nourrit un paradoxe. Lequel ? Êtes-vous d'accord avec ce postulat ?

3 Êtes-vous plutôt penseur ou dépensier / dépensière ? Vous reconnaissez-vous dans ce dessin ? Ou reconnaissez-vous quelqu'un de votre entourage ?

Je dépense, donc je suis !

 COMPRÉHENSION ORALE **27 AUDIO**

4 Quelle est la situation ?

5 Qu'apprend-on sur les produits soldés en France ? Au niveau des dates, de la fréquence et des prix ?

6 Quel est le sentiment qui domine à la fin de la conversation ? Comment cela se manifeste-t-il ?

PRODUCTION ORALE

7 Comme dans le document, dites quelques banalités que tout le monde sait et dit sur les soldes dans votre pays.

8 À votre tour, racontez vos derniers achats, en soldes ou non à un(e) camarade (quand, où, combien ?).

9 Jeux de rôles : Formez des binômes familiaux ou amicaux : le mari / la femme ; le père / le fils ; la mère / la fille ; deux ami(e)s.

Situation : Un grand magasin (de luxe, d'alimentation…) a effectué des soldes monstres qui ont provoqué des achats compulsifs ou de grands mouvements de foule.

Rôle de l'acheteur / acheteuse : Racontez ce qui vous a poussé(e) à l'achat et ce que vous ressentez, une fois les achats faits.

Rôle de l'interlocuteur / l'interlocutrice : Réagissez avec incrédulité puis avec le sentiment de votre choix (colère, humour, peur, enthousiasme…).

Registre : Comique ou tragique, au choix.

Exprimer son incrédulité et son indignation

> À d'autres !
> Eh ben !
> C'est complètement con*.
> C'est dingue* / incroyable / aberrant / incompréhensible / extravagant / grotesque.
> C'est n'importe quoi.
> Ce sont des conneries*. / Foutaises* !
> C'est un pousse-au-crime !
> C'était de la folie.
> C'était l'orgie.
> Des scènes d'émeute.
> Il doit y avoir une erreur.
> Il est à côté de la plaque.
> Il est complètement à l'ouest.
> J'ai halluciné* !
> J'y crois pas !
> Les gens sont des malades* !
> Les gens se sont rués dessus.
> La situation est absurde.
> N'importnawak* !
> Nan ? Sans blague ? Sans déconner* ? Tu déconnes* ?
> On casse l'échelle de valeurs.
> On était à deux doigts d'appeler la police !
> Provoquer la cohue dans les magasins.
> Une ruée sur les produits.

* Familier.

À la **folie**

OBJECTIFS

○ Problématiser le traitement de la folie

○ Considérer les solutions pour accompagner les personnes en marge de la société

Cahier
THÈME 14
d'activités

○ Enrichir les expressions de cause et de conséquence

○ **SYNTHÈSE** Comparer deux textes sur le soin de la folie en France

DOCUMENTS

A Un architecte chez les fous

L'hôpital occupe une place privilégiée dans l'image qu'on se fait de la folie. Personne ne veut finir chez les fous. C'est un lieu symbolique, c'est comme la prison, un lieu coupé du reste
5 de la ville par de hauts murs austères. Ici, il y a bien un dedans et un dehors et une fois sorti on vous regarde autrement. Peut-être parce que vous savez, vous, ce qui se passe derrière les murs [...]

10 Moi, je me suis réveillé dans ce lieu après avoir été sédaté aux urgences [...] Je n'avais pas dit un mot depuis mon réveil, ils m'ont alors mis dans une chambre avec un lit et un seau et m'ont enfermé à double tour pendant deux jours, je
15 pense. Seul entre ces quatre murs, j'ai commencé à croire à une prise d'otage, on n'enferme pas les gens juste parce qu'ils sont fous. Ils allaient me tuer, alors j'hurlais mon nom de toutes mes forces pour qu'on sache qui j'étais. Dans cette
20 chambre d'isolement, je n'étais qu'un agité de plus, dans l'engrenage d'un soin psychiatrique pris dans ses propres logiques où le manque de moyens et de formation fait qu'au lieu de vous demander votre nom et de vous rassurer,
25 on vous boucle entre quatre murs car les murs auraient une fonction contenante.

Les murs ne parlent pas, il n'y avait pas la charte du patient hospitalisé à lire, j'aurais aimé des mots, pas des murs, n'importe quel mot mais
30 pas ce silence signifiant mort et abandon thérapeutique. On m'a sorti de là quand j'ai découvert un magazine sous le matelas et que je me suis mis à découper des mots pour faire des phrases et à les passer sous la double-porte
35 pour qu'on vienne m'aider. Faire des phrases comme quand j'écris maintenant pour qu'on ne banalise pas cette souffrance. La souffrance n'était pas en moi, je n'étais plus moi, je souffrais le monde, ce monde qui m'avait enfermé sans
40 raison apparente.

Je délirais pour un monde meilleur et voilà comment le vrai monde m'a répondu.
C'est triste, tout comme ce qui a suivi, la disparition des pensées du fait des médicaments, de
45 toute capacité à réfléchir au point de ne plus pouvoir faire des phrases. On vous bloque toutes les pensées et les émotions, on ne les trie pas. On dit que si on arrête brutalement le traitement, les pensées incohérentes reviennent. Je
50 n'ai pas essayé par peur de retourner à l'hôpital. Ne pouvant plus m'exprimer, j'ai plongé dans le désespoir, mon corps est tombé malade, je ne ressentais plus rien et mon espace vital s'est rétréci au point de ne plus sortir du lit [...]

55 La ségrégation spatiale des fous s'accompagne d'une ségrégation mentale. Changer les regards c'est aussi participer à faire tomber les murs. Il ne s'agit pas de détruire les lieux de soins, il s'agit d'en ouvrir les portes, de décloisonner, de
60 les rendre humains, de créer un espace capable d'accueillir un état de conscience altérée [...] Mais tout comme on pourrait être en droit de demander un personnel soignant de qualité, disponible et bien formé, on pourrait imaginer
65 de nouveaux lieux, ouverts sur la ville, ayant une certaine qualité architecturale pour accueillir les personnes en crise ou en difficulté, non pas uniquement des lieux de consultations mais aussi des lieux où la vie reprendrait ses droits.

Joan, l'animateur du site Internet *Comme des fous*,
20 mai 2017 *(https://commedesfous.com)*

B Et si une solution était la psychiatrie citoyenne ?

« Jusqu'à présent, et depuis la nuit des temps, les "fous" ont été rejetés, stigmatisés, discriminés... On les a mis dans des asiles pour que la société puisse vivre en paix parce que ces gens
5 étaient considérés comme dangereux, ce qui est d'ailleurs toujours le cas », s'insurge Marie-Noëlle Besançon, psychiatre, psychothérapeute et fondatrice, en 1990, de l'association *Les invités au festin* (IAF) qui œuvre en faveur des personnes
10 souffrant de solitude et d'exclusion liées à des troubles d'ordre psychologique ou/et à des difficultés d'intégration socio-professionnelle.

Il aura fallu que, à l'époque, jeune interne, elle découvre avec stupéfaction et tristesse les condi-
15 tions de vie des patients séjournant dans les hôpitaux psychiatriques pour que l'évidence et l'urgence de trouver une structure adaptée à ces personnes, « une alternative à la prise en charge stigmatisante et déshumanisante de
20 l'asile », lui sautent aux yeux.

Et c'est ainsi que, en 2000, avec son époux, Jean Besançon, elle créa la Maison des sources à Besançon, un lieu d'accueil non médicalisé, basé sur une vie communautaire, pour des personnes
25 souffrant de troubles psychiques et/ou sociaux, afin qu'elles puissent retrouver leur place dans la société.

Se définissant comme « une expérience innovante d'alternative psychiatrique, humaniste et
30 citoyenne », IAF s'appuie sur les quatre principes fondateurs de la démocratie : la fraternité (et non l'exclusion), l'égalité (et non l'assistanat), la liberté (et non l'enfermement), la solidarité économique (et non l'individualisme). Elle entend
35 « développer la pleine citoyenneté de tous pour un mieux vivre-ensemble ».

Derrière tous ces mots, il y a une réalité, bien concrète. Celle de ces lieux où tous, sans distinction, partagent le quotidien. Il y a bien sûr les
40 personnes en souffrance psychique et/ou sociale [...] « Quels qu'ils soient, ce sont toujours des gens qui ont un problème avec la solitude. » [...] Puis, il y a des salariés, mais aussi de nombreux citoyens bénévoles. Car la Maison des Sources
45 repose sur un concept, celui de psychiatrie citoyenne. « Cela correspond à la volonté de développer la citoyenneté de tous les citoyens, y compris ceux qui ne sont pas forcément concernés par la santé mentale, même si nous pensons
50 que tout le monde est concerné, car nous avons tous une santé mentale », nous explique Marie-Noëlle Besançon [...] « Nous avons tous un risque sur quatre d'avoir un trouble de santé mentale au cours de notre vie. Notre principe est que ce
55 ne soit pas seulement l'affaire de la personne malade, des familles, des soignants, de l'État..., mais bien l'affaire de tous. » [...]

Désireuse de voir disparaître les hôpitaux psychiatriques « qui stigmatisent encore plus une
60 maladie qui est déjà très difficile à vivre », la psychiatre citoyenne vise, via ces lieux d'accueil et de vie, à « redonner leur citoyenneté à des gens qui l'ont perdue du fait de la maladie et du fait qu'eux-mêmes s'excluent de la société »,
65 nous confie-t-elle [...]

Laurence DARDENNE, *La Libre.be*, 10 octobre 2017

Thème 14 À la folie

👍 Aide à la lecture

Dans un article de presse, le/la journaliste retranscrit les propos de la personne interviewée, propos signalés par des guillemets. Il/Elle les introduit par des verbes auxquels le lecteur doit faire attention pour comprendre le sentiment de la personne interviewée. Dans le document B, « s'insurge » en est un exemple. Pouvez-vous en trouver d'autres ?

AU FAIT

12 jours est un film documentaire du réalisateur français Raymond Depardon. Il traite du milieu psychiatrique et du pouvoir judiciaire pour interner des patients contre leur volonté.

1 Les auteurs des documents A et B entretiennent un lien différent avec la folie. Qu'en est-il pour chacun d'eux ?

2 Quelle est l'image de l'asile pour la population en général d'après Joan, l'auteur du document A ? Relevez le vocabulaire associé. Qu'en concluez-vous sur la place des fous dans la société ?

3 Quelle est l'importance des mots pour Joan ? Pourquoi ?

4 Que veut dire Joan quand il écrit : « je souffrais le monde » (doc. A, lignes 38-39) ?

5 Expliquez ce qu'est la « psychiatrie citoyenne » (doc. B).

6 Quels sont les principes fondateurs de la démocratie décrits dans le document B ? Expliquez l'utilisation des parenthèses (lignes 31-34).

7 Selon Marie-Noëlle Besançon, à qui incombe la responsabilité de prendre en charge la folie ? Pourquoi ?

8 Quelle vision de l'asile partagent les deux auteurs, Joan et Marie-Noëlle Besançon ?

 PRODUCTION ORALE

9 En binômes, discutez de la façon dont les malades mentaux sont admis dans la société à partir des questions suivantes.
> Comparer un asile à une prison est-il aussi courant dans votre pays ? Qu'en pensez-vous ?
> Que savez-vous des structures qui accueillent les fous dans votre pays ?

C Psychiatrie publique

COMPRÉHENSION ORALE (28) AUDIO

Écoutez un extrait de l'émission de France Inter. Répondez aux questions ci-dessous. Puis réécoutez-le et complétez vos réponses.

1 Comment la société traitait les fous : au Moyen Âge ? Sous Louis XIV ? En 1793 ?
a | Les fous ne sont plus associés aux sorciers.
b | Les fous ne sont plus enchaînés.
c | Les fous sont mis à l'honneur un jour par an.
d | Les fous sont condamnés à être brûlés.

2 Quel était l'objectif premier de la loi de 1838 votée sous Louis-Philippe ?

3 Quel est le sens originel du mot *asile* ?

4 Où se trouvent les asiles créés par la loi de 1838 ? Pour quelle raison ?

5 Comment a évolué cette loi au fil du temps ?

6 Les asiles créés dans le cadre de la loi de 1838 étaient-ils des lieux de soin ? Pourquoi ?

7 Par quoi la psychiatrie moderne se caractérise-t-elle ?

PRODUCTION ÉCRITE

10 Fil de discussion : Sur un forum consacré à la folie, un internaute pose la question suivante : quel est l'acte le plus fou que vous ayez commis ? Décrivez-le et expliquez les raisons qui vous ont poussé à le faire.

> Que pensez-vous de la Maison des sources de Marie-Noëlle Besançon ?
> Pourriez-vous être bénévole dans une structure ouverte aux malades mentaux ? Pourquoi ?
> Un fou est-il un citoyen comme les autres ? Voyez-vous des limites à sa citoyenneté ? Lesquelles ?

10 Mini-exposé
Dans votre pays, la justice enferme les gens pour quels types de délits ? Y a-t-il des situations où le détenu est placé en hôpital psychiatrique plutôt qu'en prison ? Par petits groupes faites des recherches sur Internet sur ce sujet et présentez les cas d'enfermement de votre pays à la classe lors d'un court exposé de 10 minutes.

PRODUCTION ÉCRITE

11 Fil de discussion
Sur un blog dédié à la santé, un internaute s'interroge sur les soins que la société apporte aux aliénés : enfermement, médicaments, électrochocs. Qu'en pensez-vous ? Voyez-vous d'autre(s) solution(s) ?

PRODUCTION ORALE

8 En binômes, discutez ensemble de la représentation de la folie à partir des questions suivantes.
> Qu'est-ce qu'un aliéné, selon vous ? Qu'est-ce qui le différencie de la société dite « normale » ?
> Les maladies mentales sont-elles plus fréquentes au XXIe siècle ? Pourquoi ?
> Selon vous, un fou doit-il systématiquement être enfermé ?
> À votre avis, le malade mental est-il responsable de sa folie ?
> La démence vous fait-elle peur ? Pourquoi ?
> Dans la société, y a-t-il des personnes en marge qui ne sont pas prises en charge ? Lesquelles ? Pourquoi ?

9 Mini-exposé
Quelle est l'image du fou dans votre pays ou dans votre culture ? Comment est-il dessiné, représenté dans les livres, les dessins animés ou les films ?
En groupes, faites des recherches et présentez cette représentation dans un exposé de 10 minutes environ.

VOCABULAIRE

La folie

Être en marge (adjectif ou nom)

aliéné(e)
allumé(e) (fam.)
anormal(e)
atteint(e)
azimuté(e) (fam.)
barjo (fam.)
bizarre
cinglé(e) (fam.)
dangereux / dangereuse
déjanté(e) (fam.)
dément(e)
dérangé(e)
désaxé(e)
déséquilibré(e)
détraqué(e) (fam.)
dingo (fam.)
dingue (fam.)
écervelé(e)
fada (fam.)
fêlé(e) (fam.)
forcené(e)
frappé(e) (fam.)
givré(e) (fam.)
maboul(e) (fam.)
malade (fam.)
marteau (fam.)
névrosé(e)
siphonné(e) (fam.)
sonné(e) (fam.)
tapé(e) (fam.)
taré(e) (fam.)
timbré(e) (fam.)
toc-toc (fam.)
toqué(e)
zinzin (fam.)
C'est + adjectif : aberrant, bizarre, anormal, absurde, saugrenu, loufoque, farfelu, inconscient.

Les acteurs

un/une assistant(e) social(e)
un/une patient(e)
le personnel soignant
un/une psychiatre
un/une soignant(e) : un/une aide-soignant(e), un infirmier / une infirmière, un médecin

Les lieux

un asile
une cellule
une chambre d'isolement
enfermer, boucler, détenir, interner
un établissement, un hôpital de jour
un hôpital psychiatrique
un lieu coupé du monde
un lieu d'accueil / de soin
une maison de santé (mentale)
une maison des fous
un non-lieu
une prison / un lieu d'enfermement
un service / une unité de soin psychiatrique au long cours
une structure adaptée

La maladie

la démence, l'aliénation (f.), le délire, la névrose, la psychose
des divagations (f.), divaguer
des égarements (m.), s'égarer
être en souffrance
des hallucinations (f.)
une maladie incurable
des pensées incohérentes (f.), suicidaires
la santé mentale
un symptôme
des troubles psychiques (m.)
des TOC (m.)

Le traitement

un accompagnement
un diagnostic
des électrochocs (m.)
en urgence
une guérison, guérir
une hospitalisation, faire un séjour en psychiatrie
un médicament, un anxiolytique, un antidépresseur, un psychotrope
une prise en charge, un projet de soin personnalisé
un rétablissement, se rétablir
un suivi thérapeutique

Expressions

avoir de folles espérances
avoir les fils qui se touchent
avoir un accès de folie
avoir un fou rire
avoir un grain (de folie)
avoir une marotte
c'est pure folie
c'est une histoire de fous
coûter un prix fou
être agité(e) du bocal
être amoureux fou / folle amoureuse
être fou / folle à lier
être fou / folle de joie, de bonheur, d'amour
être fou furieux / folle furieuse
faire un bien fou
il y a de quoi devenir fou
la folie humaine
mettre un temps fou
ne pas tourner rond
perdre la boule / la boussole / la tête
se donner un mal fou
sombrer dans la folie
travailler comme un fou / une folle
travailler du chapeau
un fou dangereux
un fou / une folle de sport
une course folle
une équipée folle

 1 Écoutez ces 4 dialogues et qualifiez chaque personne dont on parle : est-elle dangereuse ? Malade ? Inconsciente ? Originale ?

2 Les expressions suivantes s'emploient-elles dans un contexte positif ou négatif ?
a. avoir un fou rire
b. c'est pure folie
c. être fou de rage
d. faire un bien fou
e. être fou amoureux
f. coûter un prix fou

 PRODUCTION ORALE

3 Qu'est-ce qui peut vous rendre fou de rage dans votre quotidien ? Pourquoi ?

 4 Écoutez ces 4 personnes et retrouvez, parmi les mots présents sur cette page, de quoi elles parlent.

JEUX
DE CULTURE GÉNÉRALE

1 **Quizz sur « le fou »**

1. Dans quel jeu trouve-t-on un élément nommé « le fou » ?

a Les dames.

b Les échecs.

c La bataille.

2. Pourquoi cet oiseau s'appelle-t-il un fou de Bassan ?

a À cause du nom de l'ornithologue qui l'a découvert.

b À cause de ses plongeons en piqué lorsqu'il voit une proie.

c À cause du célèbre asile de fous présent sur l'île dont il est originaire (l'île de Bass).

3. Complétez cette comptine :

Il m'aime ...., beaucoup, passionnément, à ...., pas ....

a trop / mourir / assez.

b un peu / la folie / du tout.

c peu / jamais / vraiment.

2 **Personnalités**

Les personnalités suivantes étaient célèbres pour leur folie. Associez chaque personnalité à sa description.

a Camille Claudel   b Guy de Maupassant
c Antonin Artaud   d Van Gogh

1 Plus de 150 psychiatres ont cherché à identifier la maladie mentale de cette personnalité connue dans le monde entier pour ses toiles et son amour des paysages du sud de la France, son pays d'adoption. En se suicidant à 37 ans, cette personnalité met fin à ses troubles mentaux.

2 Alors que cette personne célèbre commence la rédaction de son roman fantastique *Le Horla* en 1886, elle est victime d'hallucinations et de dédoublement de la personnalité. Elle sombre dans la folie et meurt à 43 ans.

3 Cette personne célèbre meurt à 78 ans dans un asile. Malgré son œuvre et sa célébrité, seul le personnel soignant est présent à son enterrement en 1943 : ni son frère Paul, ni son mentor et l'amour de sa vie, Auguste Rodin, ne sont présents.

4 Familière des électrochocs, cette personnalité connue dans le monde du théâtre a souffert toute sa vie de troubles mentaux. Elle laisse derrière elle de nombreux écrits sur le théâtre.

3 **Acteurs**

Associez ces titres de films à l'acteur principal.

1 Louis de Funès   2 Jean-Paul Belmondo   3 Michel Serrault

a Pierrot le fou

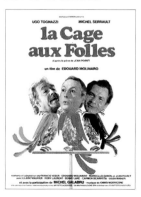

b La Cage aux folles

c La Folie des grandeurs

L'imagination
au pouvoir

OBJECTIFS

- Étudier un manifeste
- Interpréter ses rêves

Cahier THÈME 15 d'activités

- Exprimer des nuances à l'aide des modes verbaux
- ÉCRITURE CRÉATIVE Écrire une chronique sur une utopie

A Le hashtag du rêve

Dans le cadre d'une émission radio, des lycéens ont carte blanche pour exprimer leurs rêves et aspirations pour l'avenir de leur génération. Voici la chronique de Miguel, au son des pépiements d'un petit oiseau bleu.

Je vois un tweet qui m'interpelle, il dit : « Les jeunes faut arrêter de rêver, redescendez sur terre !! » Il n'y avait aucun contexte, aucune explication. Un tweet plus qu'inutile, avec lequel je n'étais pas d'accord.

Pour moi, la jeunesse et le rêve sont deux choses indissociables. Parce que c'est pendant notre jeunesse que nous faisons les rêves les plus fous ; c'est pendant notre jeunesse que nos rêves et notre avenir sont étroitement liés ; c'est pendant notre jeunesse que notre imagination est sans limites. Je ne sais pas pour vous, mais j'ai l'impression que plus nous grandissons, plus les obstacles qui se dressent devant nous ont l'air immenses, si grands et si volumineux que nous laissons tomber. Donc on se satisfait, on se satisfait du système, on se dit qu'on ne peut rien y faire encore plus lorsqu'il s'agit de politique. Je le ressens dans mon entourage, je le ressens aussi lorsque je pense à mon avenir. Les politiciens ont un rôle dans tout cela. #PeurDeL'avenir C'est pour ça que je crois en nous contrairement à certains, parce que nous rêvons. #IHaveADream. Je crois en nous contrairement aux politiciens. France Info vient de tweeter les propos qu'Emmanuel Macron a eus. Notre ministre de l'Économie, il dit : « Les jeunes n'ont pas forcément une pleine conscience du monde dans lequel nous entrons. » Il avait dit cela par rapport aux protestations de la jeunesse jeudi dernier. #Peut-être

C'est pourquoi je rêve d'une société qui prenne mon avis en considération, je rêve qu'on vienne me demander : « Alors Miguel, vous en pensez quoi, toi et tes potes, de la loi Travail ? » #Considération

Bien sûr, je répondrais « Rien », vu que personne ne nous a vraiment expliqué cette loi, et si ce fut le cas, c'était avec un vocabulaire beaucoup trop technique. Donc je rêve d'une école qui incite vraiment à la politique, d'une école qui pousse au débat républicain. #DébatRépublicain. On appellera ça « Le parlement lycéen » et bien sûr il sera obligatoire d'y assister ; et nous respecterons cela, contrairement à nos députés, qui sont parfois peu dans l'hémicycle et qui viennent nous dire : « On était beaucoup pour un lundi ». #Lol Vous imaginez, si on pouvait faire ça en cours : « Mais madame, les autres n'étaient pas là, mais on était beaucoup pour un lundi !! » Revenons à l'essentiel, où j'en étais déjà... ? Ah oui, « Le parlement lycéen » : grâce à cela,

lorsque nous sauterons sur les poubelles et que nous crierons ou tweeterons « On vaut mieux que ça », c'est parce que nous l'aurons décidé et non pas parce que le président de l'UNEF ou le moustachu de la CGT nous auront poussés à le faire.

Et pour que tout cela se déroule correctement, je rêve d'une école plus juste. Parce que si nous restons dans ce système où les professeurs les plus expérimentés sont dans les meilleurs quartiers et inversement, comment voulez-vous qu'on rêve de politique alors qu'on a du mal à rêver de l'université ?

Je rêve d'une politique qui ne se résume pas à des clashs entre des monstres de foire #MAIS TAISEZ-VOUS,TAISEZ-VOUS #Finkielkraut, que les choses que nous retiendrons ne seront pas les derniers scandales ou la dernière punchline. #RaceBlanche #Morano

Je rêve que le manque de sécurité ne pousse pas à des lois qui, en fin de compte, ne changeront rien à notre sécurité. #DéchéanceDeLaNationalité

Je rêve qu'on arrête de se foutre de notre gueule, de nous faire croire que toutes les affaires financières sont en fait fausses et que vous êtes blancs comme neige. #Cahuzac #Bygmalion #Sarkozy #Copé #Balkany #Juppé #etc...

80 Vous avez bien compris je rêve, je rêve de vivre dans un monde meilleur pour moi, pour la société et pour les générations futures. Vous pouvez appeler ça de la crédulité, de la naïveté, moi j'appelle ça de l'espoir, et j'en aurai tant que je 85 rêverai [...]

Ah, j'ai oublié quelque chose : je rêve que sur Twitter, on ne se limite pas à 140 caractères, parce qu'avec tous ces hashtags je n'ai plus de place. #Jeunesse

Les rêves (2/2) : Rêver d'un monde meilleur, ou agir pour lui ? - Miguel SHEMA, France Culture du 23/3/2016

 **Aide à la lecture**

Ce texte, lu à la radio, possède certaines qualités rhétoriques afin de capter l'attention de l'auditeur : les répétitions lexicales et syntaxiques donnent un rythme au texte. Dans la syntaxe, l'usage des virgules et la répétition de verbes introducteurs, plutôt que des conjonctions de coordination, apportent la mélodie. La mise en relief des sujets permet d'accuser et donne le ton. Enfin, le ton lui-même, au travers du choix stylistique, est jeune et engagé.

AU FAIT

Depuis sa création en 2006, le réseau social de messagerie instantanée Twitter avait comme marque de fabrique : 140 caractères (espaces compris) par message. Mais depuis le 7 novembre 2017, l'application autorise 280 caractères à tous ses usagers.

📖 COMPRÉHENSION ÉCRITE

1 Les mots-dièse, *hashtag* en anglais ou *mots-clique* au Québec, peuvent être employés à des fins différentes. Regroupez ceux du texte afin de mettre en évidence les fonctions de ces mots dans le discours. Faites des recherches sur Internet quand la référence vous échappe.

2 De quel type de texte s'agit-il : informatif, argumentatif, narratif, prescriptif ou injonctif ? Quelles sont les intentions de l'auteur au travers de cette chronique ?

3 La jeunesse est-elle influencée et/ou bridée ? Quelle(s) solution(s) propose Miguel pour mettre fin à cette situation ?

4 Résumez les critiques adressées aux politiciens français.

5 Relevez tous les compléments de « je rêve » et présentez la société rêvée de l'auteur.

6 Observez le début du texte (lignes 1-18) et la conclusion (lignes 80-89) : quelle relation est établie entre l'espoir et le rêve dans chaque partie ? Quel type de relation causale peut-on identifier ?

💬 PRODUCTION ORALE

7 Discutez du lien entre la politique et la jeunesse.
> Reconnaissez-vous une part de responsabilité des politiciens dans la désillusion citoyenne ?
> L'éducation politique est-elle satisfaisante dans votre système éducatif ?
> Que pensez-vous de l'idée de parlement lycéen ?
> Quels pourraient être les objectifs et les enseignements d'un tel dispositif ?

8 Mini exposé
#EnColère. Parmi les indignations de Miguel, choisissez un thème qui vous hérisse particulièrement le poil et exposez-le à vos camarades sous forme de « coup de gueule ».

📝 PRODUCTION ÉCRITE

9 Fil de discussion
#DuRêve #CestÀVous #LaissezMoiRêver. Quel est votre rêve ? Emparez-vous du hashtag du rêve et décrivez votre utopie en 280 caractères maximum. Rêvez grand, rêvez beau, rêvez trop, rêvez pour vous, pour nous, pour les générations passées ou pour l'avenir, n'entravez pas vos rêves, ne perdez pas espoir !

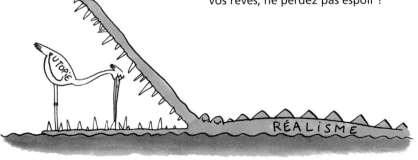

B Interpréter ses rêves

Écoutez un extrait de l'émission *Priorité Santé* de RFI, consacrée à l'interprétation des rêves. Répondez aux questions ci-dessous. Puis réécoutez-le et complétez vos réponses.

1 Faites la liste des personnages présents dans le rêve de Sarah et associez-leur un lieu et un ou plusieurs verbes d'action à chacun.

2 Décrivez la scène d'introduction du rêve de Sarah. D'après vous, quels sentiments peut-elle éprouver ?

3 Par quel moyen et à quelle heure, Sarah rentre-t-elle chez elle dans son rêve ?

4 Sarah a-t-elle conscience de rêver ?

5 Comment la vieille femme réagit-elle à l'attaque de Sarah ?

6 Quel effet a le rêve de Sarah sur sa famille ? Lui en explique-t-on la signification ?

7 Quels événements de la réalité vont trouver écho dans le rêve de Sarah ?

8 Dans quelle mesure les rêves avec son frère sont-ils révélateurs de sentiments inconscients ?

9 D'après l'ensemble des informations fournies dans le document, à quelles fins interprète-t-on les rêves ?

PRODUCTION ORALE

10 Rêver et cauchemarder : vous souvenez-vous de vos rêves ? Si oui, pourquoi selon vous ? Sinon, croyez-vous que vous ne rêvez pas du tout ? Pensez-vous qu'il soit préoccupant de faire des cauchemars ? Ces mauvais rêves ont-ils la même signification à l'âge adulte qu'à l'enfance ? Pourquoi ?

11 Signification des rêves : selon vous, les rêves fournissent-ils des éléments de réflexion sur le passé et/ou sur le futur ? Avez-vous déjà eu des « rêves prémonitoires » ? Pensez-vous que cela soit possible ? L'interprétation des rêves permet-elle de mieux se connaître ?

12 Mini exposé

Allô docteur Freud ? Faites une rapide recherche sur les éléments clés dans les interprétations des rêves. Puis, en petits groupes de discussion, évoquez les personnages, les actions et les réactions du rêve de Sarah et analysez les lieux et les symboliques possibles que l'on peut associer à chacun. Vous mettrez en commun avec les autres groupes vos interprétations respectives du rêve de la jeune femme.

PRODUCTION ÉCRITE

13 Fil de discussion

Quels étaient vos rêves d'enfant ? Les avez-vous réalisés ? Y en a-t-il qui vous tiennent toujours à cœur ? Parlez-en sur le forum intitulé « Les petits rêvent en grand ».

Le rêve

Dormir

le cauchemar, cauchemarder
un/une dormeur / dormeuse
émerger (fam.)
l'éveil (m.)
insomniaque
l'insomnie (f.)
la narcolepsie
pioncer (fam.)
le repos, se reposer
le rêve lucide
ronfler
roupiller (fam.)
le sommeil, sommeiller
le somnifère
somnoler
le songe

Un rêve éveillé

l'apparition (f.)   la chimère
le délire   la divagation
la dystopie   l'égarement (m.)
le fantasme   le fantôme
l'hallucination (f.)   l'illusion (f.)
l'imagination (f.)   le mirage
la remémoration   la rêvasserie
la songerie   songer / rêvasser
le souvenir   la vision
l'utopie (f.)

Prémonitoire

l'augure (m.)
prédire
la prémonition
la prophétie
prophétiser
la vaticination

Onirique

fantasmagorique
fantasmatique
féérique
freudien(ne)
hallucinatoire
idyllique
prophétique
psychédélique
soporifique

L'interprétation

le conscient
l'hypnose (f.)
l'imaginaire (m.)
l'inconscient (m.)
la lucidité
la névrose

la psychanalyse
la psyché
le psychique
le subconscient

Expressions

abandonner un rêve
avoir un corps de rêve
briser un rêve
dans les bras de Morphée
dormir à poings fermés
écraser l'oreiller
faire une nuit blanche
une histoire à dormir debout
non mais je rêve !
poursuivre des chimères
qqch ou qqn de rêve
la vue de l'esprit

 32

1 Écoutez ces quatre dialogues et retrouvez le type de rêve dont il est question parmi la liste suivante.
a. une utopie   **c.** un mirage
b. une dystopie   **d.** une hallucination

2 Relevez et regroupez les mots qui ont une connotation positive / agréable et ceux à la connotation négative / désagréable.

3 Identifiez les expressions qui se cachent derrière ces phrases.
a. Si tu m'emmènes encore voir un de ces films qui n'a ni queue ni tête dont tu as le secret, je ne retournerai plus jamais au cinéma avec toi.
b. Le commentaire de cet enseignant a été le coup de grâce, je ne vois plus d'autre possibilité que de changer d'orientation par sa faute.
c. Je suis épuisé ce soir, je sens que je vais passer la nuit en bonne compagnie !

💬 **PRODUCTION ORALE**

4 Une histoire à dormir debout : imaginez un petit conte pour les enfants qui traite du rêve et du sommeil.

AU CŒUR DU QUOTIDIEN

1 D'après vous, qui sont les personnages représentés sur l'image ?
Où sont-ils ? Que font-ils ?

2 Quel paradoxe est représenté sur cette image ?
S'agit-il d'un mal du XXIe siècle ?

3 Connaissez-vous une expression imagée qui pourrait faire office de titre à cette illustration ?

4 Et vous, êtes-vous plutôt une personne comblée ou éternellement insatisfaite ?

- On est bien. Mais la question reste : est-ce qu'on ne pourrait pas être un tout petit peu mieux ?

 **COMPRÉHENSION ORALE**   **AUDIO**

5 Résumez le premier rêve.

6 Pour quelle raison la narratrice est-elle d'autant plus surprise par son rêve ?

7 Quel mot est employé pour évoquer une opération mathématique ?

8 Relevez les expressions d'enthousiasme employées dans les deux derniers rêves.

PRODUCTION ORALE

9 Vous arrive-t-il de voler dans vos rêves ? Est-ce une sensation agréable ou désagréable ? Vous arrive-t-il de développer d'autres super-pouvoirs ?

10 Jeux de rôles : Toute la classe écrit 1 mot surprenant (nom, verbe ou adjectif) sur 3 petits papiers. Mettez en commun les papiers dans une boîte. Puis formez des binômes. Chaque binôme joue une scène improvisée pendant 3 minutes.

> Situation : Vous êtes entre ami(e)s autour d'un café et vous racontez vos rêves de la veille. Chacun(e) à votre tour, vous jouez les deux rôles du dialogue.

> Rôle de celui / celle qui écoute : Tirez au sort 3 petits papiers et révélez-les un à un à votre partenaire, au fur et à mesure de son récit. Réagissez au rêve de votre ami(e) avec des expressions d'étonnement ou d'enthousiasme.

> Rôle du conteur / de la conteuse : Imaginez votre dernier rêve en suivant la contrainte donnée par votre partenaire. Et employez les mots tirés au sort.

> Registre : Familier.

Exprimer sa surprise !

> Ah ouais ?
> Allons donc !
> Allons !
> Bigre !
> Bizarre / zarbi*
> Bon sang !
> Ça alors !
> C'est louche / chelou*
> Ciel !
> Comment ?
> Dame !
> Diable !
> Dingue
> Dis donc !
> Eh quoi !
> Eh !
> Eh bien !
> Genre ?

> Hé là
> Hem !
> Hep !
> Hein !
> Ho !
> Holà !
> Hou !
> Hum !
> Le délire / la folie / le trip*
> Ma parole !
> Mais d'où + question (ex : d'où tu l'as vu ?)
> N'importe quoi !
> Oh !
> Ou là là !
> Par exemple !
> Sérieux !

* Familier.

Travail, modes d'emploi

OBJECTIFS

- Envisager le revenu universel

- Prendre conscience de l'ubérisation du monde du travail

 Cahier THÈME 16 d'activités

- Renforcer la cohérence d'une argumentation par la reprise

- **ESSAI** Écrire un texte argumenté sur les nouvelles formes de travail

A Pour ou contre le revenu universel ?

Le libéral Gaspard Koenig milite pour un revenu universel qui permettrait aux individus d'échapper à la grande pauvreté aussi bien qu'à une bureaucratie sociale humiliante. Le journaliste économique y voit, lui, une fausse piste et défend un droit au travail.

Pour quelles raisons vous êtes-vous intéressé au revenu universel ?

Gaspard Koenig : L'idée fait partie du corpus libéral. C'est Milton Friedman qui a relancé le débat dans *Capitalisme et liberté*, chapitre 12 : comment éradiquer la pauvreté d'une manière libérale, c'est-à-dire non paternaliste. Du reste, il ne propose pas exactement un revenu universel. Il considère que, à partir du moment où des gens se retrouvent dans la grande pauvreté, la meilleure manière de procéder, c'est de donner du cash à tout le monde. C'est un argument qui sera repris par Martin Luther King qui explique que, plutôt que de s'attaquer aux causes de la pauvreté comme le logement, il faut s'attaquer à la pauvreté elle-même. J'avais cette petite musique en tête.

Quelle forme donneriez-vous à ce revenu universel ?

Gaspard Koenig : [...] Mon option est bien de donner à chacun un revenu mensuel, de la naissance à la mort, sous forme de crédit d'impôt. C'est un système extrêmement flexible et automatique qui s'adapte à la disparité des revenus. Un phénomène qui deviendra la norme dans un monde post-salarial. Il s'agit d'un filet de sécurité qui éradique la grande pauvreté et supprime l'angoisse d'y tomber [...]

Dans une société riche et civilisée, on peut se dire que la subsistance – pouvoir répondre à ses besoins de base – est un droit universel. Ce n'est pas de la charité. Il n'est pas admissible qu'il y ait 90 milliards de dépenses sociales en France et des gens qui n'ont rien à manger. C'est un outil de lutte contre la pauvreté.

Que pensez-vous de cette philosophie ?

Jean-Louis Gombeaud : Nous sommes tous d'accord pour dire que 500 euros, ce n'est rien. En vous écoutant, on se demande si votre propos est bien de lutter contre la pauvreté ou d'établir l'impôt proportionnel. Quel est votre objectif ? Que fait-on des pauvres ? C'est une question majeure [...]. De fait, comment peut-on admettre dans une société que des gens n'aient rien pour vivre, ou très peu ! Or, en France, 15 à 16 % des gens sont catalogués par les statistiques comme des pauvres. Ce n'est pas tenable. La question qui nous est posée, c'est comment en sortir.

Mais je pense à autre chose à propos du revenu de base. Savez-vous que cela a été pratiqué en masse sous l'Empire romain ? L'Empire avait créé le service de l'annone qui consistait à garantir, uniquement aux citoyens romains, la nourriture, essentiellement le blé, parfois la viande et le vin. Une garantie en nature financée par l'État non seulement à Rome, mais dans toutes les grandes villes de l'Empire. Le revenu universel a donc existé il y a bien longtemps et a, du reste, coûté très cher. Mais l'idée de faire dépendre le revenu des gens non d'un travail mais d'un chèque me choque. Surtout s'il existe une crise financière publique de l'État et que celui-ci ne puisse garantir quoi que ce soit. Selon moi, c'est le travail qui fait le citoyen. Le seul remède pour aider les pauvres, c'est le droit au travail. C'est le travail qui socialise, qui donne une identité. Ce n'est pas de recevoir un chèque de la société.

Quel serait le coût d'une telle mesure pour la société ?

Gaspard Koenig : Notre proposition est assez bien chiffrée pour être rationnelle. Daniel Cohen exagère dans son chiffrage en négligeant la fis-

calité. Il multiplie le nombre d'individus majeurs par 600 euros et conclut qu'on aboutit à des
75 sommes extravagantes qu'on ne peut financer. Dans mon système modélisé, la dépense qui sort en cash est de près de 100 milliards d'euros annuels pour les gens gagnant moins de 2 000 euros. La discussion est plus sereine.
80 On ne parle pas d'un coût de 300 milliards [...] Les 500 euros distribués se substitueraient à l'allocation de subsistance. Mais ce n'est pas un solde de tout compte. On ne remet pas en cause les allocations spécifiques au chômage,
85 aux retraites ou au logement. Je propose un système modeste et réaliste.

Jean-Louis Gombeaud : Votre philosophie ne conduit pas au solde de tout compte. Mais en réalité, elle mène à la suppression du SMIC. Cette
90 tendance l'emportera car ce ne sont pas les philosophes mais les comptables qui gèrent les pays. Et ils diront : avec une aide de 500 euros,

plus besoin du SMIC. Affirmer que ce revenu universel n'entraînera pas de conséquences en
95 chaîne est une autre forme d'utopie !

Gaspard Koenig : L'inquiétude existe aussi que le revenu universel passe progressivement à 700 euros dans cinq ans, puis à 1 000, voire 1 500 euros, et qu'on arrive à une socialisa-
100 tion totale, néocommuniste, de la société. Les arguments vont dans les deux sens [...] Pour une fois, on saura précisément pourquoi on paie l'impôt, de façon saine et logique : l'impôt que je paie en tant qu'individu sert à financer
105 le filet de protection dont je bénéficie en tant qu'individu. C'est la justification la plus forte. Dès lors, un simple ordinateur à Bercy peut établir les calculs, 500 euros de versement et 25 % de prélèvement. C'est une machine plus légère.

Propos recueillis par Éric Fottorino et Laurent Greilsamer, © le1hebdo, n°139 janvier 2017

👍 **Aide à la lecture**

Dans l'article sur le revenu universel, les deux personnes interviewées doivent sans cesse justifier leur point de vue ou s'opposer à celui de leur interlocuteur. C'est pourquoi elles utilisent de nombreuses techniques de reprises de référents afin de ne pas alourdir leur argumentation et se démarquer.

BONJOUR, JE CHERCHE UN EMPLOI ET UN AVENIR.

📖 **COMPRÉHENSION ÉCRITE**

1 Sur quel problème de société les deux personnes interviewées s'entendent ?

2 Proposez une définition du revenu universel. Selon vous, pourquoi le caractériser d'« universel » ?

3 Relevez les termes utilisés par chacun des spécialistes pour souligner leur propre opinion et/ou celle de l'autre.

4 Jean-Louis Gombeaud parle d' « impôt proportionnel ». En quoi cette expression cherche-t-elle à relativiser l'expression « revenu universel » ?

5 Que veut dire J.-L. Gombeaud avec « C'est le travail qui fait le citoyen » (lignes 63-64) ? Gaspard Koenig a-t-il la même vision du travail ?

6 Gaspard Koenig affirme que sa proposition est « bien chiffrée » et donc « rationnelle » (ligne 71). Contre quoi cherche-t-il à se défendre ?

7 Définissez les termes suivants : un crédit d'impôt, la charité, le SMIC.

💬 **PRODUCTION ORALE**

8 Pensez-vous qu'un revenu sans avoir besoin de travailler soit soutenable socialement ? Est-ce que cela pousserait les gens à travailler plus librement ou bien à ne rien faire ?

9 Mini-exposé
Quelles sont les conditions pour percevoir l'allocation chômage ? Quel contrôle l'État exerce-t-il ? Qu'est-ce qui se fait en matière de formation des chômeurs ? Faites une recherche concernant le pays de votre choix et présentez vos résultats à la classe.

📝 **PRODUCTION ÉCRITE**

10 Fil de discussion
Avez-vous d'autres idées que le revenu universel pour aider les plus démunis ? Qu'est-ce que chacun pourrait faire concrètement ?

COMPRÉHENSION ORALE **34 AUDIO**

Écoutez l'extrait de l'émission *7 milliards de voisins* sur RFI, l'ubérisation. Répondez aux questions ci-dessous, puis réécoutez-le et complétez vos réponses.

1 Dans quel monde économique sommes-nous plongés à travers cette émission ?

2 La journaliste compare ce nouveau modèle à un iceberg. Quelles sont les caractéristiques de sa face immergée et celles de sa face visible ?

3 Quels différents points de vue les auditeurs ont-ils sur la question ?

4 Décrivez le profil de Benoît.

5 Quel est son quotidien professionnel (salaire, horaire de travail…) ?

6 Approuve-t-il totalement le fonctionnement de ce système ? Quels en sont selon lui les avantages et les inconvénients ?

AU FAIT

L'ubérisation (néologisme formé sur le nom de la société Uber), renvoie de façon générale à la transformation de l'activité économique traditionnelle. Elle se produit sous l'impulsion de l'innovation numérique et de la mise en réseau des consommateurs. L'activité qu'elle suppose est souvent associée à un travail effectué par les consommateurs eux-mêmes.

PRODUCTION ORALE

7 Discutez au sujet du monde du travail en présentant votre vision, votre expérience et vos ambitions.

> Avez-vous déjà travaillé ? Dans quelles conditions ?

> Comment étaient vos relations avec votre employeur ?

> Quel serait pour vous un contexte de travail idéal ?

8 Mini-exposé
Derrière la tendance d'échange actuelle (covoiturage, cohabitation, etc.) se cache un modèle social et économique innovant : l'économie collaborative. Elle apporte une plus-value indispensable à la société (moins de dépenses, plus de cohésion sociale, meilleur respect de l'environnement). Présentez un exemple de projet collaboratif à la classe.

PRODUCTION ÉCRITE

9 Fil de discussion
Vous travaillez dans une start-up qui cherche à améliorer le cadre de travail de ses employés. Le *community manager* a eu l'idée de créer un poste de « chargé du bonheur des salariés » et ouvre un chat pour en définir les compétences. Vous postulez sur ce fil de discussion en présentant vos ambitions et vos objectifs.

VOCABULAIRE

Le travail

L'activité professionnelle

un/une auto-entrepreneur/entrepreneuse
un/une micro-entrepreneur/entrepreneuse
bosser, bûcher, trimer, abattre du travail
les conditions de travail (f.)
une corvée, une besogne
être à son compte / indépendant(e)
être à temps partiel, à plein temps
être en CDD, CDI, contrat aidé
être *overbooké(e)*, surmené(e)
flexibilité, flexi-sécurité
un job, un boulot, un travail, un emploi, une mission, un gagne-pain, un poste, un taf
une prestation
une *start-up*
travailler au *black*, au noir

La hiérarchie

le/la *boss*, chef, le directeur / la directrice, le/la supérieur(e), dirigeant(e), gérant(e), manager
le/la chef d'équipe, de plateau
le *coworking*
un/une DG, PDG
un/une DRH
décider en haut lieu
un/une intérimaire
un/une salarié(e)
un ouvrier / une ouvrière
un jeune loup

1 Cherchez le synonyme de ces mots.
a. le dirlo
b. un apprenti
c. un col bleu
d. un sous-fifre
e. une personne ambitieuse

Les frais

les charges sociales (f.) / salariales / patronales
le contribuable
les cotisations salariales (f.)
déclarer ses charges
les dividendes (m.)
être assujetti(e)
une exonération, un dégrèvement, une déduction
une imposition, la taxation
l'impôt sur le revenu (m.)
ne pas être déclaré(e)
le prélèvement à la source

2 Expliquer les acronymes suivants :
TVA, IRPP, CSG, ISF, RTT

Difficulté du travail

l'allocation (f.) / l'assurance chômage (f.)
le chômage partiel

les conditions de travail (f.)
le départ volontaire
déposer le bilan
la discrimination à l'embauche / positive
le *dumping* social
l'égalité (f.) / la disparité salariale
être exploité(e), être un larbin
le harcèlement moral, physique
inactif(ve), l'inactivité (f.)
l'indemnité prud'homale (f.)
un licenciement abusif / économique
un plan social
la précarité, un travail précaire
une procédure de licenciement
un reclassement
un redressement fiscal
sans emploi / sans travail / sans activité
travailleur pauvre

Expressions

arrondir ses fins de mois
avoir du pain sur la planche
avoir plusieurs casquettes / cordes à son arc
être à la botte de quelqu'un
faire un travail de fourmi
gagner sa croûte
travailler d'arrache-pied / au corps / sans filet / à la sueur de son front
travailler du chapeau

3 Retrouvez la bonne expression.
a. activité qui demande beaucoup d'effort
b. insister pour qu'une personne accepte une négociation
c. prendre des risques sans garantie de réussite
d. activité demandant une grande minutie
e. se dit d'une personne un peu folle

Avant, pendant, après

une année sabbatique
un congé sans solde / sabbatique / de paternité / de maternité
être à la retraite, un(e) retraité(e)
être en disponibilité
être en formation
être en préretraite
un/une professeur émérite
un/une stagiaire

Rémunération

la grille des salaires / de rémunération
un bulletin de salaire
un échelon, gravir les échelons
un parachute doré
une fiche de paye
une prime, un bonus

JEUX DE CULTURE GÉNÉRALE

1 Filmographie

Imaginez le thème de chacun de ces films, puis allez voir leur bande-annonce.

 a

 b

 c

 d

[1] la réinsertion professionnelle [2] la dureté du management [3] la délocalisation [4] la lutte des classes

2 Avancées sociales

Reliez les dates suivantes avec ces avancées sociales.

| Le 22 mars 1841 | Le 13 juillet 1906 | le 23 avril 1919 | Le 11 février 1950 | Le 19 janvier 2000 |

[a] une loi crée le Salaire Minimum Interprofessionnel Garanti, le SMIG. Cette loi garantit à chaque salarié un revenu minimum, déterminé en fonction du budget du ménage.

[b] La loi interdisant le travail des enfants de moins de 8 ans dans les entreprises de plus de 20 salariés est votée. La loi fixe également une durée maximale de travail : 8 heures par jour pour les enfants de 8 ans à 12 ans.

[c] La loi sur le repos hebdomadaire est promulguée. Elle accorde à tous les ouvriers et les employés un repos de 24h après six jours de travail. La France est un des derniers pays d'Europe à instaurer une telle loi.

[d] Martine Aubry, alors ministre de l'Emploi et de la Solidarité du gouvernement Jospin, contribue à la loi dite « Aubry II » qui fait passer le temps de travail à 35 heures au lieu des 39 heures.

[e] Une loi instaure, sans perte de salaire, le principe des « trois 8 » : 8 heures de travail, 8 heures de repos et de loisirs, 8 heures de sommeil ; soit une durée légale du travail à 48 heures par semaine.

3 Vrai ou faux

À votre avis, idée reçue ou vérité ?

	Vrai	Faux
[a] Les Français ne s'ennuient jamais au travail.	☐	☐
[b] Les Français flirtent au bureau.	☐	☐
[c] Les 35 heures sont un problème pour tous les français.	☐	☐
[d] Les Français n'aiment pas leur travail.	☐	☐
[e] Les chômeurs profitent du système.	☐	☐

4 Acronymes

Saurez-vous retrouver les mots qui sont derrière ces acronymes.

[a] SMIC

[b] PSE

[c] CPF

[d] CE

[e] VAE

La fabrique du mâle

OBJECTIFS

- Penser l'espace public
- Évaluer les représentations du genre

Cahier THÈME 17 d'activités

- Agrémenter son discours de comparatifs et de superlatifs
- **ESSAI** Écrire un billet d'humeur sur le genre et l'émancipation

A Comment rendre la ville aux femmes ?

Chris Blache, socio-ethnographe, explore la représentation des femmes et de son évolution dans la société. Des pistes sont évoquées pour favoriser une véritable mixité dans l'espace public.

Comment les femmes occupent-elles l'espace public ?

Les femmes ne sont pas absentes de l'espace public, elles en développent une occupation particulière. Les hommes l'occupent, les femmes s'y occupent... Elles gèrent les fonctions d'accompagnement, les courses, les enfants. Elles sont rarement dans une situation de flânerie ou de détente sur un banc. Cela est lié aux injonctions que les femmes reçoivent depuis toujours. Enfants, dès la cour d'école, elles apprennent les frontières à ne pas dépasser, comme l'explique la géographe Edith Maruéjouls dans son étude sur l'accès aux loisirs des jeunes, alors que les garçons sont encouragés à oser, à se dépasser, à prendre le territoire.

Par ailleurs, les normes de genre imposent de nombreuses contraintes aux femmes : bien se tenir, surveiller sa mise, ne pas risquer d'être perçue comme « facile ». De fait, elles sont sous contrôle permanent : le vêtement trop court ou trop long, trop voyant ou pas assez seyant, tout est prétexte à les juger. Résultat, elles ont des stratégies vestimentaires, des stratégies pour leurs déplacements, des stratégies dans leurs attitudes. Plutôt que de s'exposer, elles s'autocensurent. Seuls certains espaces semblent échapper à la règle, les parcs par exemple, et encore, pas à n'importe quelle heure. Dans ces lieux plus propices à la détente, les sociabilités sont différentes, l'espace est mieux partagé, moins normé autour d'activités spécifiquement masculines comme sur les terrains de sport.

Comment la place des femmes dans l'espace public a-t-elle évolué au cours de l'histoire ?

A l'ère industrielle, il y a eu un très fort apport de main-d'œuvre dans les villes. Femmes et hommes étaient, alors, très présents dans les rues. Les femmes qui avaient des petits métiers, très mal rémunérés, arrondissaient les fins de mois en revendant des restes de nourriture, les chutes de tissu, du tabac... Puis Haussmann, avec sa volonté de contrôler l'espace, a fait rentrer tout le monde à l'intérieur, les familles bourgeoises comme les plus pauvres. Une logique militaire, un ordre masculin et bourgeois a été instauré. Des marchés couverts ont été créés, alors qu'auparavant les « marchandes de quatre saisons », comme on disait à l'époque, traînaient leur charrette dans les rues. Les femmes qui fréquentaient la rue sont dès lors considérées comme des femmes de petite vertu. Cette image reste très forte dans les esprits et les comportements.

Les femmes ont-elles plus de difficultés à occuper l'espace public qu'il y a cinquante ans ?

Les sociabilités ont changé, le paysage urbain aussi. Il y a cinquante ans, les villes étaient d'une certaine manière plus dangereuses, et pourtant les espaces publics étaient plus vivants, plus mixtes. Aujourd'hui, l'espace est moins dangereux, mais il se rétrécit pour tout le monde. Les immeubles se renferment derrière des digicodes, une crainte de « l'autre » s'installe, et ce sont ceux qui se sentent les plus légitimes à évoluer dans l'espace public qui l'occupent. Les autres – les femmes, les enfants, les personnes âgées, les hommes qui ne répondent pas aux codes normatifs de masculinité – sont invités à être attentifs, à ne pas se mettre en danger.

Ce sentiment de peur est très pervers car il crée un cercle vicieux de stérilisation de l'espace public. Or, seul un espace plus ouvert, tant sur le plan symbolique que réel, encourage à la mixité des usages et des personnes.

[...]

À Paris, Genre et Ville travaille sur le réaménagement de deux places, celles du Panthéon et de la Madeleine. Quel est l'objectif ?

La question du genre a été intégrée dès l'appel d'offres, mais le défi est de taille car les services comme les équipes n'ont pas l'habitude d'intégrer cette dimension. L'urbanisme en France est très réglementaire et les aspects sociologiques ne sont pas une priorité. Par ailleurs, la question du genre n'est pas intégrée au programme des écoles d'architecture ou d'urbanisme. Par conséquent, il est rarement pris en compte dans les projets.

La place du Panthéon est, par exemple, assez mixte dans ses usages, grâce à la forte présence d'étudiant(e)s et de touristes. En revanche, le monument impose une symbolique masculine très forte. Seules quatre femmes, bientôt cinq avec Simone Veil, reposent à l'intérieur. Même la devise – « Aux grands hommes, la patrie reconnaissante » – est significative. C'est un lieu où le poids de l'histoire est fort, et où la légitimité des femmes est institutionnellement et historiquement niée. Il a donc été évident pour notre collectif qu'il fallait, sur cette place, activer le levier mémoriel. Rappeler l'apport des femmes, grandes oubliées, dans l'histoire. C'est pourquoi nous avons pour objectif de graver une multitude de noms de femmes, connues ou à connaître, sur les pavés de la place. Mais rien n'est gagné, car il est difficile en France de toucher à une place classée aux monuments historiques.

La place de la Madeleine est un lieu plus complexe, moins lisible. C'est un endroit bruyant, avec beaucoup de passage. Jusqu'à présent, on travaille sur les usages. On s'est aperçu que les femmes sont plus nombreuses que les hommes à déjeuner dans la rue, une situation liée à la fois à des aspects économiques – les femmes travaillant dans le quartier n'ayant pas les plus forts salaires –, et à des habitus différents en termes de socialisation – une femme ira moins facilement au restaurant, surtout seule. L'ensemble des données collectées nous permettra de penser l'avenir de la place.

Chris BLACHE, Propos recueillis par Feriel Alouti, *Le Monde idées*, 03/09/2017

👍 **Aide à la lecture**

Ce texte met en regard les situations des femmes avant et maintenant dans l'espace public, mais aussi leur place par rapport à celle des hommes. Cela se traduit par l'emploi du comparatif.

AU FAIT

Savez-vous que la ville de Nantes a construit en 2015 un parallélogramme de 1300 m² intitulé « miroir d'eau » ? Sur ce miroir s'étend une pellicule d'eau qui diffuse un léger brouillard. Chaque année aux beaux jours, de nombreux enfants, filles et garçons, s'y retrouvent et jouent ensemble.

📖 **COMPRÉHENSION ÉCRITE**

1 Pouvez-vous expliquer la phrase « Les hommes l'occupent, les femmes s'y occupent » (ligne 5), en vous interrogeant sur les verbes qui la composent ?

2 Pour quelles raisons la question du genre, dans le cadre du réaménagement des espaces publics, n'est-elle pas davantage prise en compte ?

3 Quel changement majeur a eu lieu dans l'espace public ?

4 Que peuvent amener ces changements dans la perception de la place des femmes en ville ?

5 Comment comprenez-vous la devise : « Aux grands hommes, la patrie reconnaissante » (ligne 98) ?

6 Qu'entend Chris Blache par le fait d'activer le « levier mémoriel » (ligne 104) ?

7 Discutez de l'aménagement des espaces publics en vous aidant des questions suivantes :

> Comment les hommes et les femmes occupent-ils l'espace public dans votre pays, votre ville ?

> Qu'aimeriez-vous proposer comme changement ?

> Dans quel genre d'espace public aimeriez-vous vivre ?

> Comment créer un espace public plus ouvert à la mixité, notamment dans les espaces de loisirs ?

8 Mini-exposé

Faites une recherche personnelle sur d'autres domaines d'inégalité dans votre pays ou dans le monde (école, travail, manuels scolaires, sports, publicités, etc.). Identifiez les origines de ces inégalités, proposez des solutions et présentez-les à la classe.

9 Fil de discussion

Une radio locale s'interroge sur les violences dans les espaces publics (la rue, les transports...). Comment faire évoluer les choses ? Comment sensibiliser la population à réagir face aux incivilités et au harcèlement sexiste ? Échangez vos idées.

B La virilité est-elle mise à mâle ?

 AUDIO

Écoutez un extrait de l'émission *7 milliards de voisins* de RFI, qui traite de la place des hommes dans une société en pleine mutation. Répondez aux questions ci-dessous. Puis réécoutez le document et complétez vos réponses.

1 Pourquoi Gil Moran, psychanalyste, a-t-il décidé d'organiser des groupes de parole uniquement composés d'hommes ? Qu'en pensez-vous ?

2 Que veut dire le psychanalyste par l'expression « être plus que paraître » ?

3 Relevez deux changements énoncés par l'historien Georges Vigarello pour expliquer la remise en question du modèle sociétal.

4 Que veut dire Georges Vigarello lorsqu'il affirme que la virilité distingue les hommes entre eux ?

5 Quelle « exigence psychologique » est avancée par l'historien dans le changement de nos comportements ?

6 Citez un changement que l'évolution du statut féminin a produit, selon Georges Vigarello.

7 Comment certains hommes réagissent-ils par rapport à ces changements sociaux ?

8 Débat

Pensez-vous que l'émancipation est une question qui se pose également pour les hommes ?

9 Mini-exposé

« La virilité est d'abord un mythe, un idéal nostalgique : à chaque époque, on regrette la virilité prétendument originelle qu'on aurait perdue » (Olivia Gazalé, philosophe). Trouvez des arguments pour appuyer ou infirmer ces propos.

10 Fil de discussion

Un groupe d'étudiants travaille sur la définition des mots « masculinité » et « virilité » afin de répondre à la question : Y a-t-il des différences entre ces deux termes ? Vous répondez par des arguments et des exemples détaillés.

VOCABULAIRE

Le genre

Les discriminations de genre

le machisme
la misogynie
le plafond de verre
le préjugé, le stéréotype, le cliché
le sexisme

L'égalité

la coparentalité, partager les responsabilités familiales
l'émancipation (f.), s'émanciper
l'équité (f.)
être indépendant(e) sur le plan financier
le féminisme
le masculinisme
la parité
une société paritaire

Les stéréotypes de genre

l'agressivité (f.)
l'ambition (f.)
la brutalité, avoir un caractère violent
la confiance, avoir confiance en soi
la délicatesse
la domination, prendre le pouvoir sur…
la douceur, avoir un comportement affectueux
élever, éduquer ses enfants, suivre leur scolarité
l'émotivité (f.), éprouver fortement des émotions
l'endurance (f.), faire preuve de résistance
l'énergie (f.), être énergique
être ambitieux / ambitieuse
la faiblesse
la fragilité
faire la cuisine, le ménage, les courses
s'occuper du foyer, des enfants, des tâches ménagères
faire la guerre, prendre les armes
la force, la vigueur
l'hystérie (f.)
le rationalisme, faire preuve de raison
la sensibilité, s'émouvoir
la soumission, se laisser dominer par…

L'espace public

l'accessibilité, la mobilité (f.)
l'aménagement des territoires (m.)
l'architecture (f.)
le conditionnement
la dichotomie
la norme
le paysage urbain / rural
la sphère privée / publique
l'urbanisme (m.)

Les impacts sociétaux

un code normatif
la différenciation des sexes
la division sexuelle
les inégalités (f.)
la mixité
la neutralité
les normes éducatives / de genre
l'ordre masculin / bourgeois
la symbolique masculine

Agir

avoir un poste à responsabilités
subvenir aux besoins du foyer
être le/la chef(fe) de famille
faire vivre sa famille
les inégalités perdurent
mettre en lumière
perpétuer une norme
réconcilier qqn avec qqn/qqch
reléguer à la marge
avoir la responsabilité familiale
reproduire des modèles de genre
réussir sa carrière
s'autocensurer

Expressions

avoir un cœur d'artichaut
être un garçon manqué
être une chochotte
être une poule mouillée
être un surhomme
faire le coq
pleurer comme une madeleine
porter la culotte

1 Relevez les expressions qui participent à la construction des préjugés. Donnez une explication sur le fondement de ces stéréotypes (ex : s'occuper du foyer).

2 Trouvez l'expression adéquate pour chaque phrase, en vous aidant du vocabulaire.
a. avoir une attitude arrogante
b. avoir peur de faire quelque chose
c. tomber très souvent amoureux / amoureuse
d. faire le/la chef(fe) dans un couple

PRODUCTION ORALE

3 Selon vous, la société est-elle en train de changer concernant la question des stéréotypes de genre ? Développez en utilisant le vocabulaire présenté.

1 Que pouvez-vous dire de la représentation des personnages dans ce dessin ? Quelles propositions pourriez-vous apporter pour modifier la scène ?

2 Percevez-vous l'ironie ? Essayez d'expliquer la situation humoristique de cette illustration.

3 Pour élargir le sujet évoqué dans le dessin, que pensez-vous de l'écriture inclusive au sein de la langue française ? Développez votre propos.

DÉCLARATION UNIVERSELLE DES DROITS DE L'HOMME...

... ET LA FEMME ??

N'ENTRONS PAS DANS LES DÉTAILS.

Catherine Beaunez

COMPRÉHENSION ORALE 🔊 36 AUDIO

4 Pour quelles raisons les deux interlocuteurs ont-ils été différemment sensibilisés au féminisme ?

5 Le féminisme a-t-il un impact dans leur vie quotidienne ? Justifiez.

6 Selon vous, que veut dire le premier interlocuteur lorsqu'il évoque « le syndrome du prince qui sauve la princesse » ?

PRODUCTION ORALE

7 Quelle a été, pour vous, la part de sensibilisation au féminisme dans votre éducation ?

8 **Jeux de rôles** : Formez des groupes de deux. Chaque groupe joue à tour de rôle un débat improvisé entre 2 et 5 minutes. Votez ensuite pour le binôme le plus convaincant.

> **Situation** : Vous êtes dans un magasin de jouets afin de choisir un cadeau pour l'anniversaire du fils ou de la fille de 8 ans d'un(e) de vos ami(e)s. Vous échangez vos points de vue en les appuyant par des arguments et des exemples précis.

> **Rôle du premier personnage** : Vous cherchez dans le magasin et choisissez un jouet stéréotypé que vous montrez à votre ami(e).

> **Rôle du second personnage** : Vous exprimez votre désaccord à votre ami(e). Vous essayez de lui expliquer que son choix est très stéréotypé et vous proposez un autre jouet. Réfléchissez aux arguments que vous utiliserez pour appuyer votre opinion.

> **Registre** : Polémique, courant ou familier.

Exprimer son désaccord

> Pas du tout !
> Tu te trompes.
> Tu fais fausse route.
> Je crois que tu es à côté de la plaque*.
> C'est un tel cliché ! Ne tombe pas là-dedans.
> Ton raisonnement ne tient pas.
> Tu dis des conneries* / des bêtises !
> Je vois les choses sous un autre angle.
> Je ne suis pas de ton avis.
> Je ne partage pas ton opinion.
> N'importe quoi !
> C'est complètement faux !

* Familier.

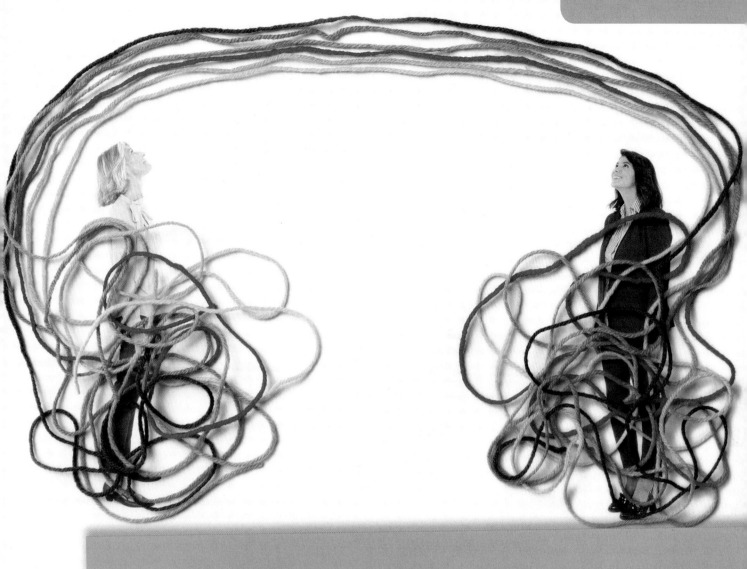

À la vie,
à la mort !

OBJECTIFS

- Appréhender la médicalisation de la naissance et de la mort

Cahier THÈME 18 d'activités

- Approfondir le discours rapporté

- Saisir la révolution de l'utérus artificiel

- **ESSAI** Soutenir un projet de loi dans une lettre ouverte

DOCUMENTS

A Procréation égalitaire ?

COMPRÉHENSION ORALE

Écoutez un extrait de l'émission radiophonique *Demain la veille* de France Inter. Répondez aux questions ci-dessous. Puis réécoutez-le et complétez vos réponses.

1 Quels sont les moyens actuels de contrôler et d'intervenir médicalement sur les naissances ?

2 Quelle nouvelle étape de l'histoire de la procréation la journaliste évoque-t-elle ? Quelles réactions suscite cette possibilité ?

3 Que veut dire le titre de l'émission « L'égalité par l'utérus artificiel » ? Comment la journaliste l'introduit-elle dans ses propos ?

4 Quelle découverte scientifique vient d'être faite ? Précisez ce que signifie l'expression latine *in vitro*.

5 Quel est l'apport scientifique de cette avancée pour René Frydman ?

6 « Boutez hors de mon sein cette animalité que je ne saurais voir [...] L'histoire de la grossesse, de la maternité, de l'enfantement, c'est l'histoire d'une désincarnation progressive, d'un éloignement du contrôle du corps. » Reformulez cette idée. Est-elle partagée par la sociologue ? Quels exemples sont donnés ?

7 Selon la sociologue, quel est l'impact de ces nouvelles pratiques et recherches dans le domaine de l'égalité entre les sexes ?

8 Selon la journaliste, quelles sont les deux craintes principales suscitées par l'utérus artificiel ? Qu'en pense René Frydman ?

PRODUCTION ORALE

9 Discutez des progrès de la médecine dans l'histoire de la procréation en vous aidant des questions suivantes :

> À quoi ressemblait la procréation à l'époque de vos grands-mères ? Et de vos mères ?

> Quels sont, selon vous, les apports principaux de la médecine moderne dans ce domaine (lutte contre l'infertilité, moyen de contraception…) ?

> Comment imaginez-vous la médecine de demain (choix du sexe de l'enfant, sélection des gènes, utérus artificiel…) ? Quelles sont les dérives possibles ? Que pensez-vous de la possibilité d'un homme enceint ?

> Est-il préférable de freiner l'évolution pour revenir au naturel ? De quelle manière procéder ?

10 Mini-exposé

Qu'est-ce que la cryoconservation des ovocytes ? Dans quels cas est-ce réalisé ? Pourquoi certains pays ne sont pas en faveur de l'autoconservation ? Et vous, qu'en pensez-vous ?

PRODUCTION ÉCRITE

11 Fil de discussion

Sur sa page Facebook, une amie a annoncé vouloir accoucher au naturel d'un « bébé éco-responsable », de l'accouchement à domicile sans péridurale, aux soins quotidiens de son bébé (allaitement, couches lavables…). Elle assure aussi refuser de faire plus d'un enfant pour ne pas participer à la surpopulation. Vous réagissez sur son mur.

Cahier THÈME 18 d'activités

La naissance

Les étapes de la vie

l'adolescence (f.)
l'adulescence (f.)
la crise de la quarantaine
l'embryon (m.)
l'enfance (f.)
le fœtus
un jeune adulte
la maternité
la ménopause / l'andropause
la naissance
le nourrisson
la petite enfance
la retraite
la vieillesse / le 3ᵉ âge / le 4ᵉ âge

1 Remettez dans l'ordre chronologique les différentes étapes de la vie.

Concevoir et accoucher

allaiter
commencer le travail
déclarer à l'état civil
la délivrance
donner le jour / la vie
enfanter, engendrer
envoyer un faire-part de naissance
être alitée / en couches
être féconde ≠ infertile
une maison de naissance
mettre au monde
naître, venir au monde
ovuler
un (grand) prématuré
porter un enfant
procréer
tomber / être enceinte
transmettre ses gènes

2 Trouvez, quand il existe, le nom équivalent à chaque verbe d'action (exemple : concevoir / la conception).

Les métiers

l'anesthésiste (f. et m.)
l'échographe (f. et m.)
un/une gynécologue
une sage-femme / un maïeuticien
un/une obstétricien(ne)
un/une pédiatre
un puériculteur / une puéricultrice

La contraception et l'avortement

la capote, le condom, le préservatif
un contraceptif
le droit à l'avortement
une interruption volontaire de grossesse (IVG)
la pilule contraceptive
la pilule du lendemain
une propagande anticonceptionnelle
un stérilet

Les appareils reproducteurs

les bourses (f.)
le col de l'utérus
les ovaires (f.)
un ovocyte
un ovule
le pénis
le placenta
le sperme
les testicules (f.)
les trompes (f.)
l'utérus (m.)
le vagin
la vulve

Expressions

attendre un heureux événement
le choix du roi
être dans la fleur de l'âge
les garçons naissent dans les choux et les filles dans les roses
être né(e) avec une cuillère d'argent dans la bouche
ne pas être né(e) de la dernière pluie
(se croire) sorti(e) de la cuisse de Jupiter

3 *Venir au monde* et *mettre au monde*. Donnez des synonymes de chaque expression.

4 Quelle expression signifie que l'on croit être quelqu'un d'exceptionnel ? Trouvez son origine. Avez-vous une expression identique dans votre langue ?

💬 PRODUCTION ORALE

5 Racontez un heureux événement qui se serait passé dans votre famille ou vos amis. Est-ce qu'il y a eu une fête, des faire-part de naissance, une cérémonie religieuse ou laïque… ?

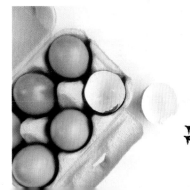

B C'était une sage-femme

Le lecteur de *La Dernière leçon* oscille entre le rire et les larmes en lisant ce récit bouleversant d'une fille qui accompagne sa mère vers la mort qu'elle a choisie. Un témoignage d'une grande sensibilité qui permet d'aborder la question encore très polémique en France du droit à mourir dans la dignité. Nous nous sommes entretenus avec Noëlle Châtelet, l'auteure.

Le jour de ses 92 ans, lorsque ma mère souffle ses bougies, elle est usée jusqu'à la corde. Elle a longuement réfléchi à la nécessité de s'arrêter. Cette annonce de sa mort programmée, on l'a
5 vue venir. Mais ma mère ayant le sens du sacré, elle l'a formulée pour son anniversaire. Depuis vingt ans, nous, ses quatre enfants, étions avertis de son désir. Nous étions d'accord avec cette décision à laquelle elle nous avait préparés. Mais
10 entre l'accord de principe et l'arrivée d'une date qui tombe sur nos cous comme un couperet, il y a un gouffre. Notre première réaction ? La colère, l'effroi. On se dit : « Mais non, pas maintenant ! » Ma mère fait un malaise. Elle ne
15 s'attend pas à une réaction aussi négative de notre part. On l'a conduite dans sa chambre. J'ai vu des larmes couler sur ses joues. Elle m'a dit : « Vous ne me comprenez pas. Il faut m'aider maintenant. » Je me suis aussitôt sentie
20 coupable de n'être pas prête. J'ai pensé que je devais faire quelque chose pour l'accompagner. Mais je n'en étais pas capable. Je le savais. C'est elle qui, le voyant, dans les trois mois précédant son geste, m'a prise par la main. C'est elle qui
25 m'a accompagnée.

J'avais peur. Pas elle. Dans une gestuelle que j'appelle la chorégraphie du deuil, avec des gestes, des mots et des préparatifs, elle m'a aidée à faire le deuil avec elle, pour que je n'aie
30 plus à le faire après. De cette manière, elle m'a permis de trouver du courage et de faire reculer cette peur que j'éprouvais sitôt que j'étais loin d'elle. Quand on préparait ensemble sa mort, les lettres, les paquets, j'étais en paix. De
35 retour chez moi, la peur me reprenait, je faisais des cauchemars. Puis le compte à rebours s'est mis en marche. Dans cet accompagnement que ma mère a eu envers moi, j'ai été gagnée par une sérénité qui ne m'a plus quittée. Ce n'était
40 pas n'importe quelle femme. C'était aussi une sage-femme. Elle m'a mise au travail de la mort comme on met au travail une femme en couches. Les mêmes mots reviennent dans le deuil et la naissance : le travail de deuil, l'obstétrique de
45 la mise au monde et de la disparition. On parle de la délivrance pour la mort comme après l'accouchement. Pour ma mère, c'était un seul et même geste. L'arrivée dans la vie, le départ de la vie : elle a voulu mettre en place son départ
50 comme on se prépare à venir au monde.

La Dernière Leçon[1] est née paradoxalement d'un rire, après l'épisode de la chemise de nuit. Ce jour-là, ma mère se demande laquelle elle mettra au moment de nous quitter. Elle en a de très belles, mais sa préférée, ornée d'orchidées roses, est toute rapiécée. « Ça la fiche mal si on me trouve dans une chemise de nuit trouée », lance-t-elle. On a été prises d'un fou rire qu'on n'a pas pu arrêter. J'ai répondu : « Tu te rends compte de ce que tu me fais faire. » Je lui ai dit qu'il faudrait que je l'écrive. Elle m'a demandé si c'était utile. J'ai dit oui, pour tous ceux qui n'ont pas une mère qui les prend par la main. Elle a dû penser que ce serait utile pour les autres, mais aussi pour moi. Il m'a fallu refaire tout le parcours, non pour apaiser une mélancolie, mais dans l'idée de la transmission.

À la sortie du livre, j'ai été sidérée de son effet sur les lecteurs. Beaucoup me demandaient la recette médicamenteuse que ma mère avait utilisée pour partir. Répondre à ce courrier a pris deux ans de ma vie. Je suis entrée à l'Association pour le droit de mourir dans la dignité (ADMD). Je me suis engagée pour défendre l'idée, pas encore acceptée par la loi, de l'aide active à mourir voulue par près de 90 % des Français. L'interdit fait que dans notre pays, les vieilles personnes, quand elles le peuvent encore, sont obligées de se suicider. Or l'aide active permet une mort qui n'est pas de l'ordre du suicide. C'est un départ choisi. Il faut remettre le malade au centre de la décision pour que mourir soit un dernier acte de vie. Ce qui fait peur n'est pas de mourir mais de mal mourir. On meurt mal en France. Je n'avais pas mesuré la honte de cet écart entre le législateur et les Français, que je rapproche volontiers de celle éprouvée hier sur le droit à l'avortement. Avant de partir, ma mère m'a dit : « Mon combat de sage-femme, c'était le combat pour l'IVG[2]. Ton combat, ce sera celui pour l'IVV, interruption volontaire de vie ou de vieillesse. »

La Dernière Leçon est moins l'histoire d'une mort que d'un apprivoisement de la mort. Le film qu'en a tiré Pascale Pouzadoux reprend de façon très loyale la relation mère-fille. Il a aussi un grand avantage : la présence à l'écran d'une famille qui n'est pas la mienne permet d'incarner d'autres positions. Comme celle du fils qui refuse violemment la décision de sa mère, une situation qui n'a rien à voir avec la réalité. Le film, ni sectaire ni terrifiant, prend une dimension pédagogique. Je me suis intéressée à tous les personnages, en particulier à ceux qui ne sont pas d'accord. Il faut les écouter pour les convaincre. Car une partie de moi aussi n'était pas d'accord. Ces personnages sont des petits morceaux de mon être que j'ai dû faire taire. Ils sont la part de moi qui a décidé de ne plus s'exprimer pour aider ma mère. Ma grande tristesse, c'est de ne pas avoir été auprès d'elle pendant qu'elle accomplissait son geste. J'espère pouvoir amener les gens à changer par l'émotion. La dernière leçon ne s'est jamais arrêtée. Je l'ai poursuivie avec l'impression que ma mère était derrière moi et me disait « continue ». Je suis sensible aux signes des disparus. René Char écrit qu'avec les êtres aimés il n'y a plus de parole, mais ce n'est pas le silence. Avec ma mère, ce n'est pas le silence.

Noëlle Châtelet, « C'était une sage-femme », © le1hebdo, novembre 2015

1. Livre de Noëlle Châtelet paru en 2004 aux éditions le Seuil.
2. Interruption volontaire de grossesse.

👍 **Aide à la lecture**

Dans ce texte, plusieurs voix se mêlent ou s'enchevêtrent (on parle de « polyphonie ») : à celle de l'auteur-narrateur s'ajoutent celles des différents protagonistes, notamment la mère, au discours direct ou indirect. Mais l'auteur va plus loin en faisant entendre la voix de sa mère grâce à une forme littéraire de discours, inventée par Flaubert : le discours indirect libre. Comme ce type de discours ne présente pas de signes spécifiques (verbe introducteur, changement de temps), il n'est pas toujours facile à reconnaître. Cette manière de superposer les voix peut créer une certaine ambiguïté mais donne aussi une grande puissance littéraire au texte.

1 Relevez dans ce texte le lexique de la mort.

2 Retrouvez les passages qui expriment les différentes émotions ressenties par l'auteure : colère, peur, tristesse, apaisement… Quel sentiment domine ?

3 Quel lien est fait entre donner la mort et donner la vie ? Trouvez les mots, expressions et figures de style permettant de faire ce lien.

4 Racontez l'épisode de la chemise de nuit. Pourquoi est-ce important ? Quel est l'effet de cette anecdote dans l'article ?

5 L'auteure est-elle pour ou contre l'interruption volontaire de vie ? Reformulez son argumentation concernant le droit de mourir dans la dignité à partir de cet article en donnant des exemples tirés de son expérience personnelle.

6 « René Char écrit qu'avec les êtres aimés il n'y a plus de parole, mais ce n'est pas le silence » (ligne 118). Expliquez cette citation.

7 Imaginez la quatrième de couverture du livre de Noëlle Châtelet, écrite par son éditeur (contenu narratif mais aussi originalité du livre).

8 À deux, jouez une scène imaginaire du film de Pascale Pouzadoux opposant la fille et le fils. Chaque enfant cherche à convaincre l'autre de céder ou non au désir de la mère.

9 Débat
Réagissez au témoignage de Noëlle Châtelet. Êtes-vous favorable ou défavorable à une loi pour accompagner les personnes à pratiquer une « interruption volontaire de vie » (ou l'euthanasie) ? Dans quel cas pensez-vous que ce soit possible ? Quels sont les risques de dérives éthiques ?

10 Mini-exposé
En vous aidant du texte, faites un exposé sur la situation en France et dans les autres pays concernant l'euthanasie, en particulier d'un point de vue législatif. Quels pays l'autorisent ? Depuis quand ? À quelles conditions ?

11 Fil de discussion
Traditionnellement, comment traite-t-on les parents devenus vieux dans votre pays ? Comment envisagez-vous l'avenir de vos parents ? En maison de retraite, chez vous, ailleurs ?

AU FAIT

En France, depuis la loi Leonetti de 2005, on interdit l'acharnement thérapeutique. Mais l'euthanasie active reste interdite, contrairement à la Belgique où elle est dépénalisée depuis 2002 et à la Suisse où l'assistance au suicide est autorisée dans certaines conditions. Ces législations ont généré dans ces pays un « tourisme de la mort ».

La mort

Les pompes funèbres

la chambre mortuaire
un cercueil
un cimetière
un columbarium
une crémation, un crématorium
un croque-mort
une dispersion des cendres funéraires
enterrer, un enterrement
un fossoyeur
des funérailles (f. pl.)
le funérarium
une inhumation
un jardin des souvenirs
le médecin légiste
les obsèques (f. pl.)
une pierre tombale, une tombe
présenter ses condoléances
un rite funéraire
une sépulture
une urne funéraire

Mourir

apprivoiser la mort
être en phase terminale
décéder, le décès
un/une disparu(e), un/une défunt(e)
la (grande) faucheuse
incurable
un orphelin / une orpheline
trépasser
se suicider
succomber à ses blessures
un veuf / une veuve

Une mort programmée

un acharnement thérapeutique
l'administration d'une injection létale
l'aide active à mourir (f.)
l'assistance au suicide (f.), un suicide assisté, un départ choisi
dépénaliser l'euthanasie (active / passive)
le droit de mourir dans la dignité
l'IVV (interruption volontaire de vie ou de vieillesse)
une recette médicamenteuse
la sédation profonde
le « tourisme » de la mort

Des sentiments contrastés

avoir le cafard / le bourdon / des idées noires
l'accablement (m.)
l'affliction (f.)
apaiser une mélancolie
une calamité
le chagrin
la désolation
faire des cauchemars
faire son deuil
la mélancolie, le spleen, le vague à l'âme
la panique
la quiétude
la sérénité
sidéré(e), dérouté(e)
s'alarmer

1 Parmi ces sentiments, relevez ceux qui désignent des émotions positives.

Expressions

à mourir de rire
avoir un pied dans la tombe
casser sa pipe
MDR (mort de rire)
être mort(e) de fatigue
être usé(e) jusqu'à la corde
mettre en marche le compte à rebours
mourir à la fleur de l'âge
mourir de sa belle mort
mourir de faim / de soif / de peur
passer l'arme à gauche
sucrer les fraises
tomber comme un couperet
tu n'en mourras pas !
voir sa dernière heure arriver

 2 Écoutez ces témoignages et trouvez dans la liste de vocabulaire qui parle.

3 Retrouvez dans la liste les mots signifiants :
a. le fait d'enterrer
b. qu'on ne peut pas soigner
c. autoriser quelque chose interdit par la loi
d. une épreuve très difficile

4 Complétez ce texte avec les bons termes : le décès, le jardin du souvenir, les dernières volontés, les obsèques, le crématorium, les cendres.
Martine Revel et ses enfants ont la douleur de vous faire part du ...... de monsieur René Revel, survenu le 17 mars. ...... auront lieu le 21 mars à 15 heures au ...... Selon ...... de René Revel, une partie de ...... seront dispersées en mer et l'autre au ......

5 Quels mots de la liste désignent un état juste avant la mort ?

 **PRODUCTION ORALE**

6 Traditionnellement, comment se déroulent les cérémonies funéraires dans votre pays ? Est-ce que cela a évolué au fil du temps ?

JEUX DE CULTURE GÉNÉRALE

1 Derniers mots

Avant de mourir, certains sont plus spirituels que d'autres… Associez chaque personne à la bonne phrase et à la bonne situation.

[a] le maréchal Ney, sous l'Empire (1769-1815)

[b] le peintre français Raoul Dufy (1877-1953)

[c] le poète français Alfred de Musset (1810-1857)

[d] la reine de France Marie-Antoinette (1755-1793)

[1] *Pardon, monsieur, je ne l'ai pas fait exprès.*

[2] *Soldats, droit au cœur !*

[3] *Pourquoi a-t-on éteint la lumière ?*

[4] *Dormir, enfin ! Je vais dormir !*

1. Dans son lit, dans sa chambre ensoleillée.

2. En commandant lui/elle-même son peloton d'exécution.

3. Dépressif(ve) et alcoolique après une vie de souffrances.

4. Après avoir marché sur le pied de son bourreau en montant à l'échafaud.

2 Morts insolites

Saurez-vous retrouver à quelle époque ont eu lieu ces morts particulièrement insolites ?

– 465   1478   1671   1912

[a] Treize ans après la construction de la tour Eiffel, Franz Reichelt se tue en sautant du premier étage. Ce tailleur voulait tester en public sa dernière invention : le manteau-parachute.

[b] Selon la légende, le grand dramaturge grec Eschyle, héros de la guerre contre les Perses, a été tué par une tortue tombée du ciel, lâchée par un rapace pour en briser la carapace.

[c] Georges, duc de Clarence, condamné à mort pour trahison du roi Édouard IV, aurait choisi d'être exécuté par noyade dans une barrique de bon vin.

[d] François Vatel, maître d'hôtel français au service du prince Louis II de Bourbon-Condé, se suicide pendant une réception donnée en l'honneur de Louis XIV : déshonoré car son importante commande de poissons n'arrivait pas, il se jette sur son épée.

3 Étymologie

[a] **Pourquoi les personnes qui s'occupent des morts sont-elles appelées des « croque-morts » ?**

[1] À l'origine, certains employés de la morgue prélevaient illégalement quelques parties du corps du mort pour les manger.

[2] Au Moyen Âge, on attachait les morts à des crochets (ou crocs) pour les entreposer avant la mise en bière.

[3] Avant, pour confirmer le décès, l'usage était de mordre violemment un doigt de pied. Si la personne mordue ne réagissait pas, elle était déclarée morte.

[b] **Que signifie « pompes » dans les « pompes funèbres », le service qui assure les funérailles de quelqu'un ?**

[1] Ça désigne les chaussures particulièrement originales que portaient les croque-morts.

[2] Ça désigne la pompe à air qui était utilisée pour redonner forme au cadavre.

[3] Ça désigne le cortège solennel qui conduit le cercueil au cimetière.

Le plein d'émotions

OBJECTIFS

○ Considérer la place des émotions dans nos sociétés

○ Développer son rapport aux émotions

Cahier THÈME 19 d'activités

○ Envisager la modalisation et les indices de subjectivité

○ **ESSAI** Diffuser son opinion sur la gestion des émotions

A Quand les émotions nous mènent par le bout du nez

L'homme d'aujourd'hui serait dopé à un nouveau carburant : le flux émotionnel. Avide de sensations intérieures fortes, il passe en un éclair de la joie à la colère, exhibant avec volupté le moindre de ses ressentis sur les réseaux sociaux. Depuis quand avons-nous oublié de penser ?

Début 2016, Facebook annonçait la mise en service d'un nouvel outil sur sa plateforme : les « réactions », soit six pictogrammes en ajout du traditionnel bouton « like » destinés à « aider les utilisateurs à mieux exprimer leurs émotions », selon Chris Cox, directeur produit de la multinationale.

Depuis, les presque 2 milliards d'abonnés planétaires usent et abusent de ces emojis-onomatopées appelés « j'aime », « j'adore », « ha ha ha », « waouh », « triste » et « grr ». De nos jours, un smiley fendu d'un rire ou rouge de colère semble valoir tous les longs discours...

Ces émoticônes sont surtout une arme de précision redoutable pour la compagnie, comme le révèle le quotidien *The Australian*, qui s'est procuré des documents internes. L'entreprise de Mark Zuckerberg aurait ainsi informé ses annonceurs qu'elle était désormais en mesure d'identifier « les jeunes qui ont besoin d'un regain de confiance », qu'ils se sentent « anxieux », « nerveux », « stressés », « sans valeur », « stupides », « inutiles » ou « en échec ».

Un yo-yo émotionnel

Il s'agit de renseignements précieux pour mieux bombarder les individus de pubs *ad hoc*. Et un pas de plus dans la violation de l'intime. Car les algorithmes ne se contentent plus de scanner quartier, revenus, habitudes, préférences politiques et sexuelles, ils sondent à présent le fond de l'âme de chacun au travers des données émotionnelles : les « *feel datas* ». Car oui, nos affects sont responsables, selon les pros du marketing, de 95 % de nos décisions.

À l'avenir, des affiches publicitaires intelligentes pourraient ainsi s'adapter à l'état intérieur des flâneurs. Et faire grimper encore la fièvre qui s'est emparée d'un monde déjà noyé sous l'instantanéité et les buzz, le condamnant à faire le yo-yo en passant d'une émotion primitive à l'autre, entre peur, joie, colère, tristesse, surprise et dégoût.

Une surréaction épidermique que dénonce le philosophe Pierre Le Coz dans *Le gouvernement des émotions* (Albin Michel). « Dépourvu de sens critique, chacun se laisse aller avec jubilation à son impulsivité, constate-t-il. Or le principe de la société est de passer de l'instinct à l'institution, de la nature à la culture, mais nous devenons

irritables, compulsifs, oscillant entre hypo et hyper, euphorie et dépression, ce qui est dangereux sur le plan anthropologique. Même la politique devient une télé-réalité, avec la perte de toute consistance et une communication basée sur l'émotion. »

Gourou du bonheur

Mais comment promouvoir l'intelligence réflexive lorsqu'un atrabilaire twittant ses emportements, même au milieu de la nuit, peut rafler la présidence des États-Unis ? Sur le marché du développement personnel aussi, la doctrine à la mode – qui réduit l'homme à ses pulsions passionnelles – est inspirée de la théorie de l'« intelligence émotionnelle », avancée dès 1995 par le psychologue américain Daniel Goleman. Mauvais timing, l'époque n'était pas encore droguée aux emojis...

Vingt ans plus tard, l'intelligence émotionnelle est enseignée jusqu'aux salariés de Google, par Chade-Meng Tan, « gourou bonheur » autoproclamé de la *world company*. Le principe ? Très proche de l'intelligence sociale, l'intelligence émotionnelle consiste à savoir décoder ses émotions et celles des autres, au nom du bien-être. Rien de très neuf, sauf que l'émotion se retrouve magiquement accolée au terme d'intelligence. Mieux, selon son principe, le secret des meilleurs leaders ne résiderait pas dans leur gros Q.I. ou leurs beaux diplômes, mais dans leur grand

« Q.E. » (quotient émotionnel). « Les intelligents émotionnels font moins de burn-out, ont plus confiance en eux et une vie de couple plus harmonieuse », s'enflamme Christophe Haag, docteur en management et coauteur de *Contre nos peurs, changeons d'intelligence* (Albin Michel). « Des études scientifiques ont démontré que le cerveau émotionnel peut se muscler. Durant un brainstorming, par exemple, se mettre dans un état de joie permet d'être plus productif, car en pensant à des souvenirs agréables, on a plus d'idées », assure le promoteur de cette nouvelle intelligence.

Paresse intellectuelle

Après avoir infligé aux salariés le yoga du rire, la méditation et la psychologie positive, les D.R.H. leur imposent donc de nouveaux coaches en intelligence émotionnelle pour doper leur fameux Q.E., qui préviendrait même l'absentéisme. Quand il ne sert pas de nouvel outil de recrutement des cadres…

Hélas, cette nouvelle recette *« feel good »* sonne encore comme une énième invitation à la paresse intellectuelle, selon Pierre Le Coz : « L'intelligence émotionnelle incarnerait une sorte d'empirisme radical, où le vécu serait la source d'une connaissance supérieure, décode-t-il. Mais les émotions sont souvent des états confus et furtifs, dont on a vaguement conscience, et qui ne peuvent figurer qu'une intelligence crépusculaire[1], qui doit être tamisée à l'intelligence réflexive, en redonnant ses droits à la pensée, le socle de l'humanité. »

La manipulation des bas instincts

Bien sûr, les émotions sont également utiles, comme le rappelle le philosophe : « Elles sont un système d'alarme qui nous informe, par exemple, lorsqu'il faut fuir – à travers la peur – ou convoquent nos valeurs compassionnelles lorsque nous sommes choqués. Mais la société devient trop conflictuelle. Sous le coup de l'émotion permanente, excitée par tout et rien, inquisitrice, elle se laisse aller à des mécanismes primaires, qui rappellent les grands lynchages collectifs du Moyen Age. » Il plaide pour une « démocratie émotionnelle », le choix d'émotions plus nuancées que celles à laquelle la société biberonne : envie, trouille, grogne… Des bas instincts facilement manipulables.

En 2012, Facebook s'était d'ailleurs amusé à tester le principe de contagion émotionnelle en envoyant des contenus volontairement négatifs à 700 000 utilisateurs. Expérience probante : les cobayes 2.0 avaient aussitôt produit des commentaires pessimistes. « Les états émotionnels sont communicatifs et peuvent se transmettre, conduisant les autres personnes à ressentir les mêmes émotions sans en être conscientes. Ces résultats montrent la réalité d'une contagion de masse, via les réseaux sociaux », concluait l'étude. Mais trop occupé à faire la danse de saint Guy entre adoration et haine au gré de son mur Facebook, l'homme moderne s'en soucie peu. Ou alors juste le temps d'envoyer un emoji « grr » aux sourcils froncés. Et c'est tout.

Julie Rambal, *Le Temps.ch*, mai 2017.

1. Qui est en train de décliner.

👍 Aide à la lecture

Dans cet article, l'auteure utilise de nombreuses techniques pour modaliser son discours. On y trouve le conditionnel pour exprimer la probabilité, des adverbes pour exprimer la certitude, l'incertitude ou pour porter un jugement : « en un éclair », « vaguement », « magiquement », ou « facilement ». Des verbes introducteurs légitiment le propos comme « constater » et « décoder », ou, au contraire, le délégitiment : avec « s'enflammer ».

La journaliste utilise en outre un lexique qui indique l'expression d'une subjectivité comme avec « bombarder », « flâneurs » ou « biberonner » mais également des figures de style, comme l'antiphrase ou la litote. C'est ce type de modalisation qui apporte un ton particulier à l'article, remettant en cause les différents points de vue présentés, allant même jusqu'à en souligner certains avec ironie.

📖 COMPRÉHENSION ÉCRITE

1 Cherchez le sens des mots que vous ne connaissez pas.

2 En quoi, selon l'auteure, la nouveauté de Facebook est vue comme une « violation de l'intime » ?

3 Quels sont les deux types d'intelligences qui s'opposent dans ce texte ? Quel portrait de nos sociétés brosse cette opposition ?

4 Résumez le point de vue du philosophe Pierre Le Coz.

5 À quelle partie du corps le mot « atrabilaire » se réfère-t-il ? Connaissez-vous « la théorie des humeurs » ?

6 Expliquez le terme « contagion » dans son acception générale. Que veut dire l'auteur en l'utilisant dans l'expression « contagion émotionnelle » ?

7 Relevez les mots et expressions utilisés par l'auteure lorsqu'elle dresse le portrait des salariés et utilisateurs de réseaux sociaux. D'après vous, pourquoi choisit-elle un tel lexique ? Quel est l'effet recherché ?

💬 PRODUCTION ORALE

8 Pensez-vous comme Pierre Le Coz que nos sociétés soient plus impulsives ? Pensez-vous que ce soit une chose préoccupante que les émotions deviennent des « données » ? Y a-t-il un problème dans la gestion des émotions dans nos sociétés ? Est-ce le cas dans tous les pays ?

9 Débat
Les managers du bonheur arrivent dans les entreprises pour améliorer le bien-être des salariés. Est-ce une solution d'avenir ou une fausse bonne idée ?

10 Mini-exposé
Faites des recherches et présentez le principe de « la communication non violente » ou la pleine conscience, au choix. Vous exposerez leurs avantages.

📝 PRODUCTION ÉCRITE

11 Fil de discussion
Le philosophe Jean-Paul Sartre a dit : « Tous les hommes ont peur. Tous. Celui qui n'a pas peur n'est pas normal ; ça n'a rien à voir avec le courage ». Les efforts de l'humanité pour dépasser la peur sont-ils vains ? Préparez des arguments et débattez en binômes ou en mini-groupes sur un forum de discussion.

AU FAIT

L'émotion positive la plus ressentie par les Français est la **joie** (56 %), tandis que les émotions négatives les plus fréquentes sont la **fatigue** (66 %), l'**inquiétude** (55 %) et la **colère** (43 %). On observe donc une fréquence pour la joie similaire à celle des trois affects négatifs fondamentaux relatifs aux états d'urgence (combat, fuite, apathie). (*fabriquespinoza.fr*)

B Comment faire pour apprivoiser nos émotions ?

 AUDIO

Écoutez l'extrait de l'émission *Priorité santé* de RFI consacrée à la gestion de nos émotions. Répondez aux questions, puis réécoutez et complétez vos réponses.

1 Quels sont le thème et la problématique de l'émission ?

2 Quelle est la place du corps dans le cheminement des émotions ?

3 Quel terme est opposé à celui de *raisonnement* ? Expliquez la différence. Quel est le rapport de ce terme avec la conscience ?

4 Au sujet de quelle émotion l'auditeur appelle-t-il ? Qu'exprime-t-elle selon l'invité?

5 De quoi témoigne l'émotion face au temps ? Quelle expression est utilisée ?

6 Citez les différents types de désirs auxquels il faut être attentif.

PRODUCTION ORALE

7 Discutez ensemble de la façon dont vous exprimez aux autres vos sentiments, vos émotions.

> Est-il normal pour vous de questionner les gens sur leurs sentiments ?

> Et vous, vous confiez-vous facilement ?

> Vous arrive-t-il par exemple de pleurer devant un film ?

> Vous arrive-t-il d'exploser de rire tout seul ?

> Avez-vous un rire communicatif ?

> Pensez-vous que les autres perçoivent facilement vos émotions ?

8 Mini-exposé
Choisissez une émotion et faites-en l'éloge.

PRODUCTION ÉCRITE

9 Fil de discussion
Un(e) ami(e) très réservé(e) vous écrit un courriel pour avoir des conseils afin d'apprendre à partager ses émotions. Vous lui répondez et vous l'encouragez.

AU FAIT

Les Français sont 73 % à être heureux au quotidien, et 86 % considèrent que leur entourage (amis, proches, famille) contribue en priorité à leur bonheur. Seuls 19 % des Français associent une situation financière stable à la notion de bonheur, et 5 % pensent qu'un travail intéressant les rapproche de la béatitude.

Les émotions

Émotions positives

l'admiration (f.), être en admiration devant quelqu'un
l'adoration (f.)
l'affection (f)
l'attendrissement (m.)
la béatitude
le contentement
la délectation
le désir
l'émerveillement (m.)
l'enchantement (m.)
l'enthousiasme (m.)
une envie
l'estime (f.), s'estimer heureux
l'euphorie (f)
l'excitation (f.), être tout excité(e)
l'extase (f.), extatique
la fierté
la gratitude
la joie
la jouissance
l'optimisme (m.)
la passion
le plaisir
le ravissement
la reconnaissance
la sérénité
la sympathie
la tendresse
la volupté

1 À partir de l'actualité ou de votre vie personnelle, identifiez des situations différentes dans lesquelles vous avez éprouvé cinq des émotions ci-dessus.

Émotions négatives

abhorrer, exécrer
l'affolement (m.)
l'agacement (m.)
l'agressivité (f.)
l'amertume (f.)
l'angoisse (f.)
l'apathie (f.)
l'appréhension (f.)
l'aversion pour (f.)
le chagrin
la confusion
la culpabilité
le découragement
le dégoût pour
l'écœurement (m.)
le déni
le désarroi
le désœuvrement

la douleur
l'effroi (m.), l'épouvante (f.), la terreur
l'exaspération (f.), il m'exaspère
la frayeur
la frustration
la fureur, la rage
la haine
la honte
l'hostilité (f.)
l'humiliation (f.)
l'impatience (f.)
l'incompréhension (f.)
l'indifférence (f.)
l'inquiétude (f.)
l'insécurité (f.)
la jalousie
le mécontentement
la mélancolie
le mépris
la nostalgie
la peine
la rancune, le ressentiment
la révolte
le regret
le remord
le trac
la tristesse

2 Associez chaque expression à une émotion. Puis lancez les expressions suivantes avec l'intonation de circonstance :

a. T'es bouché !
b. Tu as bientôt fini ?
c. Tu m'énerves à la fin !
d. Ah, tu verras !

A. L'impatience
B. La rancune
C. L'agressivité
D. L'énervement

Émotions intérieures

l'agitation (f.)
l'anxiété (f.)
la boule au ventre
le conflit
la crise de panique
la déception
la difficulté
l'engourdissement (m.)
l'étouffement (m.)
l'évanouissement (m.)
la fébrilité
le flottement (moment de)
la gêne
le malaise
la nausée
la panique
la peur

le stress
le vide

Se sentir / Être

abandonné(e)
absent(e)
bizarre
blessé(e)
brisé(e)
choqué(e)
coincé(e)
dans l'embarras
déprimé(e)
diminué(e)
distant(e)
ébahi(e)
embarrassé(e)
emprisonné(e)
envahi(e)
exclu(e), rejeté(e), non-désiré(e), de trop
fermé(e)
figé(e)
impuissant(e)
intimidé(e)
jugé(e)
ouvert(e)
paralysé(e)
perdu(e)
persécuté(e)
perturbé(e)
pessimiste
rabaissé(e), dévalorisé(e), inférieur(e)
ridicule
stupéfait(e)
sûr(e) de soi, supérieur(e), arrogant(e)
sur la défensive
timide
trahi(e), manipulé(e), victime
vivant(e)

Expressions

arracher le cœur
avoir des idées noires
avoir froid dans le dos
avoir le cœur gros / une tête d'enterrement
avoir le moral à zéro / dans les chaussettes
avoir les jetons / la chair de poule /
des sueurs froides
avoir quelqu'un dans le nez
avoir quelque chose sur la conscience
ça m'en bouche un coin
casser les pieds
donner des boutons
douiller (fam.)
en avoir le souffle coupé
en avoir plein le dos
en avoir ras le bol
en voir de toutes les couleurs
enfoncer le couteau dans la plaie
être à cran / à bout de nerfs

être aux anges / au septième ciel
être la bête noire de quelqu'un
jeter un froid
l'avoir mauvaise
le cri du cœur
les bras m'en tombent
lever le cœur
ne pas en croire ses yeux
passer sous les fourches caudines
péter les plombs
pleurer toutes les larmes de son corps
pomper l'air à quelqu'un
prendre le chou
serrer les dents
sortir de ses gonds
sortir par les yeux
taper sur les nerfs
tomber des nues
voir rouge

3 Retrouvez l'émotion correspondant à ces mots d'argot.
a. la trouille, la frousse, flipper, la pétoche, avoir les chocottes
b. être en pétard, rouspéter, être en rogne, furax, péter les plombs
c. en baver, déguster, serrer les dents, un bobo, dérouiller
d. boire du petit lait, kiffer, craquer, être raide dingue, s'en lécher les babines

4 Classez ces expressions courantes en français selon ce qu'elles expriment : la souffrance, la colère, la joie, l'irritation, le dégoût, le désespoir, la peur, la surprise, la haine, la honte ou la tristesse.

🗨 **PRODUCTION ORALE**

5 Imaginez et jouez une scène entre deux individus qui se disent leurs quatre vérités : l'un est en colère, l'autre est triste.

137

JEUX DE CULTURE GÉNÉRALE

1 Émotions célèbres

**Associez ces titres de romans
à leurs auteurs français.**

[a] *Stupeurs et tremblements*

[b] *Les Fleurs du mal*

[c] *Au Bonheur des dames*

[d] *Bonjour tristesse*

[1] Émile Zola

[2] Françoise Sagan

[3] Amélie Nothomb

[4] Charles Baudelaire

2 Paroles, paroles...

**Retrouvez le titre et l'émotion exprimée dans
ces chansons.**

[a] Chanson de Léo Ferré
*Avec le temps...
Avec le temps va tout s'en va
On oublie les passions et l'on oublie les voix*

[b] Chanson de Christophe
*Je lui dirai les mots bleus
Les mots qu'on dit avec les yeux
Je lui dirai tous les mots bleus
Tous ceux qui rendent les gens heureux*

[c] Chanson de Charles Trenet
*La tour Eiffel part en balade
Comme une folle, elle saute la seine à pieds joints
Puis elle dit « tant pis pour moi si j'suis malade
J'm'embêtais tout' seule dans mon coin »*

3 Haut en couleurs !

Associez chaque émotion à sa couleur.

[a] Colère   [b] Mélancolie   [c] Déception   [d] Effarement, choc   [e] Optimisme   [f] Dépit, irritation

Voir rouge   Broyer du noir   En voir des vertes et des pas mûres

Faire grise mine   Voir la vie en rose   Rire jaune

4 Bulles d'émotions

**Imaginez une phrase et une onomatopée qui
pourraient remplir chaque bulle, selon l'émotion
exprimée par celle-ci.**

Fêtes, la nuit

OBJECTIFS

- ○ Combattre la gentrification
- ○ Démocratiser la fête urbaine

Cahier
THÈME 20
d'activités

- ○ Apprivoiser les accents
- ○ RÉSUMÉ Résumer un article

A Montreuil : passer le périph' pour aller danser

Attention, trois jeunes sorcières déboulent dans le fumoir. L'une manque de renverser son gobelet de bière, une autre s'esclaffe, clope roulée au bec et piercing au nez. La porte bat de plus belle dans ce carré de béton brut tagué à ras bord et traversé par un conduit d'aération sans âge. On étoufferait si on n'avait pas besoin de fumer, comme Paul, ce sosie de Harry Potter qui crache ses poumons. Le jeune graphiste français installé à Eindhoven (Pays-Bas), où « les boîtes sont toutes beaufs », a les yeux qui brillent. Une amie, perdue au milieu du dancefloor, l'a emmené dans « l'endroit à la fois le plus ghetto et le plus à la mode de Paris ». Une heure du matin approche, les portes collent aux mains et le sol aux chaussures, le son monte côté salle. Bienvenue au Chinois, LA boîte de nuit de Montreuil, en Seine-Saint-Denis, sans doute la ville la plus festive de la banlieue parisienne [...] À partir de 23 heures, le trottoir se remplit d'une foule en tout genre, sapée ou pas, jeune mais pas seulement, branchée mais pas trop. Le bouche-à-oreille et Facebook ont popularisé cet ancien restaurant chinois, transformé en 2012 en une joyeuse salle à danser et à boire, qui cultive autant son look grunge que son ambiance sans prise de tête. Cinq ans plus tard, le Chinois est la tête de gondole de ces lieux de fête montreuillois, bon marché et tendances, qui poussent les Parisiens à franchir le périphérique et les banlieusards à ne plus le traverser. Tel Lucas, 20 ans, étudiant en design graphique, venu de Romainville. « Ça ne m'intéresse pas de sortir à Paris, ce n'est pas à mon échelle, dit-il. Ici, c'est à échelle humaine, et c'est un peu ailleurs. » [...]

« La fête autrement »

La prolifération de lieux de fête alternatifs, salles privées ou squats, fait de Montreuil un cas à part en banlieue parisienne, « même si à Paris aussi, l'installation d'un squat artistique joue un rôle d'animation culturelle », précise la sociologue Anne Petiau. « Les lieux qui ouvrent à Montreuil ont la spécificité d'insister sur leur autonomie vis-à-vis des institutions culturelles », poursuit-elle. Le propriétaire du Chinois, Rachid Messous, la trentaine, a bien compris que Paris avait besoin de « faire la fête autrement » : « Avant, les Montreuillois allaient à Paris le samedi. Maintenant, ce sont les Parisiens qui viennent à Montreuil [...] Je veux permettre aux habitants de banlieue de faire la fête et aux Parisiens de ne pas se faire assassiner par les prix » [...]

Gentrification

Paris ne vient pas faire la fête à Montreuil pour rien. « Ici, tout le monde a un kif pour la culture », remarque Amadeo, trentenaire titi et mastoc qui a ouvert en 2015 Beer & Records, un « bar-vinyles », ainsi qu'un label funk et électro, Happy Milf Records. Comme beaucoup d'habitants de l'Est parisien, Amadeo a été poussé vers les communes limitrophes de Paris par la gentrification. La ville où ont commencé Georges Méliès et Manu Chao a une longue histoire culturelle et artistique. Elle pullule de salles discrètes et de bars qui ont accompagné l'émergence du rock, du hip-hop et de la musique expérimentale [...] Arrivée à Montreuil en 1989, Olivia a vu les Parisiens débarquer et les Montreuillois rester. « Il y a un milliard de strates sociales dans cette ville, se réjouit-elle. Ça joue forcément sur l'ambiance de fête. » Depuis, les Instants chavirés, le Café la Pêche ou les anciens studios Albatros continuent d'associer résidences d'artistes et concerts, avec esprit militant et en restant attentif « à faire la fête sans faire n'importe quoi ». Peut-on être plus bruyant à Montreuil qu'à Paris ? Olivia se marre : « Il n'y a que le Chinois qui n'a pas d'ennuis avec les voisins... »

Le week-end suivant, on a voulu aller au Bizz'art, l'une des boîtes les plus sympas et mixtes de Paris, se disait-on. Il était deux heures, tout fermait autour. On était cinq, dont quatre mecs. Le videur a dit que ça manquait de filles pour nous laisser entrer. Paris n'est décidément plus une fête.

Pierre BENETTI, *Libération*, 15 mars 2017

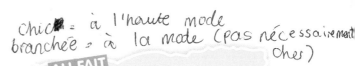

(handwritten) chic = à l'haute mode
branchée = à la mode (pas nécessairement cher)

Aide à la lecture

Ce texte contient des références culturelles implicites et explicites : à des personnages, à des lieux, à des personnalités, à des styles musicaux, au titre d'un roman d'Ernest Hemingway (dernière phrase). Au niveau C1, les connaissances de la culture francophone deviennent indispensables pour saisir certaines nuances de sens. La lecture quotidienne d'articles de presse, la fréquentation des médias et la consommation de produits culturels variés (cinéma, théâtre, littérature, musique, expositions, spectacles comiques) sont incontournables pour décrypter ces références.

(handwritten) coûteux = cher

COMPRÉHENSION ÉCRITE

1 Quelle est l'intention de l'auteur dans cet article ? Comment définiriez-vous le ton employé ?

2 Dans la description de la discothèque Le Chinois, relevez le vocabulaire qui contribue à créer une atmosphère « grunge ». *(handwritten) clope roulée au bec et piercing au nez*

3 Comment expliquez-vous l'usage des majuscules pour l'article LA dans la phrase « Bienvenue au Chinois, LA boîte de nuit de Montreuil » (ligne 17) ? Cherchez dans le texte une autre expression qui exprime cette idée. *(handwritten) La tête de gondole*

4 Décrivez le profil type du noctambule de Montreuil.

5 Qu'est-ce qui pousse les Parisiens à « passer le périph' » pour aller danser ? Citez des extraits du texte pour justifier votre réponse.

6 « Paris n'est décidément plus une fête » (lignes 86-87) : comment comprenez-vous la phrase finale du texte ? Quelle valeur a ici l'adverbe « décidément » ?

PRODUCTION ORALE

7 Discutez de l'atmosphère d'une bonne ou d'une mauvaise fête.
> Quels sont les ingrédients indispensables d'une soirée réussie : la surprise, l'insolite, l'aspect culturel, l'alcool ?
> Et au contraire, quelles nuisances faut-il éviter ?
> Bouche-à-oreille, réseaux sociaux : comment s'explique le succès d'un lieu de fête ?
> L'architecture des lieux joue-t-elle un rôle fondamental pour que l'ambiance prenne ?
> Donnez des exemples de lieux de fêtes mythiques de votre pays ou d'ailleurs.

8 Pourquoi la nuit parisienne semble s'être peu à peu éteinte ? Connaissez-vous d'autres villes qui connaissent un déclin festif ? Réfléchissez aux causes et aux conséquences de ce phénomène.

9 Débat
En tant que parenthèse dans le quotidien, ouverte sur l'échange et la désinhibition, la fête favorise-t-elle réellement la création du lien social, si mis à mal dans nos sociétés individualistes ?

10 Mini-exposé
Vous êtes chargé(e) d'organiser une fête surprise pour l'anniversaire d'un ami. Une trentaine de personnes sont invitées. Vous devez leur présenter deux lieux de fête différents (boîte de nuit, salles des fêtes, domicile…) pour accueillir cet événement.
Présentez au groupe d'amis les avantages et les inconvénients de chacun de ces lieux, puis exprimez votre préférence.

PRODUCTION ÉCRITE

11 Fil de discussion
Vous lisez ce message dans un forum de discussion sur le thème de « La fête en ville » : « MARGOT33 - À mon sens, la fête sans excès n'est plus une fête. J'ai besoin de m'enivrer. Faire la fête, c'est pouvoir sortir toute la nuit, sans limites, ni d'heures, ni de bruit, ni de folies. Et ça, ce n'est possible QUE dans les grandes métropoles ! » Vous n'êtes absolument pas d'accord avec Margot et vous lui répondez. Vous argumentez en faveur d'une fête modérée, raisonnable, dans le respect des espaces publics de la ville.

B Villes et tourisme festif : une liaison dangereuse ?

COMPRÉHENSION ORALE

 AUDIO

Écoutez un extrait de l'émission *Cultures Monde* sur France Culture. Répondez aux questions ci-dessous. Puis écoutez de nouveau l'extrait et complétez vos réponses.

1 Proposez un titre pour cette interview.

2 Qui est Dominique Crozat ? Pourquoi est-il particulièrement apte à s'exprimer sur le thème de la fête et de la ville ? *Professeur du Master Tourism, écrivain "La fête au présent"*

Urbanisme **3** Détaillez les différentes étapes du développement du tourisme festif parisien. *1ème → Paris 19ème 600 bv permanents*

4 Quand, pourquoi et comment la ville de Montréal est-elle devenue une « véritable cité de la fête » ? *Été a été transformé competiarment entre Montreal et Toronto*

5 Barcelone, victime de son succès touristique, est au bord de l'explosion. Résumez les revendications et les sentiments des habitants. *Le prix des hebergement trop élevé (augmentation de la p...)*

6 D'après l'étude citée par le journaliste, que provoque la baisse du nombre d'habitants dans le centre-ville de Barcelone ?

7 Dans cet extrait, les intervenants emploient des adverbes en -*ment* pour préciser et nuancer leurs propos. Relevez au moins trois de ces adverbes et proposez un synonyme pour chacun d'entre eux.

PRODUCTION ORALE

8 Selon vous, la fête abîme-t-elle la ville ? Développez des exemples concrets pour illustrer vos propos.

9 Débat
Comment l'ubérisation de la société a-t-elle favorisé le développement d'un tourisme festif de masse ? Argumentez votre point de vue.

10 Dans votre pays, connaissez-vous de grands événements festifs remis au goût du jour par les pouvoirs publics, telle la fête des Lumières à Lyon ?

11 Mini-exposé
Choisissez une ville francophone de plus de 100 000 habitants, et imaginez une politique pour y améliorer le tourisme festif dans une perspective de développement durable. Présentez votre projet devant la classe. Listez et décrivez des mesures concrètes pour permettre la cohabitation entre fêtards et riverains.

PRODUCTION ÉCRITE

12 Fil de discussion
Sur sa page Facebook, votre amie Laetitia, qui vit au Canada, publie le commentaire suivant :
« La mairie de Montréal doit cesser de parier sur le tourisme festif pour son développement… Il vaudrait mieux améliorer nos infrastructures et nos bibliothèques ! Ici, il y a trop de bars, trop de festivals et pas assez de logements sociaux. Il faut investir sur le jour, pas sur la nuit ! » En binômes, vous réagissez en soulignant les aspects positifs du tourisme festif. Votre partenaire soutient au contraire l'opinion de Laetitia.

VOCABULAIRE

La fête

Les types de fêtes

un *after* (angl.)
un apéritif / un apéro
un bal
une *garden-party* (angl.)
une kermesse
une pendaison de crémaillère
une réception
une sauterie ← soutenu
une soirée

1 Retrouvez dans la liste le mot correspondant aux définitions.
a. Réunion dansante d'un caractère simple et intime. soirée/sauterie
b. Fête annuelle des établissements scolaires. Kermesse
c. Fête organisée par un locataire / propriétaire pour célébrer son installation dans un nouveau logement. une pendaison de crémaillère

Les lieux de la fête

une boîte (de nuit)
le *dance floor* (angl.)
la piste de danse
une salle des fêtes
un squat

Les fêtards

un/une couche-tard
un noceur / une noceuse
un/une noctambule
un teufeur / une teufeuse (fam.)
un videur

S'amuser

l'ambiance (f.)
la débauche
la distraction
le divertissement
faire la bringue, la fiesta, la foire, la java, la nouba, la teuf (fam.)
festoyer
guincher (fam.), se déhancher, se trémousser
mettre de l'ambiance
passer une nuit blanche
une réjouissance
le son, du bon son

Les excès

bourré(e) (fam.), éméché(e), ivre, pompette (fam.)
la gueule de bois
picoler
s'en mettre plein la panse (fam.)

se gaver, se goinfrer (fam.)
un/une alcoolique, ivrogne, poivrot(te) (fam.), pilier de bar
se prendre une cuite, se saouler
un banquet, un festin, une bombance, un gueuleton
un gros buveur

Fumer

le briquet
la clope (fam.)
le cendar (fam.)
une cigarette roulée
cracher ses poumons
le fumoir
le mégot
une taffe (fam.)

2 Trouvez l'équivalent familier des mots suivants :
a. une bouffée   **b.** un cendrier
c. une cigarette   **d.** se saouler

Les problèmes

faire tapisserie
un fiasco
les lendemains de fête (m.)
les nuisances (f.)
un/une rabat-joie
les riverains
le tapage nocturne
un/une trouble-fête

Humour...

absurde, caustique, décalé
l'autodérision (f.)
blaguer
désopilant, hilarant
grinçant, noir, piquant
l'ironie (f.)
marrant (fam.)
moqueur / moqueuse
une parodie, une satire
un pastiche
pouffer
un provocateur / une provocatrice
rabelaisien
railler, tourner en ridicule
ricaner
rigoler
sarcastique, satirique
se moquer, se gausser, se jouer de quelqu'un
le second degré
le sens de l'humour
sourire

une blague, une vanne

3 Reformulez ces phrases en remplaçant les expressions en gras par un synonyme.
a. Son humour est un peu lourd, voire **truculent**.
b. Ce comique a vraiment un humour **mordant**.
c. Laurent sait **se moquer de lui-même**.
d. Son frère est **extrêmement drôle**.

Le tourisme festif

l'afflux (m.)
l'attractivité (f.)
concilier
la conquête touristique
l'essor (m.)
un outil de développement
une politique volontariste
la saturation

Expressions

avoir un fou rire
avoir un coup / un verre dans le nez
boire comme un trou
ça va être ta fête (fam.)
être plein comme une huître
être saoul comme un cochon
faire cul sec
faire la tournée des grands-ducs
se fendre la poire (fam.)
lever le coude
pisser dans sa culotte (fam.)
rire à s'en décrocher la mâchoire / à gorge déployée / à perdre haleine
rire jaune
rire sous cape
se taper sur les cuisses (fam)
se tordre de rire

 4 Associez un terme de la liste à chacune de ces répliques.

🗨 PRODUCTION ORALE

5 Avez-vous déjà eu un fou rire dans une situation incongrue ? Racontez-le en détail à un camarade.
6 Pensez-vous avoir le sens de l'humour ? Si oui, comment le qualifieriez-vous ? Êtes-vous capable de raconter une histoire drôle en français ?

AU CŒUR DU QUOTIDIEN

1 Connaissez-vous la « fête des voisins », célébrée en France chaque année ?
Ses principes et ses valeurs (convivialité, proximité, spontanéité, décontraction, lien social…) sont-ils respectés dans la situation du dessin ?
Quel contraste remarquez-vous entre l'attitude des personnages et le contexte festif ?

2 Expliquez l'ironie mordante présente dans le dialogue. Est-il possible selon vous de vivre en harmonie avec ses voisins ?
À quelles conditions ?

3 « L'enfer, c'est les autres », disait Jean-Paul Sartre. Avez-vous déjà vécu des moments festifs où vous vous sentiez mal à l'aise ?
Pourquoi sommes-nous parfois obligés de participer à certaines fêtes, voire de les organiser ?

 COMPRÉHENSION ORALE AUDIO

4 Les deux amies étaient-elles ensemble hier soir ? Qu'ont-elles fait ? Qu'apprend-on sur Samantha, l'amie commune dont elles parlent ?

5 Expliquez la remarque d'Aude : « Très moderne ! ». Quel ton adopte-t-elle ?

6 Relevez dans ce dialogue des exemples d'irrégularités de la langue orale : omissions du premier terme négatif *ne* (exemple : *je sais pas*), et du pronom sujet (*faut voir*), élisions du pronom *tu* (*t'as vu ?*).
Citez également quelques mots du lexique familier.

PRODUCTION ORALE

7 **Le jeu du menteur.** Avez-vous déjà vu une personne que vous connaissiez se transformer radicalement lors d'une fête, révélant un aspect de sa personnalité que vous ignoriez ? Si c'est le cas, racontez l'anecdote à la classe. Sinon, inventez-la… Les autres élèves devront deviner si votre histoire est vraie ou fausse.

8 **Jeux de rôles** : deux par deux, vous vous asseyez côte à côte, face à la classe.

Situation : Il est 4 heures du matin. Deux ami(e)s, en voiture, échangent sur la soirée qu'ils/elles viennent de vivre.

Rôle du conducteur / de la conductrice : Vous avez passé un bon moment et vous avez dansé comme un fou / une folle. Vous exprimez votre enthousiasme. Vous dites ce que vous avez apprécié. Vous avez aussi fait des rencontres.

Rôle du passager / de la passagère : Vous avez détesté cette soirée, vous vous êtes ennuyé(e) à mourir. Vous n'avez parlé à personne. Du coup, vous avez trop bu, trop mangé et vous craignez d'être malade le lendemain.

Registre : Comique.

Exprimer l'ennui ou l'enthousiasme

> Ça me gave* / gonfle* / saoule*.
> Ça me tape sur le système.
> Ça craint / pue*.
> C'est chiant* / pourri* / rasoir.*
> Je m'emmerde* comme un rat mort.
> J'ai trouvé le temps long.
> Pff… on s'ennuie à mourir.
> Quelle galère / mauvais plan cette soirée !
> Quelle soirée de merde* !
> Qu'est-ce qu'on se fait chier* !
> Une vraie prise de tête.

> Ça déchire* grave !
> C'est trop drôle / poilant / top !
> Génial ! Trop bien ! Cool !
> Excellent, j'adore !
> Je suis mort(e) / pété(e) / plié(e) de rire*.
> On s'éclate / se lâche !
> On se marre bien.
> Une pure soirée !

* Familier.

TRANSCRIPTIONS > documents audios

 THÈME 1 Séries mania

 AUDIO Page 17, Exercice 3

a – Tu te souviens d'Antonin ? Et bien, ça y est ! Il a réussi à se faire une place dans le monde du cinéma ! Il va doubler Jean Dujardin dans les scènes un peu risquées du prochain Audiard.
– Ah oui, donc il est...
b – Tu es toujours aussi fan de « Plus belle la vie » ?
– Oui, pourquoi ?
– J'ai vu que, cette année encore, la plus forte audience de la chaîne est pour ta série préférée !
– Et comment ça s'appelle la mesure de l'audience ?
c – Dans le dernier épisode de ma série préférée, j'ai vu le réalisateur déguisé en figurant. Génial, le clin d'œil !
– Bah oui, c'est courant au cinéma, ça, ça s'appelle un...
d – Tu ne devineras jamais qui j'ai vu : Audrey Tautou !
– Ah bon, où ça ?
– Hier soir, il y avait un événement spécial au Grand Rex pour la sortie de son prochain film, avec toute l'équipe. Et le film est super !
– Ah oui, c'était...

 AUDIO Page 18, Au cœur du quotidien

Homme : Et c'est quoi cette série danoise dont tu m'as parlé, c'était quoi déjà ?
Femme : « The Killing ».
Homme : Et c'est quel style, alors ?
Femme : Bah c'est des séries un peu thriller, un peu flippantes... heu... Si t'aimes les trucs qui foutent les pétoches quoi, regarde ça ! Pis j'aime bien tout c'qu'est un peu scandinave, heu... les thrillers scandinaves, y a toujours une atmosphère particulière. T'as des sueurs froides rien qu'en regardant le générique... euh, t'as la peur au ventre devant les têtes des personnages... Mais quand j'ai vu le premier épisode, ouh lala... j'en m'nais pas large, j'peux te l'dire !
Homme : Et tu dors bien la nuit, à part ça ?
Femme : T'es bête... Oui, je dors comme un bébé même ! Écoute, moi j'adore : avoir une bonne montée d'adrénaline, la chair de poule ou le cœur qui bat à 150...
Homme : Non, mais avoue qu'c'est un peu morbide quand même, non ? T'es un peu maso, en fait !
Femme : Mais j'suis pas la seule, hein : j'ai prêté le DVD de « The Killing » à Jacqueline, alors tu vois...
Homme : Ah ouais...
Femme : Ça ressemble un peu à « Broad Church »... T'as vu « Broad Church » ? Quoi t'as pas vu « Broad Church » ? Elle est anglaise.
Homme : Non, j'ai pas vu, désolé.
Femme : C'est une série anglaise, y a trois saisons.
Homme : Mais t'es vraiment au taquet sur les séries !
Femme : Oui enfin... En fait, depuis que j'ai l'appli – j'ai installé une appli sur mon portable, et ça sonne dès qu'un nouvel épisode est dispo... C'est vachement pratique ! Et comme ça, j'manque rien.
Homme : Ah oui, non mais t'es vraiment une geek !
Femme : Bon donc, alors, « Broad Church », alors le..., c'est... c'est des... attends, je sais plus si y en a un ou deux, un petit garçon qu'est assassiné, ça fait vaguement penser à l'affaire Grégory, si tu veux, mais en fait le... le pitch c'est un petit garçon est assassiné, c'est un prétexte pour... dans une petite ville toute tranquille, toute mignonne, et pis du coup, tu vois, tu découvres que la petite ville, elle est pas si tranquille que ça, et qu'y a plein de gens qu'ont plein de p'tits secrets... euh... inavouables ! C'est ce genre de scénario.
Homme : Hum !

Femme : Mais t'aimerais, j'suis sûre ! Et... et donc « The Killing », c'est un peu... un peu... le même style, en fait.
Homme : Ça ressemble à « Wallander » ou pas ? Ou pas trop ? Pour toi ?
Femme : Ah tu connais quand même « Wallander » ?!
Homme : Oui, tu vois, j'suis pas totalement inculte...
Femme : Bah c'est différent parce que « Wallander » c'est, en gros, c'est un ou deux épisodes égal une enquête. Tandis que là, la différence, c'est qu'c'est une seule et même histoire qui est tirée... étirée euh... sur 20 épisodes.
Homme : Vingt épisodes ? Et t'as le temps de regarder ça, toi ?
Femme : C'est énorme, c'est vrai. Moi, j'trouve qu'c'est un peu trop là, c'est pas la moyenne. La moyenne, c'est 8-10 par saison. Et Jacqueline, elle me dit qu'elle croyait que j'lui avais prêté... euh... deux saisons. Et donc elle s'est speedée à tout voir... parce qu'elle voulait savoir la fin !
Homme : Et en fait, elle avait vu qu'la moitié !
Femme : C'est ça ! Quand elle s'est aperçue euh quand elle a compris, à la fin de la saison 1, elle m'a dit : « Mais si, si, on allait quand même en direction d'un coupable, là avec... » Non, j'te dis pas qui ! Elle croyait que ça y est, c'était bon !
Homme : Ah ouais, vous êtes à fond toutes les deux !
Femme : Pour les saisons 2, et 3, ils ont fait sur 10 épisodes. Quand même c'est mieux...
Homme : Pourquoi ? Tu suis plus ?
Femme : Y en a trois, encore deux pour Jacqueline. Moi je l'ai finie hier.
Homme : Et ils ont raccourci un peu alors... Donc ils ont accéléré le tempo ?
Femme : Jacqueline, elle me dit qu'ils se sont peut-être rendu compte que c'était peut-être un peu trop... euh... dilué. Et puis bon, on sent, quoi, qu'c'est... que c'est le principe des poupées russes : tu ouvres une poupée, tu crois avoir trouvé, et ainsi de suite.
Homme : Comme une matriochka : y en a une autre et une autre.
Femme : Y en a toujours une autre en dessous. Ils t'orientent vers un suspect, et bah non c'est pas celui-là, et puis y en a encore un, et encore un, et encore un... Mais c'est pas grave !
Homme : Vous êtes complètement tarées, toutes les deux...

 THÈME 2 SOS sens critique

 AUDIO Page 22, B : Les théories du complot

Ali Rebeihi : Bonjour Asma et Azania, bienvenue sur France Inter.
Asma et Azania : Bonjour.
Ali Rebeihi : Vous êtes élèves au collège Pierre-de-Geyter à Saint-Denis. C'est quoi pour vous une théorie du complot ? Est-ce que vous savez ce que c'est ?
Asma M'Barki : Une théorie du complot c'est quelque chose qui va à l'encontre de ce qu'on entend aux médias, qui vont nous faire croire que tout ce qu'on entend c'est faux. Et ça a souvent un rapport avec la politique où on remet en cause la place de quelqu'un, de quelqu'un haut placé par exemple.
Ali Rebeihi : Christophe Bourseiller, ça vous convient cette définition ?
Christophe Bourseiller : Bah oui parce que ça veut dire une chose, c'est que les élèves ou les jeunes qui vont s'intéresser aux théories du complot, pour eux, de leur part à eux qui sont exposés à ces théories, ça part d'un bon sentiment, c'est-à-dire qu'ils se disent finalement l'actualité, on peut la critiquer après tout. Tout ce qu'on écoute à la radio n'est peut-être pas vrai et c'est vrai que tout n'est pas toujours vrai donc c'est bien d'aller vers un regard critique sur l'actualité, de pas gober tout ce qu'on reçoit à France Inter comme si c'était du miel mais s'interroger, discuter. À partir de là, le problème c'est qu'il faut pas non plus gober ce que vont raconter des faiseurs de bobards, qui sont ceux

qui vont justement mettre en place ces faits alternatifs, ces théories alternatives qui elles sont dangereuses.

Ali Rebeihi : Alors François Da Rocha, on s'est rencontrés à Roubaix au lycée Jean-Moulin où vous exercez avec Emmanuelle Davier et Patricia Martin ici présentes, bonjour Patricia – bonjour – qui anime le 7-9 le week-end, alors ce qui nous a vraiment frappés, sans porter de jugement de valeur, ce sont les théories du complot qui séduisent la grande majorité de vos élèves, c'est assez étonnant cette prégnance. Non je sais pas, Patricia Martin.

Patricia Martin : Bah oui, pour vous, c'est votre vie quotidienne mais je dois dire que moi je suis tombée de ma chaise la première fois que je suis venue chez vous. Oui c'est ça, c'est tout à coup bah le 11 septembre c'est la CIA, c'est pratiquement la terre n'est pas ronde, elle est plate. Enfin on se dit mais attendez je rêve c'est pas un sketch, c'est pas, non je les ai en face de moi là, ils sont en train de me parler et c'est ce qu'ils disent.

François Da Rocha : Oui c'est notre quotidien généralisé. Voilà ils remettent en cause, comme le dit Christophe Bourseiller, finalement c'est une forme d'esprit critique peut-être poussée à l'extrême, certainement comment dire, un effet secondaire, un effet pervers de cet aspect critique oui mais oui.

Ali Rebeihi : Est-ce qu'au quotidien vos cours d'histoire sont constamment évalués à l'aune de ces théories du complot ?

François Da Rocha : Non pas constamment. Ce sont uniquement ce qu'on appelait les questions sensibles qui sont remises en cause. Bon les génocides et en particulier le génocide des Juifs d'Europe. Le terrorisme, les actes de terrorisme mais jusqu'alors il ne me semble pas qu'on ait remis en cause, que mes élèves aient remis en cause tout le travail qu'on peut faire sur l'identification des corps des soldats de la Première Guerre mondiale.

Ali Rebeihi : Thomas Huchon, pour lutter contre les théories du complot auprès des élèves, il est essentiel d'expliquer en quoi consiste exactement le travail des journalistes, le croisement des sources, la vérification de l'information.

Thomas Huchon : Mais c'est-à-dire qu'il y a à la fois, à mon avis, il y a deux missions à mener en parallèle : il y a une mission d'éducation aux médias et donc d'apprendre à s'informer. Moi les premiers journaux que j'ai lus c'était le journal des enfants et c'était très didactique, c'était fait pour ça, c'est c'était fait pour des enfants. Aujourd'hui quand on a 8, 10, 12, 14 ans et qu'on déboule sur Google et qu'on pose les bonnes questions auxquelles on va trouver des mauvaises réponses, c'est très impressionnant, ça a un impact très fort. Asma le disait tout à l'heure aussi, c'est-à-dire que les premières choses sur lesquelles on va tomber, on va y croire. Ça c'est une partie des choses. L'autre partie c'est peut-être de, et je pense, c'est de considérer que nous, journalistes, avons aussi une part de responsabilité dans le développement de tout ça. Je crois que les dernières statistiques montrent que 22 % des Français seulement croient les médias. Ils sont 30 % à croire les politiques donc ça veut dire que on est moins crédibles que les hommes politiques qui nous gouvernent ; ce qui moi me terrifie absolument, mais ça veut dire qu'on a une part de responsabilité là-dessus. Il faut réouvrir les rédactions et montrer comment on travaille.

Ali Rebeihi : Asma, est-ce que tu sais par exemple comment fonctionne le métier de journaliste tout simplement ? J'imagine qu'avec InterClass' tu en sais un peu plus. Est-ce que ça t'a aidée à mieux comprendre notre travail ?

Asma M'Barki : On a mieux compris que les journalistes d'abord ils vont bien chercher leurs informations, qu'ils vérifient bien que la source est vraie, est sûre plutôt. Et que, après, ils donnent l'information aux gens, qu'ils balancent pas des informations n'importe comment quoi.

Ali Rebeihi : Azania, est-ce que tu regardes le métier de journaliste autrement depuis que tu participes à InterClass' ?

Azania Cerito : Oui parce que avant je pensais vraiment que c'était, je savais qu'ils vérifiaient leurs informations mais je pour moi c'était pas totalement vrai. Même si maintenant je sais que, je sais que, aux médias, c'est pas, ça va pas être entièrement vrai à 100 % mais je suis déjà plus sûre que c'est, qu'il y a déjà une autre part de vérité dedans.

Ali Rebeihi : Thomas Huchon ?

Thomas Huchon : Non mais je trouve ça super, ça me fait beaucoup sourire et en même temps je trouve ça très bien ce que vous dites les filles. Quand tu dis les médias qu'est-ce que ça veut dire ?

Azania Cerito : C'est, pour moi, c'est tout ceux qui à la télé ou les journaux qui nous envoient des informations pour qu'on puisse savoir ce qui se passe.

Thomas Huchon : Oui mais si nous on dit « les élèves » est-ce que les élèves c'est un corps unique qui pense de la même manière et qui existe de la même manière ? Est-ce que t'es pas en désaccord avec ta camarade, vous êtes deux, tu vois, déjà, vous êtes déjà pas d'accord. Est-ce que vous comprenez bien que France Inter c'est pas Europe 1 que Libération c'est pas le Figaro, que Spicee c'est pas Vice. Enfin, que, en fait, que quand vous dites les médias, les informations, la télé… Est-ce que vous arrivez à faire la différence entre ces différents médias et à comprendre que, ils font tous le même travail mais ils le font pas forcément de la même manière, et avec d'autres lignes éditoriales. Est-ce que vous comprenez ça ?

Azania Cerito : Oui.

Asma M'Barki : Oui.

Ali Rebeihi : Asma ?

Asma M'Barki : Oui après moi, je dis que, après les adolescents c'est naïf en fait. Chacun va dire une information à l'autre. L'autre va le répéter à l'autre et à la fin tout le monde croit la même chose.

Ali Rebeihi : François Da Rocha, dans votre classe quels types d'arguments opposez-vous aux élèves qui défendent les théories du complot, farfelues, ineptes ou dangereuses ? Quels sont vos outils ? Est-ce que l'éducation nationale vous forme à ce type de théorie du complot ? Est-ce que vous avez des outils concrets ?

François Da Rocha : On commence à être formés. Bon dans l'académie de Lille, il y a un stage sur les théories du complot justement qui commence depuis un ou deux ans à se mettre en place. On a des instances, des organismes intermédiaires entre autres le CLEMI qui peut aider et qui est très actif quand on le lui demande. Maintenant la réponse sera de toute façon sur des temps différents. Il y a la réponse dans l'urgence : une théorie qui nous vient à la face, il faut y répondre immédiatement, et comme disait Christophe tout à l'heure, c'est par des arguments qui permettent de revenir au fond, qui sont rationnels. Et puis il y a le temps de l'éducation, qui est un temps beaucoup plus long à moyen ou long terme, entre autres en apprenant à lire des sources, à les critiquer. Et je reviens sur « matouket », c'est l'histoire géographie qui va aider principalement à cela.

THÈME 3 — Ah la vache !

 page 28, B : L'abattage des vaches

François-Régis Gaudry : Une question simple pour lancer ce débat : l'élevage moderne maltraite-t-il les animaux ? Frank Ribière.

Franck Ribière : Euh oui oui je crois qu'aujourd'hui, quelque chose qu'a complètement été oublié, c'est c'est une forme de logique qui nous, omnivores, nous permet de choisir ce qu'on mange, et donc d'avoir dans ce choix des responsabilités, et ces responsabilités on les a oubliées vis-à-vis de l'animal. Et aujourd'hui, à vouloir trop en manger, on a développé un système qui aujourd'hui fait que 95 % des animaux qui sont abattus en France quels qu'ils soient – bœuf, volaille, etc... – ne le sont pas correctement, et n'ont pas été élevés correctement. Par contre, ça veut pas dire que tout est mauvais et qu'il faut tout jeter, évidemment. Et ça, ça a changé déjà depuis longtemps. Mais c'est vrai pour la viande comme ça a été vrai pour les légumes, pour le vin, pour tout ça, aujourd'hui, le cas de la viande, révélé par ces lanceurs d'alerte, qui jouent un rôle important dans la modification de notre comportement vis-à-vis de la viande, fait qu'aujourd'hui la question : « Est-ce qu'on doit manger de la viande ? » on peut répondre non « Est-ce qu'on peut en manger ? » on peut répondre oui, à condition de faire un effort, un effort sur soi-même et un effort envers les autres.

François-Régis Gaudry : Alors on va justement voir que vous-même à titre personnel vous développez une expérience passionnante concernant l'abattage des animaux. « Le steak vit aussi sa révolution en France et il est temps de le faire savoir », c'est un peu une des phrases moteurs de votre livre, qui est un passionnant reportage dans les terroirs de France à la recherche d'expériences d'exception, tournées vers l'excellence, à la fois du côté des éleveurs, du côté des bouchers, du côté des restaurateurs, « Steak in France », aux éditions de la Martinière, co-écrit avec votre compagne hein ?

Franck Ribière : Oui.

François-Régis Gaudry : Verane Frediani.

Franck Ribière : Pascal Grosdoit je vous pose la même question vous qui êtes forcément intéressé par la question puisqu'on va voir que vous avez fédéré cent cinquante éleveurs en Normandie à travers une filière là aussi tournée vers la qualité, le bien-être animal vous préoccupe. Pour ce qui est de l'abattage ?

Pascal Grosdoit : Alors je suis globalement d'accord avec vous, maintenant historiquement les éleveurs ont toujours eu une certaine distance par rapport à cette séquence.

François-Régis Gaudry : Oui.

Pascal Grosdoit : …qui est liée à l'abattoir, et à l'abattage. Euh mais comme vous l'avez aussi précisé à la fin du point précédent, on se rend compte aussi qu'il y a eu un virage qui s'est pris et qui va continuer de se prendre sur ces thématiques-là. Je crois qu'aujourd'hui, je suis pas le plus qualifié pour en parler mais quand même, les directeurs de site d'abattage aujourd'hui sont, se posent de grandes questions elles se posent pas que depuis qu'hier hein ça fait un moment déjà. Il en est de même me semble-t-il pour également les services vétérinaires. Aujourd'hui la question effectivement de voir de quelle manière on peut éviter ces dérives quand elles existent est vraiment à l'ordre du jour et c'est une priorité.

François-Régis Gaudry : On a presque l'impression pardon que des conditions un peu déplorables d'abattage sapent tout le travail en amont sur l'élevage. Vous… vous chérissez à travers vos 150 éleveurs vos bêtes qui dont on peut dire raisonnablement qu'elles ressentent un certain bien-être dans leurs pâturages, puisque vous vous imposez des conditions très strictes, du temps passé dans les pâtures, l'alimentation évidemment, etc. Et ça se finit mal mais ça pourrait se finir de façon moins pire j'aurais envie de dire…

Pascal Grosdoit : Oui enfin, ça se finit mal, il faut aussi relativiser, c'est-à-dire que, aujourd'hui on a des gros flash qui sont sortis depuis quelques mois et qui ont certainement existé auparavant naturellement, mais aujourd'hui on a aussi des visites d'abattoir et de séquences d'abattage qui sont tout à fait conformes et où l'animal descend du camion, si vous voulez a été transporté sur un minimum de temps, arrive à l'abattoir je dirais à 10 h du matin et à 10 h 10 a été abattu en quelque sorte, je caricature un peu mais où ça se passe très très bien et je dirais même que la viande – vous en parliez tout à l'heure – la viande ne ne… du coup… l'animal n'a pas vu entre guillemets, et on retrouve un produit après fini qui est dans des très très belles conformations enfin…

François-Régis Gaudry : D'accord.

Pascal Grosdoit : Euh voilà il faut pas non plus prendre je dirais les images pour de l'argent comptant.

François-Régis Gaudry : Expérience édifiante de Frank Ribière dans votre livre, alors j'avoue que j'ai lu ce chapitre avec beaucoup beaucoup d'intérêt, c'est dans le chapitre que vous consacrez à Émilie, éleveuse de charolaises en Bourgogne, alors autant dire que son élevage est revendiqué comme éthique, naturel, élevage nourriture au foin, etc. Et vous avez voulu percer la question de la fin de l'animal. C'est vrai que c'est une question assez taboue, moi-même en tant que journaliste, je ne suis jamais entré dans un abattoir, j'ai jamais vécu les derniers instants à la fois de l'animal, mais également la réaction de l'éleveur qui a une position inconfortable et ambiguë par rapport à ses bêtes.

Franck Ribière : Oui parce que dire que tous les éleveurs voudraient participer, je dirais être présents à ce moment-là de… non c'est faux, tout le monde ne le veut pas. Ce qui était étonnant dans ma démarche,

c'était de voir que elle, par contre Émilie ne pouvait pas y assister, c'est-à-dire qu'il y avait un délai entre le moment où elle se levait à 4 heures du matin, mettait la bête dans le camion – un seul animal parce que son camion est trop petit – elle arrive là-bas, faut qu'elle attende un peu, le bouvier arrive…

François-Régis Gaudry : Vous l'avez accompagnée hein.

Franck Ribière : Oui oui je l'ai accompagnée. Le bouvier arrive, le bouvier est jeune, il a pas forcément le même niveau d'expérience que d'anciens bouviers – celui qui parle à l'oreille de…

François-Régis Gaudry : Le bouvier pardon mais…

Franck Ribière : celui qui est censé parler à l'oreille de l'animal et le calmer. Et finalement les dix dernières minutes, elle est absente. L'éleveur est absent de la mort. Et ça, j'avais trouvé ça étonnant. Elle, parce que, effectivement elle est triste, elle a été triste, et l'animal parce qu'à ce moment-là on sentait une forme de… il était perdu, il est perdu, il est perdu. Et le fait de pas être…

François-Régis Gaudry : C'est-à-dire qu'il est stressé ?

Franck Ribière : Et il stresse, et à partir de ce moment-là le processus d'abattage change, et là on rentre dans quelque chose de très industriel, de plutôt bien étudié, d'une certaine façon on limite son stress au maximum, mais y a pas photo : vous le regardez et vous voyez qu'il stresse. Et ça, une heure de camion, 20 minutes de camion, dix minutes de camion n'y feront rien : il stresse parce qu'il n'est pas dans son environnement. Et ça change tout.

François-Régis Gaudry : Et vous tirez cette conclusion à la fin de ce chapitre : « Il faut arrêter le transport des animaux vers les abattoirs et permettre aux éleveurs de faire mourir leurs animaux dans la ferme où ils sont nés. »

Franck Ribière : Comme ça se faisait avant. Parce que faut pas oublier que ça c'est pas une révolution. C'est exactement le bon sens paysan qu'on a perdu, c'est-à-dire qu'avant, le boucher se déplaçait, venait dans la ferme, choisissait avec l'éleveur la bête qui lui paraissait le plus conformée, la plus apte à partir à la mort, et à ce moment-là le processus de mort était contrôlé par l'éleveur, avec le boucher, et cela se faisait relativement bien, et après les autres « process » qui ont été oubliés, qui permettaient d'améliorer la qualité de la viande, comme pendre la carcasse, attendre que la carcasse arrive tranquillement chez le boucher, qu'elle soit pendue, qu'elle puisse maturer, etc. ne se font plus aujourd'hui, et c'est à ça qu'il faut revenir.

François-Régis Gaudry : De là vous avez tout simplement…

Franck Ribière : Oui de là l'idée de ce camion d'abattage qui existait en Suède et avec lesquels on s'est…

François-Régis Gaudry : que vous êtes allés voir…

Franck Ribière : oui qu'on est allés voir. On a vu un peu la grande différence qui était quand même la porte ouverte, le piège du camion ouvert vers le champ. Donc l'animal se dirige vers le champ il a absolument aucune idée de là où il va, il est avec ses autres congénères il est avec son éleveur, et la mort se passe en dix secondes, je dirais, on a calculé…

François-Régis Gaudry : Qu'est-ce que ça change en fait il ne voit pas, l'animal ne voit pas la mort venir ?

Franck Ribière : Il ne voit absolument pas… il ne voit pas la mort. Il ne voit pas la mort, c'est-à-dire qu'il ne voit pas ce dernier moment où effectivement il va sentir que quelque chose se referme sur lui, où quelque chose est fini pour lui.

 Page 29, Exercice 7

a Elle connaît de grandes difficultés matérielles.

b Elle vient de gagner au loto. Elle a beaucoup de chance !

c Elle va candidater ; ça lui demandera peu d'efforts et elle n'a rien à perdre.

d Elle est décédée ce matin.

e Elle est en grande forme, elle a de l'énergie à revendre.

f Pour parvenir à ses fins, elle est prête à tout : elle cherche l'appui de toutes les personnes influentes qu'elle connaît.

– Et toi qu'est-ce que tu vas faire pour le repas de Noël ?

– Alors en fait, moi j'aime bien quand même les repas traditionnels pour Noël, mais j'aime pas non plus les repas trop excessifs, j'aime pas non plus les orgies à Noël. Donc je pense que je vais faire assez simple et à la fois traditionnel pour ce Noël, comme à mon habitude. Donc en entrée par exemple, je déteste quand il y a une accumulation d'huîtres, d'escargots, de foie gras, de toasts au saumon, c'est beaucoup trop pour moi.

– Et ça va pas toujours très bien ensemble !

– Donc cette année en entrée je vais proposer juste du foie gras, et puis j'aime bien faire un velouté de châtaignes aussi, j'adore, je le fais pendant l'année aussi.

– Mouais, bof. Et comment tu fais ça ?

– Alors c'est très simple, c'est des châtaignes avec un peu de poireaux, du vin blanc, puis je rajoute un peu de thym, de ciboulette. Je mets un petit peu de crème fraîche dessus pour que ça décore, que ce soit joli, et puis que ce soit plus riche aussi bien sûr.

– Enfin c'est trop riche, du coup t'as plus faim quoi.

– Alors après, pour le plat principal, alors, comme je disais, j'aime bien la tradition et c'est vrai qu'à Noël on a plutôt tendance à faire de la volaille. Moi, j'adore pas la dinde, même si normalement pour être vraiment pile dans la tradition il faudrait faire de la dinde à Noël.

– Bah moi, j'ai jamais raffolé de la dinde.

– Par contre, je varie la volaille, des fois je fais des cailles, des pigeonneaux et même des canards ! Mais bon, là, je pense que je vais faire simple. Alors je vais faire une pintade aux pruneaux et aux marrons dans une cocotte. Je pense que ce sera très beau ! Mais c'est vrai que j'aime bien quand même avoir une volaille à chaque fois. Une belle volaille entière sur la table, c'est quand même sympa ! Et puis si on a décoré un petit peu la table, si on a mis du vin dans des verres en cristal, des beaux couverts en argent, une jolie décoration sur la table…

– Et pourquoi pas avec des chandelles tant qu'on y est !

– Ouais, c'est vrai, j'aime bien mettre des chandelles, je trouve que c'est vraiment sympa !

– Et puis pour le dessert, tu fais quoi toi ? Une bonne grosse bûche avec plein de crème au beurre ?

– Bah évidemment, la tradition c'est la bûche de Noël ! Et j'y sacrifie également car chaque année je fais une bûche. Même si je dois avouer que mon compagnon n'en raffole pas parce que, lui, trouve que c'est un dessert un peu grossier. Mais je trouve que ce n'est pas vrai du tout ! Lui, il trouve que c'est un peu trop riche aussi. Mais, en fait, on peut faire plein de versions. Alors moi, j'aime bien la version avec la crème de marron. Je sais, je suis un peu obsessionnelle avec les marrons – je mets un petit peu de crème au-dessus, pour faire un peu comme de la neige, et puis je la sers… avec des marrons glacés.

– Moi, quand j'étais enfant j'aimais bien décorer la bûche avec des petites figurines – quand on les achète dans le commerce, c'est comme ça d'ailleurs. Et donc maintenant, mon petit garçon je lui fais faire aussi, on sort les petites figurines, et là je lui ai dit que lui aussi il pourrait mettre les petites figurines sur la bûche. Et ça j'aime bien !

THÈME 4 La mémoire dans la peau

7 **AUDIO** **Page 35, C : Entretenir sa mémoire**

Ali Rebeihi : Bonjour ! Bienvenue dans ce nouveau numéro de « Grand bien vous fasse ». Je me souviens avec précision du nom de mon institutrice de CP, madame Ruffié, de ma prof de français de 4e, madame Espougne ou celui de mon prof d'économie en première B, monsieur Santamaria.

Je me souviens nettement du jour où j'ai failli être opéré de l'appendicite en 1987 ou de la première fois où je visitais la tour Eiffel, à l'époque où le président Macron n'avait que trois ans.

En revanche, difficile de me souvenir de la moindre poésie apprise à

l'école, de l'ordre des premiers présidents de la République, ou encore du nom, sur le bout de la langue, de tel acteur célèbre, m'obligeant à dégainer mon téléphone pour me rafraîchir la mémoire.

Mais comment fonctionne la mémoire ? Qu'est-ce qu'un trou de mémoire ? Comment notre cerveau fait-il le tri dans la masse ininterrompue d'informations ? Pourquoi notre mémoire nous joue-t-elle des tours ? Est-il possible d'améliorer sa mémoire, en dehors de toute pathologie neurologique ?

Nos invités nous délivreront quelques pistes… Nous attendons vos questions sur la mémoire et les moyens de la raviver. Et puis n'hésitez pas à témoigner si vous êtes doués d'une mémoire exceptionnelle comme la romancière Amélie Nothomb ou déplorable comme mon ami Montaigne…

On va essayer de vous donner quelques pistes pour conserver et développer une bonne mémoire, avec le neurologue Stéphane Epelbaum, avec Fabien Olicard, auteur de « Votre cerveau est extraordinaire », Sébastien Martinez, auteur d'« Une mémoire infaillible », et avec Emmanuelle Giuliani, de « La Croix », notre partenaire ce matin. Aline Perraudin, de « Santé Magazine », est-ce que le sport, l'activité physique, est-ce que c'est bon pour la mémoire ?

Aline Perraudin : Oui oui, il y a eu plusieurs études qui ont montré que ça favorisait la/les capacités de mémorisation, donc… pour plusieurs raisons. D'abord, le sport, ben ça permet d'évacuer le stress, qui n'est pas bon pour la mémoire. Deuxièmement, vous savez depuis longtemps que l'activité physique, c'est excellent pour l'oxygénation du cerveau, donc, ben ça stimule le flux sanguin, le cerveau est mieux nourri, donc ça c'est aussi très important. Et puis dernière découverte récente : le sport, ça favorise la neurogenèse, c'est-à-dire la formation de nouveaux neurones, notamment dans l'hippocampe, région importante pour la mémoire. Donc en fait c'est bien d'avoir des techniques, mais c'est bien aussi de bouger, notamment quand on révise pendant les examens, on peut sortir, et chausser ses baskets.

Ali Rebeihi : Docteur Epelbaum ?

Stéphane Epelbaum : Oui, c'est très vrai. Ça améliore également certainement le sommeil, qui est une condition sine qua non pour la bonne mémorisation.

Ali Rebeihi : Et l'alimentation dans tout ça ? Quand j'étais petit on me forçait à manger du poisson parce que c'était paraît-il bon pour la mémoire, docteur Epelbaum ?

Stéphane Epelbaum : Ça, malheureusement, il n'y a rien de très avéré sur ce sujet-là… D'ailleurs, il y a de très grosses études sur plusieurs milliers d'individus qui ont été menées, soit avec les Oméga 3, soit là tout récemment avec le sélénium… Euh et pris pendant plusieurs années, ça n'améliore pas réellement la capacité de mémoire.

Ali Rebeihi : Et il existe des substances délétères pour la mémoire ? Je vous le donne en mille, j'imagine : le tabac, les drogues…

Stéphane Epelbaum : Ça par contre oui.

Ali Rebeihi : L'alcool…

Stéphane Epelbaum : Le tabac, non….

Ali Rebeihi : Non ?

Stéphane Epelbaum : Le tabac étonnamment pas tant que ça, à la rigueur, ça serait même peut-être un tout petit peu positif… grâce à la nicotine qui est un excitant et donc qui augmente les capacités attentionnelles. Mais les drogues types benzodiazépine, tous les psychotropes peuvent altérer la mémoire.

Ali Rebeihi : Emmanuelle Giuliani, de « La Croix ».

Emmanuelle Giuliani : Oui, ce que vous dites sur le sommeil est intéressant parce que, en parlant avec des professeurs et des instituteurs, on voit combien ils disent que le manque de sommeil chez les enfants… enfin eux ils font une sorte de chaîne, non pas vertueuse, une chaîne vicieuse, en disant manque de sommeil, manque de concentration, donc manque de possibilité de mémorisation. Est-ce que ce qu'ils expriment là empiriquement c'est une réalité ?

Stéphane Epelbaum : C'est tout à fait vrai, et il y a un autre point qui est important, c'est que, durant le sommeil, on va consolider l'information…

Ali Rebeihi : Les acquis…

Stéphane Epelbaum : Donc voilà. Donc non seulement le sommeil permet de faire attention le lendemain matin, mais en même temps, de consolider les informations apprises la veille.

Emmanuelle Giuliani : Donc on a intérêt, avant de s'endormir, à lire quelque chose qu'on veut retenir...

Stéphane Epelbaum : Exactement !

Emmanuelle Giuliani : ...ou à revisiter.

Stéphane Epelbaum : Mais pas trop tard !

Emmanuelle Giuliani : Pas trop tard... d'accord.

Ali Rebeihi : Docteur Epelbaum, quel est le rôle de notre équilibre émotionnel pour conserver une bonne mémoire ? On l'a dit, le stress, l'anxiété chronique, c'est délétère pour la mémoire.

Stéphane Epelbaum : Oui, le stress est un paralysant de la mémoire, très bien connu et c'est, en consultation, je dirais peut-être une bonne moitié des raisons qui amènent les personnes à venir me voir. Et donc c'est vrai que toutes les techniques qui permettent de s'apaiser, et de se rasséréner, ça peut être le sport, ça peut être la méditation, enfin il y a de très nombreuses techniques, sont les bienvenues.

 8 AUDIO page 36, Exercice 1

a – Allez, encore une fois, je suis sûre que tu vas y arriver.
– C'est dur... Bon : « Maître Corbeau sur un arbre perché, Tenait en son bec un fromage. Maître Renard par l'odeur alléché... »
b – Je ne me souviens jamais de tous ces codes... Comment tu fais toi ?
– J'utilise les départements. Ton code de porte c'est Bouches-du-Rhône, Finistère.
– Ah oui 13 – 29. Et ta carte bleue ?
– Haute-Loire, Meurthe-et-Moselle
c – Un souvenir qui m'a marqué ? Quand Mathilde m'a annoncé qu'elle était enceinte... de jumeaux ! J'ai failli m'évanouir... je crois que je n'oublierai jamais ce moment.

 9 AUDIO Page 38, Au cœur du quotidien

Marie : J'ai lu un truc sur l'Alzheimer hier.
Cécile : C'est vrai ? Où ça ?
Marie : Culturethèque.
Cécile : Ah super...
Marie : Bah j'ai fait de la recherche sur Culturethèque dans « le Point », un numéro du « Point »... sur la mémoire, « Comment booster votre mémoire ? », et y avait 10 questions sur l'Alzheimer.
Cécile : T'as répondu au questionnaire ?
Marie : (ton hésitant) Euh, oui, en gros... (Rires)
Cécile : Et donc, en gros, c'est quoi le résultat ?
Marie : Quand je suis fatiguée ou en situation de stress, j'ai les symptômes...
Cécile : Aïe ! Ah ah ah !
Marie : Euh je crois qu'on les a tous en fait, hein...
Cécile : Envoie-nous le lien !
Anne : Tout le monde a ces symptômes en situation de stress... ouais, bon je sais pas.
Cécile : Ça t'a fait flipper ? non ??
Anne : Y a plein d'applications aussi... sur Smartphone pour...
Cécile : Booster !
Anne : Stimuler la mémoire, etc., je sais pas ce que ça vaut ces trucs...
Cécile : Ben moi j'ai jamais essayé, mais...
Anne : Non, moi non plus.
Cécile : Mais vous voyez une différence, vous, de mémoire, enfin, dans votre mémorisation...
Anne : Capacité de mémorisation ?
Cécile : J'en sais rien, depuis, euh, entre y a 20 ans et maintenant...
Anne : Oui, oui. Oui, ben oui, fatalement, oui. Mais bon euh... pour...
Marie : Ouais.
Anne : Moi pour, enfin, pour mémoriser et, de toute façon, pour mieux travailler ou me concentrer, faut que j'aie soit de la musique ou la radio... moi tu vois...
Cécile : D'accord, oui.

Anne : Si j'ai pas... si j'ai pas un fond sonore, euh j'arrive pas à me concentrer...
Cécile : Ok.
Anne : Je m'endors !
Cécile : C'est vrai ? Ah ouais d'accord, donc il te faut un truc de fond, et t'es pas gênée si y a des paroles ou quelque chose ?
Anne : Bah, ça permet aussi de faire de temps en temps, entre guillemets, ça permet de temps en temps de faire une p'tite pause, mentale aussi, de se déconnecter un petit peu de ce qu'on fait, si vraiment y a quelque chose qui m'intéresse, bon ben j'écoute deux minutes, et après paf, je me remets sur... à étudier, ou à travailler, etc.
Cécile : Parce que moi j'aime bien un fond sonore, mais alors, sans paroles...
Anne : Ouais...
Cécile : De la musique classique, il faut pas qu'y ait, même si c'est, j'sais pas, un requiem, un chœur, j'sais pas, faut pas qu'y ait une voix humaine... sinon c'est pas possible.
Anne : Quand j'apprenais quelque chose, c'était de la musique... quand j'étais à l'université, c'était de la musique...
Cécile : Le mieux c'est Bach ! Moi j'trouve.
Anne : ...ou de la radio musicale on va dire...
Cécile : Bach, c'est top, Bach ! C'est tellement mathématique, c'est tellement structuré... tac tac tac, que ça c'est vraiment...
Anne : Ouais d'accord.
Cécile : Bach ou alors des concertos pour archets de Vivaldi, là c'est top ! C'est un truc, c'est tellement... Quand j'ai rédigé, tout mon mémoire sur du Vivaldi...
Anne : Un truc ritualisé ! touf ! Je mettais tous les jours le même disque ! Clac, une fois que je mettais le truc, j'étais comme si j'étais sur un clavier...
Marie : J'ai connu ça, moi c'était « Le Parrain », moi...
Cécile : C'est vrai ?
Marie : Le film « Le Parrain ».
Anne : C'est vrai ? La musique du « Parrain » ? (ton étonné)
Marie : La nana à côté de ma chambre, à Milan... oh là là là... J'adorais cette musique... elle est magnifique, « Le Parrain », la musique était top... faut le reconnaître.
Anne : C'est très beau ! Mais quand tu l'entends tous les jours pendant 3 semaines, t'en as marre quoi !
Marie : 3 semaines... pendant un an je l'ai entendue et encore certainement dix fois par jour...
Anne : Donc à la fin t'as envie de tuer le Parrain ?
Marie : Oui, je l'aurais tué ! C'est qui déja ? Marlon Brando ? (Rires)
Cécile : Oui, c'est Marlon Brando !
Anne : Ben oui, oui oui...
Cécile : Il me semble que oui.
Marie : Ah non, c'est magnifique cette musique, encore maintenant, quand je l'entends, j'adore... mais euh...
Anne : C'est ta madeleine de Proust !

THÈME 5 Vertiges de l'amour

 10 AUDIO Page 42, B : Mélanger l'amour...

Patrick Masbourian : Le polyamour, c'est quoi ça ?
Carl Rodrigue : Le polyamour c'est lorsque t'es capable d'aimer plusieurs personnes en même temps. Qu'est-ce qui est très beau dans une relation intime, c'est que tu t'ouvres complètement à quelqu'un. Tu te mets à découvert à cette personne-là et je crois que y a ça dans le polyamour, qu'est-ce qu'on recherche c'est être capable de le faire avec plusieurs personnes et y a plusieurs points de vue aussi.
Patrick Masbourian : Pour parler un peu simplement est-ce que ça veut dire que les vingtenaires ont réussi à séparer l'amour de la sexualité ? C'est deux choses distinctes qui peuvent se vivre ensemble ou qui peuvent se vivre séparément et à divers degrés ou à divers niveaux ? Est-ce que la séparation est faite ?
Julian Nguyen : Je crois que ça dépend vraiment de l'individu parce

que je suis dans une relation polyamoureuse mais en fait, avant de rencontrer la fille avec qui je suis, je me considérais polygame, et puis après quand je l'ai rencontrée j'espérais que j'avais des yeux pour, et elle elle voulait continuer son mode de vie et c'est rare qu'y ait quelque chose qui convulsait. C'est que moi j'avais beaucoup de misères à dissocier la sexualité de l'amour et quand elle, elle allait coucher avec un autre gars ben j'avais l'impression que c'était une trahison mais pour elle non, et c'est quelque chose qu'on a beaucoup de misères et on passe beaucoup de temps à discuter à essayer de comprendre les implications tout ça. Et puis pour elle s'est beaucoup un rejet des conventions sociales qui, c'est comme une norme qui est établie au cours des millénaires que les femmes devaient avoir un partenaire sexuel mais qu'elle, elle n'y croit pas et elle veut rejeter cette, et c'est une forme, une manière d'exprimer sa liberté et une révolte exactement.

Patrick Masbourian : Une révolte. Par rapport à ça, la séparation de l'amour et du sexe ?

Miryam Hallmona : Euh… Moi je l'ai pas vraiment faite, j'étais un petit peu « old school » là-dessus, j'étais un peu comme Sarah-Maude, je suis vraiment euh… je suis très romantique et puis pour moi si mon partenaire allait voir quelqu'un d'autre, ne serait-ce que pour l'embrasser, ben moi je me sentirais trahie. Si t'as envie d'aller voir quelqu'un d'autre ben mets un terme à la relation et puis va vers quelqu'un d'autre, autant que moi ben j'ai un seul partenaire c'est le seul partenaire avec qui je vais être pendant toute la durée de la relation. Ça c'est quand je suis en couple, c'est sûr que quand je suis célibataire c'est une autre chose mais il faut une complicité de base. C'est rare que je… je coucherais pas avec un inconnu c'est quelqu'un que je connais, c'est un ami, c'est quelqu'un avec qui je vais avoir partagé autant des expériences amicales que… à qui je vais m'être ouverte dans les confidences. Donc c'est une complicité. Encore là toute à l'heure, Julian parlait de l'intimité, dans une relation, moi, il faut qu'il y ait une intimité, que ça soit pour une relation… Si on veut un « one night stand » ou que ça soit une relation à long terme… c'est ça, moi j'ai pas vraiment fait la dissociation, il faut qu'il y ait minimalement une amitié, et puis c'est sûr que pour un long terme faut qu'il y ait de l'amour et puis si tu as envie d'aller voir quelqu'un d'autre ben flush-moi puis va ailleurs. (Rire)

Carl Rodrigue : On a tendance à penser : y a le sexe sans amour et le sexe avec amour, mais ça semble être un peu un faux débat, un peu une fausse dichotomie dans la mesure où la plupart du temps, peut-être assez souvent, il y a quand même une question d'intimité. Ne serait-ce que quelqu'un qui a une relation d'un soir, tu sais qu'on dit une relation purement sexuelle, pourtant cette personne-là, outre des besoins de décharge de sexualité, y a peut-être aussi un besoin de reconnaissance, y a bien un besoin de se sentir désiré, y a bien un sentiment de proximité corporelle qui vont peut-être au-delà d'un besoin génital et en même temps y a vraiment des degrés d'intimité variables, au sein des relations entre personnes qui se considèrent pas comme un couple. Et puis en même temps, tu soulignais tantôt la question de l'amitié, et bien l'amitié en soit ça implique des affects, si on dépasse la conception de l'amour romantique, tel qu'on l'associe au couple traditionnel, on peut voir qu'y a plusieurs relations qui se font dans l'amour, malgré tout.

 THÈME 6 La famille dans tous ses états

11 AUDIO Page 49, Exercice 1

a Alors sur cette photo, il y a mon père, ma belle-mère, mon frère et mes deux… euh… « quasi-sœurs », c'est-à-dire les filles de ma belle-mère.

b Parfois c'est dur d'élever les enfants seul.

c – Mathilde, allez, dépêche-toi de finir tes devoirs.
– Mais maman…
– Pas de mais… ta mère a raison.

d J'ai eu la chance de croiser une famille qui m'a redonné confiance en moi quand mes parents ne pouvaient plus s'occuper de moi. J'ai vécu chez eux pendant plusieurs années, ils m'ont beaucoup apporté.

 12 AUDIO Page 50, B : L'art d'être grands-parents

Ali Rebeihi : Bonjour Patrick Avrane !

Patrick Avrane : Bonjour.

Ali Rebeihi : Vous êtes psychanalyste, écrivain, membre de la Société de psychanalyse freudienne et vous publiez aux Puf « Les grands-parents, une affaire de famille ». Bonjour Serge Guérin !

Serge Guérin : Bonjour.

Ali Rebeihi : Sociologue, expert éclairé de l'émission, spécialiste des questions liées au vieillissement de la société et aux enjeux de l'intergénération, vous avez publié avec Pierre-Henri Tavoillot, « La guerre des générations aura-t-elle lieu ? » chez Calmann-Lévy et vous chroniquez chaque mois dans le mensuel « Notre temps ». Patrick Avrane, les grands-parents de notre époque sont coincés entre deux images : celle du vénérable papi ou de la respectable mamie et puis, l'image des grands-parents hyperactifs.

Patrick Avrane : Et en même temps, ils sont quand même beaucoup plus du côté des grands-parents présents. Parce que ce qui est de nouveau dans notre époque, c'est que les grands-parents commencent à l'être, en général, à 54 ou 57 ans, c'est-à-dire que… en pleine force de l'âge, tandis que les grands-parents de Balzac, c'étaient des vieillards dont on allait bientôt fleurir leur tombe. Et il y a aujourd'hui quelque chose qui est quand même, une première, c'est cette présence des grands-parents dans la vie, et dans la vie active de leur famille.

Ali Rebeihi : Quelle est la modernité des grands-parents des années 2010 au fond, Patrick Avrane ?

Patrick Avrane : La modernité des grands-parents des années 2010, je pense que c'est dans l'interaction justement avec leurs petits-enfants. Un jour un de mes petits-fils m'a demandé : « Comment tu faisais, quand t'étais petit, quand y avait pas Google ? » Je lui explique que…

Ali Rebeihi : Ouh là là…

Patrick Avrane : …quand j'étais petit, y avait même pas, et encore à peine la télévision, et parfois le téléphone, il fallait attendre cinq ans avant de l'avoir. Et en même temps ce que je sais, c'est que si j'ai quelque chose à lui demander : « Qu'est-ce que c'est qu'un réseau social ? » – maintenant je sais – ou même avant « Comment on fait quand j'arrive pas à me débrouiller avec mon iPhone », ben c'est à lui que je demande. Et c'est dans cette interaction, c'est-à-dire qu'en même temps je lui montre, je lui explique ce qu'était la vie quand j'étais petit, quand j'avais son âge et ça lui permet de comprendre quelle est la sienne aujourd'hui. Et c'est en… c'est ça, il me semble, la modernité des grands-parents des années 2010.

Ali Rebeihi : Serge Guérin ?

Serge Guérin : C'est… C'est vraiment ça, c'est-à-dire que je comprends le monde, j'essaie de le comprendre, j'essaie aussi de me dire quelle est ma place et quelle va être la place de mes descendants, les miens, mais aussi d'autres et donc, du coup, je n'ai pas envie de laisser le monde comme il est. Je me sens responsable. Vous savez, y a des gens qui pensent : « Ah, parce que les gens sont âgés, ils se fichent de l'avenir ! » Mais, pas du tout ! D'abord, les gens qui ont 70 ans, ils ont devant eux 20 ans, donc ils sont eux-mêmes directement inscrits dans l'avenir et en plus cette notion de transmission, qui est absolument essentielle. Encore une fois, s'il y a pas transmission, y a barbarie. Si une société est pas capable de se dire après moi, ce n'est pas le déluge, mais c'est d'autres personnes : mes enfants, mes petits-enfants et d'autres, et du coup comme il y a cette conscience extrêmement forte, qui est aussi la manière de se perpétuer, j'ai envie de m'intéresser à mes petits-enfants, parce que, ils seront là après moi et ils me permettront d'être toujours là. Donc, c'est à la fois de l'égoïsme naturel et en même temps un sentiment très fort de solidarité, je dirais d'intergénération solidaire.

Ali Rebeihi : Alors, Thomas Chauvineau, reporter de l'émission, vous avez suivi deux grands-mères, on écoutera votre reportage tout à l'heure : Annie et Martine.

Thomas Chauvineau : Exactement, et puisqu'on parlait des nouveaux grands-parents, ce qu'il y a d'assez drôle, c'est que Till, leur petit-fils, a 8… a 4… euh 8 grands-parents, 4 grands-mères, puisque les grands-parents se sont séparés et les couples qu'ont formé… se sont reformés et donc, du coup, il se retrouve avec 8 grands-parents.

Ali Rebeihi : Allez, on écoutera ça tout à l'heure, Thomas Chauvineau, que vous ont transmis vos grands-parents ?

Thomas Chauvineau : À part la recette de la tarte au Maroilles, vous voulez dire ? C'est assez compliqué… je pense, une, une… bah l'idée de la famille finalement. Enfin, on se retrouvait, moi j'ai souvenir de mes grands-parents, qu'organisaient toujours des banquets énormes dans les Deux-Sèvres ou dans la Vienne, d'où ils sont originaires – pour une partie d'entre eux – et y avait cette idée de réunir l'ensemble de la famille, c'est-à-dire, ça allait au-delà de juste des grands-parents, c'étaient les piliers, quoi. Maintenant que mon grand-père n'est plus là, ces réunions de famille n'existent plus et on se retrouve plus. Donc, voilà, c'était, je rencontrais des cousins, des petits-cousins, des arrière-cousins, des tantes germaines dont j'ignorais absolument tout, que je voyais peut-être qu'une fois par an, mais c'était ça, la construction de la famille.

Ali Rebeihi : Bonjour, Monique Desmedt.

Monique Desmedt : Oui, bonjour.

Ali Rebeihi : Bonjour, vous êtes psychologue, médiatrice intergénérationnelle au sein de l'École des grands-parents européens. C'est quoi, l'École des grands-parents européens ?

Monique Desmedt : Alors, l'École des grands-parents européens, c'est une association, qui a été créée en 1994 par une femme médecin, madame Fuchs, et qui a pour objectif… bah… d'étudier la place justement et le rôle des grands-parents à la fois dans la famille et dans la société. Ça a aussi cet objectif d'écouter et de soutenir les grands-parents, qui sont en difficulté. En difficulté parce qu'en conflit, en grande tension avec leurs parents, donc parfois n'ayant plus d'accès à leurs petits-enfants, ce qui est très très douloureux et comme le thème est la transmission, effectivement une des souffrances, c'est ne pas pouvoir transmettre ce qu'ils aimeraient, transmettre à la fois leurs valeurs, à la fois peut-être aussi des… une aide de solidarité matérielle, etc., à leurs petits-enfants.

Ali Rebeihi : Eh oui, les grands-parents sont souvent les victimes…

Monique Desmedt : Pardon ?

Ali Rebeihi : Les grands-parents sont souvent les victimes collatérales des divorces, qui se passent mal.

Monique Desmedt : Oui, souvent lorsqu'ils… bon… les parents se séparent, ce qui se passe, c'est que, effectivement les grands-parents, ils s'aperçoivent que les liens s'effilochent en quelque sorte, s'éloignent, notamment s'il s'agit de grands-parents paternels, ils ont du mal à maintenir le lien avec les petits-enfants, parce que, même s'ils ne sont pas dans le conflit – c'est important qu'ils ne soient pas impliqués dans le conflit – les choses font que, y a tellement de tensions que, on les oublie en quelque sorte. Et on s'aperçoit aussi, nous à l'École des grands-parents que ces grands-parents, ils sont aussi touchés dans la séparation de leurs enfants avec leurs conjoints en quelque sorte. Et parfois ils s'identifient au parent qui souffre et du coup ils diabolisent l'autre, l'autre qui est parti, l'autre qui s'est séparé et notre travail consiste un peu à les aider à accepter, à accepter l'autre qui est différent, l'autre qui est parti et à maintenir surtout chez les petits-enfants une sécurité affective, à savoir : même si les parents se sont séparés, eh bah les deux parents sont quand même toujours dans cette filiation et auront toujours de l'affection pour leurs enfants.

Ali Rebeihi : Merci beaucoup…

Monique Desmedt : Et puis leur dire qu'ils ne sont pas coupables, voilà, de cette séparation et là, je pense que les grands-parents ont un très très grand rôle à jouer dans ces cas-là en restant dans une position de tiers, en respectant aussi l'ex-conjoint, parfois aussi en acceptant le nouveau conjoint, parce qu'après les séparations y a aussi parfois une recomposition hein, voilà.

Ali Rebeihi : Merci beaucoup Monique Desmedt, psychologue, médiatrice intergénérationnelle au sein de l'École des grands-parents européens. Patrick Avrane, en cas de conflit entre un enfant et ses parents, les grands-parents doivent se positionner dans une posture d'observateurs à la fois bienveillants et discrets ?

Patrick Avrane : Ils sont difficilement observateurs parce que… enfin, uniquement observateurs, parce qu'ils sont quand même partie prenante leur position, elle est…

Ali Rebeihi : Partie prenante, mais faut pas qu'ils soient de parti pris !

Patrick Avrane : Voilà c'est ça. Leur position, c'est effectivement de – vous le dites très bien – c'est-à-dire de ne, de ne pas intervenir directement, c'est plutôt d'être dans une place d'écoute, de comprendre, de comprendre ce qui se passe et en sachant qu'il y a des choses qui se règlent entre les parents et les enfants, duquel les grands-parents n'ont pas forcément leur rôle à jouer, sinon en restant à leur place de grands-parents et c'est-à-dire de pouvoir accueillir leurs petits-enfants comme leurs enfants.

Ali Rebeihi : Oui, bonjour Sabrina.

Sabrina : Oui, bonjour.

Ali Rebeihi : Vous appelez de Mérignac, bienvenue !

Sabrina : Merci. Moi, je voulais juste témoigner sur le fait que ma grand-mère, qui a 84 ans, est une aide vraiment précieuse au quotidien, puisqu'elle n'hésite pas à faire du covoiturage de la Bretagne à Bordeaux à 84 ans…

Ali Rebeihi : Pas mal !

Sabrina : pour venir m'aider… à garder mes enfants, donc ses petits-enfants, donc c'est l'arrière-grand-mère et d'ailleurs dans quelques semaines elle déménage sur Bordeaux pour… c'est la première fois de sa vie, à 84 ans, afin d'être proche de moi…

Ali Rebeihi : Près de vous…

Sabrina : Sa petite-fille et ses petits… arrière-petits-enfants.

Ali Rebeihi : Qu'est-ce qu'elle vous a transmis votre grand-mère ?

Sabrina : Indéniablement, son amour inconditionnel. Un amour mais vraiment incroyable.

Ali Rebeihi : Serge Guérin.

Sabrina : Et sa tendresse, son esprit joueur encore à 84 ans…

Ali Rebeihi : Esprit… esprit joueur, qui se traduit comment, par exemple ?

Sabrina : Elle peut jouer des heures avec mes enfants, de 2 ans et 7 ans. Mais, elle joue à la marelle, jouer encore un peu à l'élastique, elle peut faire du vélo. Elle est encore en… en très bonne santé, et, voilà.

Ali Rebeihi : Patrick Avrane ?

Patrick Avrane : Juste une chose, ce que l'on voit, cet exemple tout à fait pertinent, c'est que les grands-mères d'avant, ce sont maintenant les arrière-grands-mères. C'est-à-dire que cette… cette… cette femme, elle a une arrière-grand-mère, qui va être celle qu'étaient pour nous les grands-mères d'avant.

Ali Rebeihi : Merci beaucoup Sabrina de nous avoir appelés depuis Mérignac.

13 AUDIO **Page 51, Exercice 1**

a Elle fait des choses que mes parents ne font pas avec moi parce qu'ils travaillent. Mamilou a plus de temps.

b J'ai vécu chez elle pendant le divorce de mes parents. Se laver les dents, se coiffer, se mettre du lait sur le visage… Tous ces rituels, c'est elle qui me les a appris. C'est elle, aussi, qui m'a aidée à m'endormir sans peur.

c J'aime bien être avec bon-papa parce qu'on fait du jardinage. Il m'apprend à faire des trous dans l'herbe avec la pelle et le râteau. Il m'a montré comment on fait. Quand je rentre chez moi, je peux tout expliquer à mon papa.

d Ma mamie s'intéresse à ce que je fais à l'école, et si j'ai des problèmes en classe ou avec des copines, je vais lui en parler.

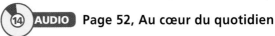

14 AUDIO **Page 52, Au cœur du quotidien**

Edwina : Ma mère m'envoie un message pour me dire qu'elle me donne 50 € pour les Pâques de ma fille. Bon déjà j'étais un peu bou… bon ok… mais elle m'en avait parlé pour une histoire de taille, c'était plus simple pour moi d'aller chercher la taille de ma fille que, elle, nana… Bon jusque-là je dis rien, mais ce qui m'avait choquée, c'est qu'elle m'avait dit chocolats compris. J'dis donc elle fait même plus l'effort d'aller chercher les Pâques de ma fille, quoi ! Enfin j'étais un peu choquée mais bon je me suis dit, elle devient plus âgée, elle doit prendre le train… j'essaye entre guillemets de mettre du beurre dans les épinards… tout en étant un peu choquée quand même. Et puis, arrivé à Pâques, j'apprends que ma mère n'a fait ça qu'avec moi ! Pas avec ma sœur ! Elle a été chercher les Pâques de ses deux autres petits-enfants. Mais pas de la mienne ! Donc là, j'me prends une flèche en plein cœur où j'me dis : « Ah mais en fait c'est juste moi en fait. » Puis à un moment, j'me dis : « Allez, peut-être que c'est parce que moi, je suis difficile, que j'ai des goûts particuliers, qu'elle a peur que ça me plaise pas… » Donc, j'arrondis un peu les angles… et donc je continue cette histoire de conversation par messages parce que ma maman normalement devait me donner des nouvelles, voir si elle venait s'occuper de ma fille ou pas.

Cécile : Hum, ok.

Edwina : Vu qu'elle me répond pas à ma question qui était bien, bon l'histoire des Pâques, je lui dis : « Ben je suppose que tu t'occupes pas de la petite alors ? » Elle me dit : « Ben si, il a jamais été contraire ! » J'fais : « Bah écoute, je t'ai posé une question il y a trois jours… tu m'as dit, je regarde dans mon agenda mais j'ai pas de nouvelles et tu m'envoies je t'envoie 50 € pour les Pâques donc je suppose que c'est fini, c'est ciao quoi ! J'dis, tu tournes autour du pot quoi en gros ! » Et elle me dit : « Ah bah non, moi je sais pas si je dois prendre la petite. » J'dis : « Ben je t'ai demandé de voir quand est-ce que tu voulais, pendant les vacances d'été, prendre la petite, je t'ai pas demandé quand est-ce que tu la prends maintenant mais au moins pour que je sache organiser mon planning d'été ! J'dis parce que moi je dois réserver les stages et tout je dis ça se fait pas simplement quoi ! »

Cécile : Hum.

Edwina : Je dis bah moi à l'époque c'était ma grand-mère qui s'occupait de moi toutes les vacances ! J'sais pas ce qu'elle croit ou quoi, ici, moi j'dois me débrouiller autrement quoi. C'est pas un reproche que je lui fais hein, pas du tout, mais c'était une réalité quoi ! Et c'est vrai qu'elle, elle se rend pas compte, parce que ma grand-mère elle a toujours été hyper disponible pour ses petits-enfants.

Cécile : Vous étiez toujours chez elle ?

Edwina : Tout le temps ! Tout le temps, tout le temps ! Dès que mes parents partaient en vacances enfin, ils partaient pas en vacances, mais dès que mes parents avaient un sou, c'était ma grand-mère, dès que c'étaient les congés scolaires c'était ma grand-mère, dès que c'étaient des congés pédagogiques, c'était ma grand-mère, mercredi après-midi c'était ma grand-mère, vendredi fin de journée c'était ma grand-mère, finalement ma mère elle a quelque peu eu facile. Même si, c'est vrai que ma grand-mère, c'était pas non plus toujours évident pour ma mère, en vrai hein. Ma grand-mère c'était un peu une souillon donc c'était le bonheur partout. On avait été jouer dehors, on avait marché dans la maison ma mère devait nettoyer quand ma grand-mère partait. Donc j'avoue que c'était pas non plus facile mais c'était un arrangement qui lui correspondait bien, on va dire. Enfin, soit ! Et donc je lui fais remarquer que bah voilà… Et donc alors, elle me dit : « Oui tu t'rends pas compte comme tu es méchante ! » J'dis : « Mais je suis pas méchante, j'suis juste réaliste, quoi ! » Je dis : « Je te demande quelque chose, tu me réponds par autre chose. » Je dis : « Donc, c'est que tu évites le sujet. » Elle me dit : « Non, mais non, mais moi j'avais oublié, tu te rends pas compte que j'ai une mauvaise mémoire ! » Je fais : « Ah c'est tout alors ! Je dis, réponds-moi ! » Alors du coup, elle me répond qu'elle prend la petite… qu'elle a ses congés telles et telles dates et je lui réponds, je dis : « Écoute ça sera qu'une semaine sur les trois que tu me proposes parce qu'il y en a une où moi, je suis en congé donc je vais pas te mettre ma fille, il y a une semaine ma belle-mère a déjà pris congé parce qu'elle a pris la première, elle m'a dit voilà j'ai pris telles dates telles dates, est ce que ça te va ? Et moi j'ai déjà bloqué les dates ! Je fais, moi, tu arrives en dernière, je suis désolée mais du coup, y a qu'une semaine où elle va chez toi. » Elle me fait : « Ben oui maintenant tu fais passer les autres avant nous ! » Je fais : « Mais non ! C'est que la circonstance se passe comme ça, c'est pas moi qui choisis. »

15 AUDIO   Page 58, Au cœur du quotidien

Nils : Orelsan c'est vraiment c'est vraiment triste, quoi, enfin c'est pas triste c'est-à-dire que c'est vraiment la critique des gens paumés que crée la société.

Mylène : Hum.

Nils : Tu vois, c'est… il a gagné 3 Victoires de la musique et tout, là cette année.

Mylène : Oui j'ai entendu.

Nils : Euh, après t'as des gars contestataires mais qui ne parlent que de la vie de quartier.

Mylène : Ah oui.

Nils : Mais ça c'est surtout le rap afro, en fait. Après, si tu veux, t'as un autre courant qu'on appelle le rap conscient. Où là, ça passe pas du tout à la radio et pourtant les jeunes l'écoutent beaucoup sur Internet. Et là, c'est, c'est de la de la… c'est des paroles, quoi si tu veux, ils n'ont pas juste 500 mots à leur vocabulaire, tu vois. C'est ce qu'on a pu entendre avec IAM, NTM – enfin NTM c'était un peu plus violent quand même – mais, IAM c'était vraiment de la philosophie, tu vois, c'était un art de vivre et tout. Là c'est ce qu'on appelle aujourd'hui le rap conscient qui fonctionne pas du tout en tant que variété mais bon… les jeunes l'écoutent sur Internet. Ça c'est de la critique sociale pure mais c'est très très bien écrit, tu vois, y a beaucoup de mots de vocabulaire, c'est très varié, c'est très riche. Ce qui passe plus, si tu veux, IAM a essayé de refaire une percée, NTM aussi, enfin les deux ont essayé de refaire une percée y a deux ou trois ans, les albums ont pas du tout marché quoi parce qu'au niveau vocabulaire, c'est trop complexe.

Mylène : D'accord, donc en fait, on va dire, à partir de ce moment-là y a plus d'audience. C'est ça ?

Nils : Non c'est ça, y a plus d'audience.

Mylène : C'est plus possible. Enfin je veux dire, l'audience du rap, elle est limitée ou quoi ?

Nils : Oui elle est limitée. Enfin bon, après, tous les jeunes, tous les jeunes du quartier écoutent et écoutent et écoutent du rap, quand même. Mais si tu veux, quand ça commence à devenir entre guillemets « prise de tête » c'est-à-dire une véritable critique sociale, heu, ce pourquoi le rap est né au départ, si tu veux, et bien les gars, ils zappent.

Mylène : Ah ouais d'accord.

Nils : En fait c'est rigolo parce que il y a des fois ils racontent des histoires mais c'est très rare. C'est plutôt – comment je dirais… – c'est plutôt des portraits, enfin c'est des tableaux.

Mylène : D'accord, ouais.

Nils : Ils te sortent des phrases sans trop de rapport les unes avec les autres. Mais si tu veux l'idée c'est que ça joue à… ça joue à, ça joue à se clasher en fait, dans les musiques, tu vois : « euh Ouais tu crois que je suis ton pote, moi ? mais en fait non, t'as rien compris t'es qu'un con… » Enfin bon tu vois, je te le fais comme ça, quoi. Et y a des fois ils parlent comme ça et ça monte si tu veux, tu deviens très agressif en fait, enfin bon ça c'est depuis toujours.

16 AUDIO   page 60, A : Les mots

À peine eus-je commencé d'écrire, je posai ma main pour jubiler. L'imposture était la même mais j'ai dit que je tenais les mots pour la quintessence des choses. Rien ne me troublait plus que de voir mes pattes de mouche échanger peu à peu leur luisance de feux follets contre la terne consistance de la matière : c'était la réalisation de l'imaginaire. Pris au piège de la nomination, un lion, un capitaine du second Empire, un Bédouin s'introduisaient dans la salle à manger ; ils y demeureraient à jamais captifs, incorporés par les signes ; je crus avoir ancré mes rêves dans le monde par les grattements d'un bec d'acier. Je me fis donner un cahier, une bouteille d'encre violette, j'inscrivis sur la couverture : « Cahier de romans. » Le premier que je menai à bout, je l'intitulai : « Pour un papillon. » Un savant, sa fille, un jeune explorateur athlétique remontaient le cours de l'Amazone en quête d'un papillon précieux. L'argument, les personnages, le détail des aventures, le titre même, j'avais tout emprunté à un récit en images paru le trimestre précédent. Ce plagiat délibéré me délivrait de mes dernières inquiétudes : tout était forcément vrai puisque je n'inventais rien. [...] Me tenais-je pour un copiste ? Non. Mais pour un auteur original : je retouchais, je rajeunissais. [...]

Je ne fus jamais tout à fait dupe de cette « écriture automatique ». Mais le jeu me plaisait aussi pour lui-même : fils unique, je pouvais y jouer seul. Par moments, j'arrêtais ma main, je feignais d'hésiter pour me sentir, front sourcilleux, regard halluciné, un écrivain. J'adorais le plagiat, d'ailleurs, par snobisme et je le poussais délibérément à l'extrême. [...] Tout destinait cette activité nouvelle à n'être qu'une singerie de plus. Ma mère me prodiguait les encouragements, elle introduisait les visiteurs dans la salle à manger pour qu'ils surprissent le jeune créateur à son pupitre d'écolier ; je feignais d'être trop absorbé pour sentir la présence de mes admirateurs ; ils se retiraient sur la pointe des pieds en murmurant que j'étais trop mignon, que c'était trop charmant. Mon oncle Émile me fit cadeau d'une petite machine à écrire dont je ne me servis pas, Mme Picard m'acheta une mappemonde pour que je pusse fixer sans risque d'erreur l'itinéraire de mes globe-trotters. Ma mère recopia mon second roman « Le Marchand de bananes » sur du papier glacé, on le fit circuler. Mamie elle-même m'encourageait : « Au moins, disait-elle, il est sage, il ne fait pas de bruit. » Par bonheur la consécration fut différée par le mécontentement de mon grand-père.

Il n'avait jamais admis ce qu'il appelait mes « mauvaises lectures ». Quand ma mère lui annonça que j'avais commencé d'écrire, il fut d'abord enchanté, espérant, je suppose, une chronique de notre famille avec des observations piquantes et d'adorables naïvetés. Il prit mon cahier, le feuilleta, fit la moue et quitta la salle à manger, outré de retrouver sous ma plume les « bêtises » de mes journaux favoris. Par la suite, il se désintéressa de mon œuvre. [...]

À peine tolérées, passées sous silence, mes activités littéraires tombèrent dans une semi-clandestinité ; je les poursuivais, néanmoins, avec assiduité : aux heures de récréation, le jeudi et le dimanche, aux vacances et, quand j'avais la chance d'être malade, dans mon lit ; je me rappelle des convalescences heureuses, un cahier noir à tranche rouge que je prenais et quittais comme une tapisserie. [...] Mes romans me tenaient lieu de tout. [...]

Je suis né de l'écriture : avant elle, il n'y avait qu'un jeu de miroirs ; dès mon premier roman, je sus qu'un enfant s'était introduit dans le palais de glaces. Écrivant, j'existais, j'échappais aux grandes personnes ; mais je n'existais que pour écrire et si je disais : moi, cela signifiait : moi qui écris. N'importe : je connus la joie ; l'enfant public se donna des rendez-vous privés.

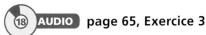 **page 65, Exercice 2**

a Ah la la, j'ai trouvé le temps long à la lecture de ce pavé !

b C'est une histoire pas commune : un homme perd la mémoire et oublie sa langue maternelle. Et en plus, cet homme, c'est l'auteur ! C'est fou, non ?

c Si j'ai aimé ? Ah ça, oui, même si j'ai pleuré comme une madeleine à la fin.

d Ce polar m'a tenu en haleine jusqu'à la dernière page ! Je n'ai pas pu le lâcher du début à la fin !

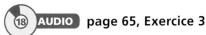 **page 65, Exercice 3**

a – Et tu as signé avec laquelle ?
– Avec Gallimard.
– Génial ! Le lauréat du dernier prix Renaudot aussi, non ? C'est bon signe pour toi !
b – C'est à la fin du deuxième que le chevalier meure ?
– Non, c'est au début du 3, mais j'ai quand même lu les 4 tellement l'histoire est passionnante !

– Moi aussi !
c – Où as-tu trouvé ce bouquin ? Dans ta librairie habituelle ?
– Non, je suis allée sur les quais de la Seine la dernière fois que j'étais à Paris.
– Ah, c'est un livre d'occasion alors.
d – Vous avez « Les Fleurs orangées » ?
– Non, désolé et il ne sera pas réédité.
– Avec le succès qu'il a eu, comment est-ce possible ?

THÈME 9 **Homo futurus**

 page 71, C : Ce qui manque…

Ali Baddou : Quand vous dites qu'il y a eu une révolution dans la manière dont on conçoit et dont on travaille sur l'intelligence artificielle… Avant, on savait à peu près tout ce que pouvait faire une machine ; aujourd'hui on apprend à la machine à apprendre ?

Yann Le Cun : Alors, on apprend à la machine, ça veut dire pour l'instant, quand on veut l'entraîner par exemple, quand on veut construire une machine qui peut reconnaître des objets dans des images – savoir s'il y a un chien, un chat, une table, une chaise – on collecte des milliers d'images avec des chiens, des chats, des tables, des chaises… On montre une image à la machine : si elle ne répond pas la bonne chose, on lui dit : tu t'es trompée, voilà la réponse correcte. Et puis elle ajuste ses paramètres internes, un petit peu de la manière dont on apprend nous.

Ali Baddou : Oui.

Yann Le Cun : Donc dans le cerveau, l'apprentissage se produit par modification de l'efficacité des connexions entre les neurones, entre les cellules nerveuses. Et on fait un petit peu la même chose là : on change des coefficients dans dans ces réseaux de neurones et ils apprennent après quelques milliers d'exemples à reconnaître des chats, des chiens, des tables, des chaises, etc.

Ali Baddou : Les robots sont plus stupides que des rats, avez-vous dit lors d'une conférence. Expliquez-nous ça ! Alors qu'on a l'impression, au contraire, que certaines machines sont plus compliquées, plus complexes, plus douées que les cerveaux humains.

Yann Le Cun : Alors, dans certains domaines, oui. C'est-à-dire que, effectivement, on peut acheter un gadget à 30 euros qui nous bat à plate couture aux échecs… En tout cas, ça me bat aux échecs…

Ali Baddou : Oui, et je pense que l'ensemble des personnes dans ce studio également…

Yann Le Cun : Donc, certainement, il y a des domaines très pointus dans lesquels on peut construire des machines soit à la main, soit les entraîner à partir de ces techniques de « deep learning », dans lequel elles vont avoir des compétences supérieures à la plupart des humains. Donc par exemple, on peut entraîner ces machines de reconnaissance d'images à reconnaître une espèce de plante à partir de la forme des feuilles ou des espèces d'oiseau, etc. à partir de photos.

Ali Baddou : D'accord.

Yann Le Cun : …ce que la plupart des gens, sauf les experts, ne peuvent pas faire.

Ali Baddou : Oui [rires].

Yann Le Cun : …reconnaître tout un tas de choses comme ça. On a des systèmes qui jouent effectivement à des jeux comme les échecs, le go, etc. qui battent les humains à plate couture. Mais ce ne sont pas des systèmes qui ont de l'intelligence générale, c'est-à-dire ce qui caractérise l'intelligence humaine.

Ali Baddou : Ce super-ordinateur, alpha-go-zéro, par exemple, qui est imbattable au jeu de go, qui a encore réussi un exploit dans la nuit, ça, c'est une intelligence spécifique très particulière. Mais qu'est-ce qui lui manque, à ce super-ordinateur ?

Yann Le Cun : Alors, ce n'est pas un super-ordinateur, en fait, c'est un programme qui tourne sur les réseaux d'ordinateurs de Google. Bon, il y a en aussi chez Facebook et autres.

Ali Baddou : Oui.

Yann Le Cun : Donc ce programme s'entraîne en jouant contre des copies de lui-même, qui sont toutes un petit peu différentes, et finit en fait en quelques semaines ou en quelques jours à jouer des millions et des millions de parties, en fait probablement plus de parties de go que la totalité de l'humanité dans les 3 000 dernières années et, finalement, arrive à raffiner des stratégies que les humains n'avaient pas trouvées. Donc, donc ces techniques sont très puissantes quand elles sont appliquées à des domaines très étroits mais…

Ali Baddou : Mais qu'est-ce qui leur manque, Yann Le Cun ?

Yan Le Cun : Alors, ce qui leur manque, c'est la capacité à apprendre par observation, c'est-à-dire savoir comment fonctionne le monde, construire des modèles du monde. Quand on est bébé, on observe le monde et puis on apprend qu'il y a certains objets qui bougent par eux-mêmes, d'autres non ; il y a certains objets qui sont devant les autres ; que le monde est tridimensionnel ; que quand il…

Ali Baddou : Si je prends ce stylo, par exemple, et que je le laisse tomber…

Yann Le Cun : et qu'on laisse tomber, il va tomber, voilà. On apprend ça à peu près vers l'âge de huit mois. Avant huit mois, si on voit un objet qui flotte dans l'air, ça nous paraît tout à fait normal. Donc, ces notions-là, qu'on apprend par observation, on n'a pas de méthodes…

Ali Baddou : Qui font partie du sens commun, on va dire ?

Yann Le Cun : Du sens commun, exactement.

Ali Baddou : Ça, ça manque à la machine aujourd'hui ?

Yann Le Cun : Ça, ça manque à la machine. On ne sait pas comment entraîner les machines pour acquérir ce sens commun. Alors on fait beaucoup de travaux là-dessus. On fait un petit peu de progrès. On espère qu'on va trouver des choses qui vont marcher. Mais le résultat c'est que ces machines, en général, sont entraînées pour une tâche particulière et n'ont pas l'intelligence générale.

Ali Baddou : Les machines, elles font peur, souvent. En tout cas, elles alimentent les fantasmes. Il y a par exemple Stephen Hawking, ce très grand physicien, qui s'inquiète des progrès fulgurants de l'intelligence artificielle et qui dit qu'à terme ça pourrait même mettre fin à l'espèce humaine. Vous, vous avez une conception plus optimiste ?

Yann Le Cun : Oui, alors, Stephen Hawking a un petit peu changé d'avis sur la question, après avoir parlé à certains d'entre nous. Alors lui, en plus, se place dans des prédictions à très très long terme, hein. C'est un cosmologiste donc il chiffre ça en millions d'années.

Ali Baddou : Oui, son temps et le vôtre… c'est en années, en dizaines d'années ?

Yann Le Cun : En dizaines d'années, etc. C'est très difficile de prédire ce qui va se passer à plus de quinze, vingt ans. En général, les prévisions sont toujours sous-estimées… euh… sur-estimées à court terme et sur-estimées à long terme… c'est-à-dire que… euh, le contraire, pardon. Sur-estimées à court terme et sous-estimées à long terme.

Ali Baddou : Alors, partons de choses très simples. Dans dix, vingt ans, on est à peu près sûrs que les voitures se conduiront toutes seules ?

Yann Le Cun : Oui, alors on a déjà les bases de la technologie pour ça. On sait à peu près comment construire ça. Il y a bien sûr beaucoup d'incertitudes, mais on pense effectivement qu'il peut y avoir des premiers déploiements de voitures autonomes d'ici quelques années et puis une généralisation d'ici 20 ans.

Ali Baddou : Et une autre révolution, qui va changer nos vies ? Dont on n'a pas forcément idée, mais qui est née ou qui naîtra de l'intelligence artificielle ?

Yann Le Cun : Alors, il va y avoir aussi une énorme influence sur la médecine, qui va améliorer la fiabilité de certains… de certaines pratiques médicales, permettre de…

Ali Baddou : En radiologie ? Les diagnostics ?

Yann Le Cun : En radiologie, oui, exactement. Grâce à l'analyse image. Et puis qui va permettre aux médecins de se concentrer sur les cas difficiles.

Ali Baddou : C'est passionnant ! Merci infiniment, Yann Le Cun. On aurait aimé vous garder davantage mais l'heure tourne et vous devez retourner dans le futur et nous dans le présent.

page 73, Exercice 5

a – J'en ai ras le bol : Leo rentre tous les soirs après 22 h et il repart le matin à 7 h ! On ne se voit jamais, depuis qu'il a intégré sa compagnie.
– Mais il n'est jamais fatigué ? C'est son patron qui doit être content !
– Oui, il est inépuisable et en plus il reste efficace.

b – Aujourd'hui, avec ces avancées fulgurantes en médecine, beaucoup de chirurgiens souffrent d'un dangereux complexe de supériorité.
– Forcément, quand on arrive à greffer un cœur, ça donne l'illusion d'être tout-puissant. Ils n'ont d'ailleurs pas tout à fait tort, d'ailleurs.

c – C'est de la triche : Joanne a gagné la compétition de natation parce qu'elle portait une combinaison en polyuréthanne qui lui a permis de grappiller de précieuses secondes sur les concurrents.
– Tu es sûr ? Comment le sais-tu ?
– Il y a quelques indices, figure-toi… D'abord sa combinaison… En plus, dans les compétitions précédentes, elle n'avait jamais fait un aussi bon score.

d – Quand le juge Roder a rencontré sa femme, c'était une étudiante en droit encore très jeune alors qu'il était déjà avocat au Barreau de Paris. Il l'a énormément aidée et soutenue. Sans lui, elle n'aurait jamais obtenu ce poste de magistrat à la cour des Comptes.
– Eh bien, ça a été un bon guide puisqu'elle a maintenant dépassé le maître !
– C'est clair !

THÈME 10 **Les sens dans tous les sens**

page 78, C : La civilisation des odeurs

Sophie Joubert : Bonjour, et bienvenue à tous, vivons-nous dans un monde sans odeur ? Pourquoi l'odorat a-t-il longtemps été un sens dévalorisé, comment les fonctions corporelles et leurs émanations ont-elles été refoulées comme les vestiges de notre animalité, que sentait-on dans les villes au Moyen Âge, pourquoi les femmes ont-elles longtemps été accusées de sentir mauvais, qu'est-ce que l'haleine du diable, comment se sont développés les parfums, pourquoi aimons-nous les odeurs florales ou fruitées plutôt que le cuir et le musc, quelles sont les recherches scientifiques menées sur l'odorat depuis une vingtaine d'années, autour de la question, pourquoi la civilisation des odeurs, la réalisation est signée Victor Uhl.

Alain Corbin : On peut considérer qu'à la fin du XVIIIe siècle par exemple, Paris est une véritable mosaïque olfactive, et que durant tout le XIXe siècle, il y a une sorte de mise en ordre de l'espace des odeurs, une répartition de la carte olfactive de la ville, mais en même temps un processus lent de désodorisation. Alors les motivations en sont multiples, il est évident que la mauvaise odeur dans la perspective des théories infectionnistes représentait une menace de maladie et de mort, que la mauvaise odeur représentait aussi, symboliquement si vous voulez, le peuple et que par conséquent tout ce que le peuple, aux yeux des élites sociales, des classes dominantes représentait de menaces dans le domaine à la fois criminel, politique, sanitaire et moral, tout cela pouvait être symboliquement représenté par les odeurs intenses. Et en même temps, dans la mesure où le XIXe siècle est un moment de construction du sujet, une période de développement de l'individualisme, etc. L'idée de se désodoriser et de laisser percevoir les odeurs personnelles était tout à fait logique dans cette société.

Sophie Joubert : Robert Muchenbled, on arrive au terme de la période que vous couvrez dans ce livre, « La civilisation des odeurs », XVIe, début XIXe, on va voir comment se produit la deuxième révolution olfactive, comment les notes florales et fruitées vont remplacer les odeurs plus animales, je voudrais vous faire écouter la voix du parfumeur Jean-Claude Ellena, il était l'invité il y a quelque jours de « L'Heure bleue », sur France Inter.

Jean-Claude Ellena : Nous sommes des animaux, des animaux très éduqués, très sophistiqués mais nous sommes des animaux. En fait aujourd'hui et depuis quelques années, on rejette notre partie animale, il y a un rejet de la partie animale qui est absolument extraordinaire, ce qui fait que même au niveau des parfums, on rejette notre partie animale. Oui, le parfum est notre part animale, mais on rejette la part animale du parfum dans les parfums, c'est-à-dire que les substances animales qu'on utilisait naguère dans les parfums on les utilise plus. Ça dérange, ça dérange, il y a quelque chose de, une volonté peut-être éternelle et donc de faire des parfums qui sentent, euh, qui ne sentent rien. C'est ça qui est extraordinaire, mais c'est absolument fou, on est à côté de notre nez en faisant ça. Alors que rien de tel qu'une partie d'animalité dans les parfums pour justement mettre de l'affectif, mettre de l'émotion, et me rapprocher de l'autre.

Sophie Joubert : Ça vous parle, Robert Muchenbled ?

Robert Muchenbled : Oui, mais ce qu'il dit, s'est passé précisément au XVIIIᵉ siècle. Il y a eu un rejet complet, total, du musc, de la civette et de l'ambre. Bon, la peste a cessé, on n'en avait plus besoin, mais c'est pas seulement ça, c'est une civilisation qui s'est entièrement modifiée. C'est une civilisation de guerriers à cheval qui puaient comme des bêtes, qui aimaient la senteur animale, qui s'inondaient de ces parfums très animaux, qui devient une civilisation d'hommes du XVIIIᵉ siècle, qui n'aiment pas trop la guerre, qui sont emperruqués, entourés de fards, de beaux vêtements, de choses somptueuses, dans une France hédoniste qui est la maîtresse du monde.

Sophie Joubert : Ils vont commencer à prendre des bains aussi.

Robert Muchenbled : Ils commencent, ils ont commencé à prendre des bains dès le milieu du XVIIᵉ siècle, effectivement, contrairement à ce qu'on croyait, euh, il y a eu une remontée de la notion d'hygiène, non pas d'hygiène c'est pas de l'hygiène, c'est le fait qu'on a commencé à en avoir assez des puanteurs infinies qui étaient exhalées par tout le monde. Y compris par le roi, parce que…

Sophie Joubert : Le roi sentait des pieds.

Robert Muchenbled : Il avait une dormi dose euh, alors, il y a eu en fait une sorte de, moi, mon hypothèse, parce qu'il faudrait la vérifier de plus près, mon hypothèse, c'est qu'on passe d'une société masculine, guerrière, très machiste, à une société de plus en plus influencée par les femmes, les femmes de la haute société, les femmes du temps des Lumières, qui envahissent l'imaginaire social et qui imposent un érotisme qui est maintenant fruité et floral, qui n'est plus à base de senteurs puantes, parce que ce que dit le parfumeur c'est vrai, mais le musc naturel et surtout la civette puent naturellement. Pour en faire un parfum il faut vraiment composer, il faut faire disparaître des effluves qui pour nos nez actuels sont très difficiles à accepter. C'est pour ça qu'on utilise d'ailleurs des muscs chimiques et non pas des muscs animaux, indépendamment du problème animal lui-même. Mais ce qu'il dit, j'ai découvert que ça revient dans la civilisation américaine depuis trois ou quatre ans.

Sophie Joubert : Bizarrement, alors puisque les États-Unis et l'Amérique du nord sont complètement désodorisés…

Robert Muchenbled : Ils sont, ils sont, ils voudraient être désodorisés, c'est la hantise des américains, la hantise des microbes. La désodorisation qu'on peut appeler aussi religieuse parce qu'il faut pas avoir de poils, les poils c'est malgracieux et ça retient les odeurs. Il y a trois ans, un homme idéal, jeune, n'avait aucun poil, sur la tête et nulle part, et il n'avait aucune odeur, ni bonne, ni mauvaise. Toute odeur était négative. Mais on a découvert que les odeurs musquées pouvaient, pourraient peut-être plaire à ces gens qui sont dans une société où il n'y a pas beaucoup de plaisir, où, qui n'a pas beaucoup de nuances en fait.

Sophie Joubert : Et donc on invente des parfums qui sentent le castor, la civette, la chauve-souris, ou le panda, c'est très très amusant.

Robert Muchenbled : Ou bien, il y en a un qui a été inventé à New York très récemment, qui s'appelle « suédois », et qui sent le cuir, ce qui était le cas autrefois, parce que tous les cuirs étaient parfumés, parfumés à la civette, tout comme le tabac était parfumé à la civette et au musc. Alors effectivement, on vise un public de milleniums, pour leur dire : « Attention, avec ça vous allez faire un malheur parmi les dames dans les boîtes de nuit. »

Sophie Joubert : Et vous concluez ce livre en évoquant la figure de pépé le putois, ce petit sconse de dessin animé, à l'accent de Maurice Chevalier, et qui incarne le parfait séducteur français. Merci beaucoup

Robert Muchenbled, ce livre passionnant « La Civilisation des odeurs » vient de paraître aux éditions des Belles Lettres, merci à Victor Uhl pour la réalisation, à Cécile Bonici et Viviane Lefèvre pour les archives, à vendredi prochain.

 Page 80, Au cœur du quotidien

Louise : En fait j'ai noté que quand je masse, parfois, je ressens certains symptômes qui ne sont pas les miens. Donc du coup, c'est bizarre. Alors je demande à la personne : est-ce que tu as eu ça ? Est-ce que t'as mal là ? C'est trop chaud là… Hier par exemple j'ai massé quelqu'un, je massais le cou, et puis là je suis montée sur son visage, je lui avais fait un massage anti-âge. Et voilà, en fait c'était ça, tout à coup j'ai senti une sensation de mal de crâne, une de ces douleurs de mal de crâne, un truc lourd. Elle me dit : « Mais j'ai pas mal à la tête en fait. » Et donc je la masse et au moment où je la masse, je sens que c'est chaud, ça brûle, je me dis : « C'est quoi ce truc ? » Et donc voilà, je la masse, je la masse, j'essaie vraiment de détendre toute cette partie-là. Et puis, après le massage, je lui dis : « Mais euh, est ce que t'as des migraines ? » Elle me dit : « Bah en fait, j'ai très très mal à la tête aujourd'hui. » Et je lui dis : « Ah bon, c'est bizarre, et tout… » parce que même mon corps ressentait sa douleur. Et en plus quand j'ai mis la main, ça brûlait ! C'était comme si ma main m'appelait et me disait : « Va masser dans cette zone-là. » C'était trop particulier ! Mais j'avais pas ça avant, il y a des nouvelles choses qui se développent dans le toucher.

Cécile : En fait tu ressens ce que sent la personne ?

Louise : Ouais, mais après, c'est pas avec tout le monde. Faut que la personne soit connectée. C'est souvent des gens qui sont connectés avec leur corps aussi, qui arrivent à ressentir des choses. Après, oui, je pense que… oui les gens ont vraiment besoin de se faire masser, parce que je trouve que c'est quelque chose d'important, je sais pas…

Cécile : Ouais, le contact physique, en fait.

Louise : Bah ouais, se faire toucher, quoi. C'est quelque chose de vital, tu vois, un enfant qui se fait pas toucher, il meurt quand il est bébé. Donc du coup, c'est un peu revenir à cette phase inconsciente de notre être, de se faire toucher.

Cécile : Mais tu le sens ça ? Le manque des gens, par exemple, certaines personnes qui ont ce besoin plus que d'autres quand toi tu masses ?

Louise : Comment ça ?

Cécile : Est-ce que tu sens que certaines personnes par rapport à d'autres, elles ont besoin d'être touchées ?

Louise : Oui et c'est souvent les gens qui aiment le moins être touchés. Ça leur fait vraiment du bien. Et puis il y a les odeurs aussi. Nous par exemple on utilise des huiles. C'est important ça aussi, c'est comme un souvenir olfactif. Comme quand tu voyages un peu quoi. Tous les sens réagissent. Mais les gens s'en rendent pas toujours compte, c'est très subtil.

Cécile : C'est vrai ça, il y a des odeurs aussi qui provoquent des souvenirs, plus ou moins agréables.

Louise : Ouais tu vois, en fait, parce que les odeurs en Afrique, par exemple, sont tout à fait différentes que les odeurs de, d'ici, ou que les odeurs en Amérique du Sud, par exemple. Tu sais, la, la pluie, euh, je ne sais pas, tu sais, avec cette odeur de pluie chaude… alors que ici c'est de la pluie toute froide, dégoûtante. Je sais pas. La pluie sur la terre, chaude, comme ça… Ça dégage une odeur forte qu'on sent rarement ici. Et ça ça me rappelle plein de souvenir de mon enfance.

Cécile : C'est vrai ça sent ! Ça sent fort !

Louise : C'est vrai ça, ça sent bon ! Je sais pas, j'adore cette odeur. Et puis même, l'odeur de, de, de la chlorophylle des plantes, quoi. Je sais pas, tu vois, ça sent super bon. Euh, et même ici par exemple, tu vois quand le printemps va commencer, tu sens les odeurs, les fleurs, et tout d'un coup tu te dis, même si, même s'il fait pas beau, tu sens cette odeur et tu dis ok j'ai confiance. Le printemps arrive !

AUDIO **page 85, Exercice 1**

a Un témoin de la première guerre mondiale témoigne : La guerre des tranchées était horrible, inimaginable aujourd'hui. Partir combattre en première ligne nous rendait malades, nous étions tous effrayés. L'artillerie adverse pouvait nous canarder pendant des heures. Ou alors rien ne se passait pendant des jours, il fallait attendre au milieu des rats, des odeurs infectes, les pieds dans la boue sans pouvoir même s'asseoir. J'étais terrorisé par les attaques aux gaz chimiques.

b Un reporter de guerre témoigne : Pendant ce conflit, il était pratiquement impossible de faire notre métier de journalistes. Les belligérants voulaient cacher leurs crimes de guerre respectifs et nous étions devenus des cibles potentielles. Les massacres ont été très nombreux, aucun cessez-le-feu n'a pu être négocié pendant des mois.

THÈME **12** Sous toutes les coutures

 AUDIO **Page 90, B : Mode jetable**

Éric Delvaux : La chronique Social Lab de Valère Corréard. Bonjour Valère.

Valère Corréard : Bonjour Éric.

Éric Delvaux : Vous êtes directeur de la rédaction du pure player ID, ID pour « info durable ». Alors questions ce matin sur toutes ces grandes marques qui vendent toujours moins cher. On appelle ça la «fast-fashion».

Valère Corréard : Oui ! Cette mode qui ne connaît plus les saisons. Vous vous souvenez d'ailleurs peut-être, Éric, des éditions Printemps-Été et Automne-Hiver de catalogues de vente à domicile.

Éric Delvaux : Oui.

Valère Corréard : Oui, il y en avait 2 par an en fait.

Éric Delvaux : Oui, la Redoute et euh… l'autre… j'ai oublié…

Valère Corréard : C'était les 3 Suisses peut-être.

Éric Delvaux : Les 3 Suisses !

Valère Corréard : Voilà ! Et bien sachez que la fast-fashion, qui est représentée par les Zara, H&M, Primark ou encore Mango pour n'en citer qu'une partie, vont jusqu'à proposer, eux, une saison par semaine en fait, une ligne par semaine. Objectif : toujours plus d'offres à prix cassés, avec un coût de fabrication vampirisé par le marketing au détriment de tout le reste. Le modèle ne tient pas debout.

Éric Delvaux : Oui alors ce modèle du prêt-à-porter pour tous, il a certes démocratisé la mode, mais hélas, aussi, avec des conséquences insoupçonnées…

Valère Corréard : Oui, insoupçonnées mais énormes sur le plan environnemental, d'abord. L'industrie textile est la plus polluante au monde, juste après le pétrole. On achète en moyenne 60 % de vêtements en plus qu'il y a 15 ans, alors que nous les conservons moitié moins longtemps. Et je vais enfoncer le clou ce matin, Éric, il faut l'équivalent en eau de 70 douches pour fabriquer un simple tee-shirt, et pendant ce temps, 70 % de notre garde-robe resterait au placard.

Éric Delvaux : Et l'impact de cette industrie, il est négatif pour l'environnement, négatif aussi d'ailleurs sur le plan social.

Valère Corréard : Ah oui, il ne fait pas bon travailler dans les pays en voie de développement pour la fast-fashion. Depuis la culture intensive du coton jusqu'aux ateliers de couture, ou aux usines de teinture, le non-respect des normes sanitaires ou sociales élémentaires serait monnaie courante et bien sûr tout le monde se renvoie la balle. Les exemples fleurissent, d'ailleurs, dans les médias. Je pense notamment à un reportage en Inde diffusé récemment sur France 2, appelé « La face cachée du coton ». On y voyait un médecin de campagne constater la multiplication des cas d'autisme chez les enfants vivants près d'exploitation de coton. Ou alors on pense bien sûr aussi au drame très médiatisé du Rana Plaza en 2013 qui avait coûté la vie à plus de 1000 personnes travaillant dans des ateliers insalubres. Les exemples, mal-

heureusement, ne manquent pas, même si les grandes marques commencent à développer des pratiques qui semblent plus responsables.

Éric Delvaux : Cela dit, une fois informé, chacun peut agir et changer de modèle, hein, finalement ?

Valère Corréard : Ah beh c'est clair, on passe de consommateurs à « consomm-acteurs ». Le marché tient bien sûr les ficelles de l'offre. Un premier critère utile par exemple : acheter moins, mais mieux. C'est ce que nous a expliqué Emmanuelle Vibert. Elle est journaliste, spécialisée en consommation responsable.

Emmanuelle Vibert : Comme la tentation est immense avec les prix bas, on achète plein de choses, dont on se lasse très vite, voire qu'on ne porte jamais. Il y a énormément de vêtements qui dorment dans les placards, et qu'on n'a même jamais portés. Donc c'est commencer à faire des économies, en achetant moins pour pouvoir ensuite acheter des vêtements un peu plus chers, mais éthiquement plus responsables. Le marqueur du « made in France » peut… est assez facile et peut aider, parce que le… en France, on a quand même des normes sociales qui sont très correctes, donc on peut acheter du « made in France ». C'est une garantie éthique intéressante. Après, il y a des marques qui font du bio, d'autres qui font du commerce équitable… Enfin il y a tout un panel de marques, dites, qui appartiennent à la famille de la mode éthique aujourd'hui vers lesquelles on peut se tourner.

Valère Corréard : Voilà pour consommer moins mais mieux. Mais vous pouvez aussi consommer, et même faire des économies. Ça c'est possible, et cette solution est vieille comme le monde. Emmanuelle Vibert.

Emmanuelle Vibert : C'est d'acheter du second main. Alors on peut aller dans les friperies. Euh, ce qui demande un peu de temps, parce que c'est vrai que ça coûte le prix d'un café, un vêtement, dans les friperies, mais il faut quand même chercher, euh pour dénicher les pièces qui conviennent. Mais il y a aussi aujourd'hui plein de nouveaux modes de distribution de la seconde main qui se développent, avec des vêtements qui sont déjà sélectionnés, lavés, dans les dépôts-ventes, les vide-dressings, les dépôts-ventes en ligne aussi. On a un large panel d'endroits où on peut consommer de la seconde main.

Valère Corréard : Voilà donc, en résumé, la mode éthique avec les marques, les plateformes et les logos, la seconde main, le « made in France » et puis n'oublions pas la durée de vie de nos vêtements avec la réparation, même la création. On peut ressortir les fils et les aiguilles. Et si vous êtes largués, je vous recommande justement ce livre d'Emmanuelle Vibert, ça s'appelle « Couture Récup', coudre pour résister au grand gaspillage », et c'est aux éditions rue de l'Échiquier.

Éric Delvaux : Valère Corréard, et l'info durable, c'est aussi sur franceinter.fr.

 AUDIO **page 91, Exercice 5**

a Mais cette veste est beaucoup trop longue, voyons ! Il faut couper ici, et un peu là aussi.

b Non mais t'es trop une fashion victim. En 2 heures t'es déjà allé dans 3 boutiques !!!

c Tu aurais vu sa robe… Elle brillait de mille feux. Une merveille !

d Pour une fois, Sylvain a fait un effort pour le mariage de Chloé : il était super élégant, avec son gilet et son costume à rayures.

e Non, je ne suis pas convaincu par cette couleur pour ce modèle, elle est trop fade, presque délavée.

THÈME **13** La faim de la consommation

 AUDIO **page 96, B : Haro sur la pub**

Voix off : Le soleil vient de se lever… Il faudrait être fou pour dépenser plus… Il faut bien secouer, sinon la pulpe, elle reste en bas. Buvez, éliminez…

Ali Rebeihi : Bonjour Thibaut de Saint-Maurice.

Thibaut de Saint-Maurice : Bonjour, Ali.

Ali Rebeihi : Hypothèse radicale ce matin : et si pour consommer moins, on supprimait la pub ?

Voix off : Ça s'appelle le RAP, résistance à l'agression publicitaire ; le BAP, brigade anti-pub, ou qu'ils ne se revendiquent d'aucune étiquette, ils partagent le même constat : la publicité est une pollution visuelle, une incitation à la surconsommation contre laquelle il convient de lutter.

Homme : La pub, il y en a partout, de plus en plus. Elle est sur Internet, elle est sur nos télés, elle est là dans le métro, dans la rue, on [ne] peut pas y couper, quoi, on [ne] peut pas éteindre l'écran.

Thibaut de Saint-Maurice : Extrait, donc, d'un reportage de l'alter-JT sur les actions de ces militants anti-pub dans le métro parisien, voilà, parce que la présence de la publicité agace suffisamment pour qu'elle soit considérée par certains, on l'a entendu, comme une agression, comme une pollution.

Et sur le fond, le mouvement anti-pub fait essentiellement deux reproches à la publicité : un, elle nous manipule, elle nous fabrique des désirs inutiles et deux, c'est la conséquence, elle nous ferait consommer donc toujours plus et encore plus pour satisfaire ses désirs inutiles au risque – et on l'a déjà un petit peu évoqué – de l'épuisement de nos ressources et du gaspillage.

Ali Rebeihi : Mais du coup pourquoi les marques continuent-elles à faire de la pub ?

Thibaut de Saint-Maurice : Ben parce que pour les marques la publicité ou la communication en général, ça a une fonction économique. Et puis ça reste aussi le meilleur moyen d'installer une relation avec le consommateur. Et le plus important, ce n'est pas tellement le contenu du discours mais c'est le fait qu'il nous soit adressé, à nous, consommateurs. Alors c'est le sociologue Jean Baudrillard, hein, qui a pas mal étudié la société de consommation, et qui nous explique ça dans son livre « Le système des objets ». Baudrillard distingue entre l'impératif publicitaire, c'est-à-dire le contenu de la pub, ce que nous dit la pub et ce qu'il appelle l'indicatif publicitaire, c'est-à-dire le fait qu'il y ait une publicité, la relation que la publicité installe. Alors c'est un peu comme quand on reçoit des cartes postales l'été. Il y a le contenu : alors généralement ça dit « il fait beau, il fait chaud, on passe de super vacances ». Donc le contenu est assez peu intéressant, et il y a le fait qu'il y ait une carte et le fait qu'envoyer ou recevoir une carte postale, eh ben ça justement, ça indique un lien, ça fait plaisir, ça montre qu'on a pensé à l'autre.

Ali Rebeihi : Alors la pub crée peut-être un lien mais c'est un lien qui nous manipule.

Thibaut de Saint-Maurice : Oui, alors c'est ce qu'on lui reproche, et puis vous en avez aussi parlé hier à propos de l'alimentation, mais c'est intéressant ce reproche parce que, à mon sens, il repose sur un malentendu. Et c'est bien tout le problème philosophique que pose la publicité. C'est qu'elle nous fait nous découvrir non pas comme de pures volontés, dotés d'un libre-arbitre à toute épreuve comme Descartes, par exemple, a pu le penser, mais elle nous fait nous découvrir comme des êtres influençables. Et toute la sociologie et toute la psychologie sociale explorent les causes de cette fragilité, elles nous disent comment s'exerce l'influence de la publicité sur nous et donc elle nous fait découvrir qu'il y a des normes, du conformisme, des dynamiques de groupe et de la lutte pour des positions sociales.

Ali Rebeihi : Mais au fond, pourquoi sommes-nous soumis à ces influences et à ces envies ?

Thibaut de Saint-Maurice : Eh bien c'est là où il faut continuer de dissiper le malentendu. Alors ce n'est pas la faute de la publicité si nous désirons des choses – je sais que ça ne va pas forcément faire plaisir à tout le monde – mais le problème est d'abord en nous. Si nous sommes influencés par la publicité, au fond, c'est parce que nous sommes, comme disait le philosophe Gaston Bachelard, des créations du désir et non pas du besoin. La publicité installe une relation avec nous en assumant nos désirs, en les transformant, en les démultipliant aussi. Bref, la publicité parle directement à nos désirs et elle a peut-être mieux compris que nous la place du désir dans notre existence. Spinoza, de son côté, nous apprend que le désir est toujours premier. Il est la révélation de la nature profonde de notre être et si nous désirons une chose, ce n'est pas parce qu'elle est bonne mais au contraire, nous la jugeons bonne parce que nous la désirons.

Voilà, la pub ne crée donc pas le désir, elle se contente de le révéler. Il ne suffit donc pas de la supprimer pour consommer moins. En revanche, il faut prendre le temps de connaître ces désirs, de les distinguer, et pourquoi pas de les convertir pour consommer autrement. Mais cette conversion-là, elle dépend d'abord de nous.

 AUDIO **page 98, Au cœur du quotidien**

Jackie : Je me suis achetée une belle veste chez Armani.

Mireille : Oh, je sens que vous avez fait des folies.

Lucie : Une noire ?

Mireille : Quelle couleur ?

Lucie : Ou grise ?

Jackie : Rose.

Mireille : Rose bonbon ? Non, j'rigole, j'rigole.

Jackie : Avec des petites roses.

Mireille : Non mais rose vraiment rose ?

Jackie : Non, vieux rose. Et puis j'ai acheté aussi la doudoune que j'avais tout à l'heure.

Mireille : D'accord.

Lucie : Chez Armani ?

Jackie : Oui.

Mireille : C'était la liquidation ou quoi ?

Jackie : Non, les soldes.

Lucie : Ah, c'était vos soldes ! C'est les seuls soldes que vous avez faites ou vous en avez fait d'autres ?

Jackie : Pas vraiment… Même si j'avais l'intention de ne pas en faire.

Lucie : Ah !

Jackie : Ça aussi.

Mireille : Vous avez craqué ?

Jackie : Oui.

Lucie : C'est vrai, c'est joli.

Mireille : Mais en fait, ils ont fait une étude sur justement toutes ces réductions, et notamment parce qu'en fait c'est soldé tout le temps.

Jackie : Ah ben tout le temps, tout le temps, tout le temps.

Mireille : Et en fait ils se sont rendu compte que la veille des soldes…

Lucie : Oui, ils augmentent les prix.

Jackie : Oui, c'est connu.

Mireille : Ils augmentent les prix au 21 décembre. Et en plus, au niveau des soldes, y a des jours où c'est plus intéressant que d'autres.

Lucie : Ah bon ?

Mireille : Ouais, ouais.

Lucie : Jeudi c'est mieux, parce qu'ils changent les prix.

Jackie : Bien sûr. Moi, de toute façon, je reçois les choses de… ventes privées, les trucs de tous les magasins où je vais. Il y a parfois de belles promotions.

Mireille : C'est sûr ! Ils ont toujours besoin de vous.

Jackie : Bien sûr ! Enfin, de moi et de tous leurs clients.

Mireille : Non mais bien sûr.

Lucie : Moi, j'achète pratiquement plus jamais rien ou presque, sauf en braderies ou en dépôts-ventes.

Mireille : Je comprends. Parce que les prix qu'on paye, c'est déjà monstrueux !

Lucie : Oui, c'est beaucoup.

Mireille : Tous les prix sont surfaits.

Lucie : C'est aberrant !

Jackie : Par rapport aux matières.

Mireille : En soldes, c'est quasiment le prix normal, et encore.

Jackie : Mais même chez Armani ! Ben oui, c'est des trucs faits en Chine. Les prix sont bien plus élevés qu'avant. Et c'est pas la haute couture de chez Armani, c'est Emporio Armani, c'est pas les hautes sphères. Et malgré ça, une veste Emporio Armani, c'est 650 euros. C'est dingue !

Mireille : Complètement !

Jackie : Et même soldée à 400 euros, c'est insensé. Ça devrait en coûter maximum 200.

Lucie : C'est ce que j'allais dire.

Jackie : On fait payer le nom, bien sûr. Et le fait que ce tissu-là, on ne le trouve pas partout.

Lucie : Ben voyons…

28 AUDIO page 102, C : Psychiatrie publique

René Frydman : J'aimerais qu'on commence notre entretien par un peu d'histoire parce que cette histoire est quand même assez fantastique. D'un côté, bien sûr, au Moyen Âge, les fous sont complètement… je veux dire… stigmatisés : c'est la sorcellerie, c'est le bûcher, c'est les exorcismes ; d'un autre côté, y a le carnaval, la journée des fous, le roi des fous, Quasimodo dans le roman de Victor Hugo qui est le pape des fous, donc une folie qui est acceptée mais une journée par an à peu près. Et puis, donc on a l'évolution, très rapidement pour survoler : Louis XIV qui met fin aux procès en sorcellerie, et puis on a donc la Révolution avec Pinel[1] surtout qui va libérer les aliénés de leurs chaînes, en tous les cas, non pas de tout mais au moins de leurs chaînes à Bicêtre et puis ensuite à la Salpêtrière, donc on est 1793. Jusque-là c'était vraiment horrible de l'horrible pour les malades mentaux qui étaient enfermés comme ça. Je passe tout de suite, je survole : 1838, Louis-Philippe, une loi qui va quand même, concernant donc les aliénés, et qui va durer jusqu'en 1990. Donc c'est quand même… Alors qu'est-ce qu'elle dit cette loi de 38 ?

Yves Buin : Alors la loi de 38 a été votée…

René Frydman : 1838.

Yves Buin : 1838, oui, a été votée à l'Assemblée nationale après des débats passionnés, où on peut noter qu'il y avait une haute tenue, puisque c'était quand même un débat humaniste qui visait dans la postérité de Pinel et d'Esquirol[2] à rendre aux fous une dignité et une humanité. Mais vu l'état de la société, vu le fait qu'il fallait fermer ces fameux hôpitaux généraux qui étaient une espèce de lieu de mélange de population atypique, voire délinquante, voire criminelle qui était mélangée avec les insensés, comme on les appelait…

René Frydman : Comme on les appelait à ce moment-là oui.

Yves Buin : …il fallait donner la possibilité aux insensés d'avoir des lieux où ils soient reconnus comme êtres humains où ils puissent être soignés.

René Frydman : Encore qu'à l'époque on n'avait pas beaucoup d'éléments, mais enfin bon ils sont au moins dans un endroit où ils sont reconnus.

Yves Buin : Voilà, où ils sont reconnus, où ils peuvent vaquer à des occupations.

René Frydman : Ils peuvent même avoir une activité rémunérée. C'est autorisé.

Yves Buin : Oui, oui la décision est prise de créer un asile départemental, alors asile au sens originel du mot, c'est-à-dire un lieu d'accueil.

René Frydman : Un lieu de protection.

Yves Buin : Un lieu de protection et d'accueil, et d'être disjoint de l'urbain, la France est encore très rurale à ce moment-là, donc les asiles vont être départementaux et hors des villes pour justement préserver cette autonomie relative bien sûr des insensés. Les effets de la loi vont traîner sur des décennies puisque je crois que le dernier asile départemental construit et reconnu comme tel sera à la fin du siècle, du XIXe. Ça va donc s'étaler sur des décennies. Alors ce principe généreux, de bonne intention va progressivement quand même se pervertir puisque les asiles n'auront plus de nom que asile mais dans la pratique quotidienne seront des lieux d'enfermement et où il y a aura peu de possibilité évolutive, et d'ailleurs le personnel ne sera pas constitué de soignants mais de gardiens, qui feront ce qu'ils peuvent mais qui seront plus dans la coercition qu'on le veuille ou non avec des traitements un peu barbares qu'un psychiatre dans les années 70 avait rappelés dans un livre sur la barbarie psychiatrique, Bernard de Fréminville[3] qui était l'auteur, et où il y avait, je me rappelle, des traitements absolument indécents avec des hydrothérapies sauvages, des suspensions par les pieds, des choses comme ça. Et puis très peu de médication, évidemment.

René Frydman : Oui, les médications vont venir faut dire beaucoup plus tard, 1950 les premiers neuroleptiques.

Yves Buin : Ce qui va amener des réflexions, des débats d'ailleurs sur la nécessité ou pas des asiles, et déjà des prémices de ce que sera la psychiatrie moderne, avec « ouvrir les portes ou non ».

1. Philippe Pinel : médecin renommé dans la psychiatrie né en 1745 et mort en 1826. Auteur de la classification des maladies mentales.
2. Jean-Étienne Esquirol : père fondateur de la loi de 1838 portant sur la prise en charge des malades mentaux, né en 1772 et mort en 1840.
3. Bernard de Fréminville : médecin psychiatre qui a exercé dans les années 70 en France.

 29 AUDIO page 103, Exercice 1

a – Il a toujours eu des idées farfelues, un peu loufoques comme peindre du blanc…
– C'est un artiste, quoi !
b – C'est depuis la mort de son père qu'il est déséquilibré.
– Il doit rencontrer le docteur Sevran et entamer un traitement médical.
c – Le forcené a été arrêté par la police.
– Et les otages ?
– Tous libérés, et sains et saufs.
d – Il est complètement marteau : il a quitté son boulot et il va élever des chèvres à la campagne.
– Non !? Et sa famille ? Et son prêt bancaire ? Comment est-ce qu'il va faire ?

30 AUDIO page 103, Exercice 4

a Malheureusement, ce type de pathologies ne se soigne pas. Il n'y a aucune guérison possible…
b Il a décidé de créer son entreprise. Il ne parle plus que de ça, c'est son idée fixe du moment !
c J'ai entendu dire que ce traitement qui consiste à envoyer un courant électrique dans le corps via le cuir chevelu est efficace dans certains cas.
d Le malade mental à l'hôpital psychiatrique et le moine dans son monastère utilisent le même mot pour désigner leur chambre. La coïncidence est amusante.

THÈME 15 L'imagination au pouvoir

 31 AUDIO page 108, B : Interpréter ses rêves

Claire Hédon : Bonjour à tous. Nous faisons tous des rêves, mais certains n'en ont aucun souvenir, d'autres au contraire cherchent à les décortiquer, à les comprendre, à leur donner une signification. Depuis Freud la recherche psychanalytique ne cesse de s'intéresser aux rêves qui en disent long sur nous, peut-être sur notre inconscient, ils révèlent nos désirs, nos souhaits… Alors en quoi ce travail sur les rêves permet-il de mieux se comprendre ? Comment interpréter les rêves ? C'est ce qu'on va voir avec mon invité aujourd'hui. Je dirais un spécialiste des rêves, Tobie Nathan qui est psychologue spécialisé en ethnopsychiatrie, professeur émérite de psychologie clinique à l'université Paris 8, il vient de publier « Les secrets de vos rêves » c'est un livre qui paraît aux éditions Odile Jacob. Alors Philippine Le Bret est allée recueillir le témoignage de Sarah, elle a 24 ans, elle est franco-serbo-monténégrine. Dans sa famille l'interprétation des rêves est une pratique importante qui permet d'anticiper les événements de la vie réelle, une pratique que Sarah a découvert assez tôt à l'âge de 15 ans, et elle se souvient justement très précisément de son premier rêve marquant.

Sarah : Un soir, bref je vais me coucher, et le matin je me réveille et en fait le rêve m'a encore frappée et encore aujourd'hui c'est le pire rêve, je pense, de toute ma vie. En fait, j'étais à la plage avec deux de mes meilleures amies et j'avais envie d'aller dormir, et je monte une dune de sable qui était, mais comme une montagne, et en fait j'arrive devant un immeuble, et je me tourne vers mes amies qui sont mortes de rire et je les regarde et je fais : « Mais pourquoi vous rigolez ? » Elles m'font :

« Mais regarde ! Tes dents sont tombées ! » Et en fait je baisse la tête et je tenais dans mes mains ma gencive du haut, avec toutes mes dents. En fait, elles étaient tellement morte de rire que le sang me coulait sur le visage, mais je me rendais pas compte, et j'étais là : « Mais arrêtez de vous moquer, aidez-moi à les remettre ! » Et donc, en gros on essaie de replanter mes dents dans ma gencive du haut et je sais que j'étais trop contente parce qu'on avait réussi.

Bizarrement, je prends l'ascenseur alors qu'on n'était pas du tout chez moi et là j'arrive et l'ascenseur m'emmène chez moi, et y avait un mec trop bizarre dans l'ascenseur, complètement… enfin que j'avais jamais vu et tout, et petite parenthèse, le rêve est tellement puissant que j'avais vraiment l'impression que ça arrivait… Et j'arrive chez moi, vers trois heures du matin, je rentre, je vais dans ma chambre, et je vois mon père dormir à ma place. OK très bien, et là je me tourne, je regarde en fait je fais le tour de la chambre et en revenant vers la plage vide y avait une énorme femme, mais une énorme femme, énorme en taille, en largeur, complètement nue, très ridée, très vieille, et qui me regarde en explosant de rire ! Et en fait là je commence à m'énerver, et je commence à pousser les trucs de mon bureau pour essayer de lui faire mal, et elle reste complètement de marbre et elle vient vers moi, et elle explose de rire et là elle fait le mouvement comme si elle avait un bâton comme si elle me tapait au niveau des mollets et là je sens mes os juste craquer et je tombe par terre et c'est en fait là où je me réveille. Et je reste hantée par ce truc, au bout de deux jours je me dis, bon je vais le dire quand même à ma mère et à mon père, et j'en parle et ça a pris une dimension, mais c'était une affaire d'État dans ma famille. Moi j'ai bien compris que ça voulait dire quelque chose puisque tout le monde était affolé, donc je me renseigne de mon côté. Et sauf ben bien sûr, pourquoi ils me l'ont caché c'est que y avait que des choses négatives dans ce rêve là et que rêver d'une vieille femme nue c'est, enfin de ce qu'on m'avait dit à l'époque, un des pires symboles que l'on peut vivre et en fait a posteriori de ça des événements assez tragiques sont arrivés dans notre famille et c'est arrivé peu de temps, c'est vrai, après ce rêve-là. Et c'est passé à travers mon père, mes deux meilleures amies qui était supposées m'aider à remettre mes dents ne sont plus aujourd'hui mes meilleures amies et peu de temps de ça m'ont vraiment beaucoup trahie, m'ont fait beaucoup de mal. C'est vrai qu'après ce rêve-là, les choses, les événements qui se sont enchaînés, ont été assez, assez négatifs et assez dramatiques.

Philippine Le Bret : Donc ça veut dire qu'en fait pour vous l'interprétation des rêves c'est une façon de prédire ce qu'il va se passer dans le futur ?

Sarah : Nous, dans notre cas c'est vrai que, à quoi… 98 % du temps, c'est que les choses ont été vraies, autant positives que négatives. Et si t'as la possibilité d'être averti en amont c'est qu'il faut, c'est que t'as la possibilité de te préparer aussi au choc émotionnel potentiel.

Philippine Le Bret : Et au-delà de ça, est ce que ça vous permet aussi, l'interprétation des rêves, de mieux vous connaître ?

Sarah : Alors en effet les rêves m'aident à me connaître pleinement sur… sur des choses qui sont tellement simples et tellement compliquées en même temps… Y a des gens qui vont payer un psy toute leur vie pour… pour en apprendre un peu plus. Quand vous rêvez de choses qui sont très souvent répétitives ou des mêmes personnes, vous apprenez qu'y a un truc avec ces gens-là. Typiquement moi je rêve très souvent de situations avec mon frère, mais mais voilà j'accepte que, ça m'a probablement aidée à accepter, que ma relation était compliquée, que peu importe à quel point il m'énervait que… je rêve tellement souvent de lui que enfin j'ai compris que c'était la chose la plus importante de ma vie en quelque sorte… Quand on rêve que quelqu'un vous kidnappe votre frère ou que votre frère est mort ou que… et que vous rêvez souvent de lui et tout ça, c'est que la relation est magnifique finalement.

(32) AUDIO page 109, Exercice 1

a – Regarde les sujets à l'œuvre : chacun à sa place, chacun à sa tâche.
– Et personne ne se rebiffe ?
– Tout est organisé, rien n'est laissé au hasard, le choix des œuvres à

réaliser ne dépend pas des sujets.
– Et le libre arbitre dans tout ça ?
– Qui a dit que le libre arbitre rendait heureux ?
– Vous m'effrayez.
b – Théo, toi et ton portable, ça devient vraiment insupportable !
– Et allez, c'est reparti pour un tour. Tu veux pas changer de disque maman ?
– Tu crois peut-être que ça va te rendre plus malin de passer ton temps la tête baissée comme un âne ?! Votre génération va finir esclave des machines, vous serez des zombies prêts à tout pour un peu de réseau et vos cerveaux vont se ramollir comme des nouilles que vous êtes !
c – Quand je l'ai vu arrivée, Arnaud, je t'assure, j'en ai eu le souffle coupé, j'en croyais pas mes yeux, on aurait dit un ange. Viens, il faut absolument que j'aille lui parler, mais je sais pas où elle a bien pu filer. Dis, tu crois que c'est ça l'amour ?
d – Tu as lu le roman dont je t'avais parlé ?
– Oh oui il est complètement dingue ! Surtout la scène où tout le monde se fait attaquer par des chauves-souris, la terreur absolue, ils partent tous en courant… et là on se rend compte qu'il n'y avait aucune bestiole volante, rien du tout. J'étais transis de peur pour quelque chose qui n'existait même pas. Tu crois que c'est possible toi ?

(33) AUDIO page 110, Au cœur du quotidien

Femme : Je fais des rêves des fois, t'as pas idée. Par exemple cette nuit j'vais t'raconter, j'me suis réveillée, le rêve, c'est un truc vraiment étrange. J'arrivais c'était un espèce d'atelier d'artistes et y avait des élèves qui allaient là faire des cours, euh je sais pas, supposément de dessin donc, et là j'voyais… y avait un gars qui me disait : « Oui mais moi, voilà, en gros c'est l'équivalent euh… j'arrive bientôt en thèse euh… nanana… j'vais passer en doctorat, c'est l'équivalent de mon master 2 machin », bon. On était tous installés, et tout à coup, donc moi j'm'attendais à un truc de dessin, et tout à coup en fait, y avait devant, un espèce de vieux boulier, un boulier mais en taille énorme quoi. Le boulier y faisait la taille de tout le mur, euh, ouais comme un mur en fait, à taille réelle, avec donc les boules comme ça comme quand on compte. Et en dessous des pelotes de laine de plein de couleurs différentes. Et j'me disais : « Ah mais mince ! En fait qu'est-ce que c'est que ce truc ? À mon avis en fait c'est pas du tout un cours de dessin, on va nous apprendre comment faire des diminutions au tricot ! » [rire] Comment calculer les diminutions ! Non mais n'importe quoi, sérieux !
Homme : Tu te souviens très très bien. Tu as un souvenir très précis !
Femme : Ouais, mais en fait c'était tellement bizarre, enfin tu vois…
Homme : Ouais, ouais, ouais.
Femme : Et c'est souvent quand tu te réveilles, au milieu d'un rêve… Enfin, tu vois, genre le réveil à sonner donc je me suis réveillée en plein rêve, et c'était tellement bizarre que je l'ai mémorisé.
Homme : Hum.
Femme : Premièrement je tricote pas, enfin tu vois, donc j'étais là : « mais d'où ça sort en fait ?! » et donc on allait nous montrer en grandeur réelle tu vois comment on calcule, je sais pas, c'est bizarre. Je suis partie dans un truc comme ça, je sais pas, de délire créatif, c'était franchement bizarre.
Homme : Ah ben l'inconscient c'est sûr, on comprend pas toujours…
Femme : Sinon un rêve récurrent que je fais souvent, bah forcément, c'est un rêve récurrent : j'arrive à plus voir où je vais, j'arrive plus à avancer, j'y arrive jamais, et y a un truc devant moi, et je le vois, je veux ouvrir la porte mais j'y arrive pas et c'est un peu angoissant… le cauchemar quoi ! Mais c'est tout, y a que ça… Ah sinon y a aussi les fois où je vole !
Homme : Ah ouais ?
Femme : Ouais ! mais coincée dans un appartement.
Homme : Coincée ?!
Femme : Ouais, j'arrive pas à m'envoler complètement quoi.
Homme : Ah ça c'est dommage. Moi, je vole [bruit de fusée] pour voir des gens, donc je suis avec des gens et tout d'un coup je voudrais les voir…
Femme : Comme Peter Pan en fait !

Homme : Et là c'est comme un hélicoptère. Genre, je décolle pas comme les autres, mais c'est comme ça [bruit de fusée] de bas en haut et après [bruit d'hélice].

Femme : Ah d'accord.

Homme : Et là, je vois des gens dans les autres villes, à l'étranger, en Italie, en Autriche ou je sais pas où... Je survole les villes, et tout, comme ça, c'est hyper agréable, ça va super vite, t'as une sensation de rapidité, et tout c'est extraordinaire, euh, d'efficacité et tout, un sentiment de libération, aussi, c'est hyper agréable.

Femme : Ça doit être bien ouais…

Homme : J'ai fait un rêve aussi, qui était trop bien où j'avais conscience de rêver et et donc je m'étais dit que je pouvais faire n'importe quoi.

Femme : Ah bon ?

Homme : Et j'avais fait n'importe quoi, et ça c'était trop trop bien ! Ça m'est arrivé qu'une fois. Et y avait un pote qui venait me voir dans le rêve et il me disait : « Mais pourquoi tu fais ça ? » et je disais « Ben, parce qu'on est dans un rêve, on fait ce qu'on veut ! » [rire]

Femme : C'est marrant ça !

Homme : Y a pas d'interdit !

THÈME 16 Travail, modes d'emploi

 AUDIO page 114, B : Ubérisation…

Charlie Dupiot : Bonjour, bienvenue, 7 milliards de voisins, des dizaines de kilomètres à vélo par jour, pour 7 euros à peine de l'heure, des courses qui s'enchaînent, quitte à griller feu rouge sur feu rouge, pour arriver à temps et ne pas être dépassé par des concurrents, et tant pis pour le danger, voici ce que peut être le quotidien d'un livreur à vélo pour une plateforme de repas à domicile via internet. Nous sommes loin, très loin de l'idée du job cool promu par ce type d'applications, et ce n'est que la face émergée de l'iceberg, bienvenue dans le monde de l'ubérisation, ce nouveau modèle économique qui bouleverse tout le secteur des services, du transport jusqu'à la location d'appartement, et j'en passe. En mettant en lien directement usagers et fournisseurs, salaire horaire très bas, journées de travail à rallonge, négligence dans la sécurité, l'employé du futur sera-t-il un pion télécommandé par des algorithmes ? Toutes ces plateformes ont longtemps été vues comme une chance pour l'emploi, notamment des moins qualifiés, et pourtant on le réalise de plus en plus aujourd'hui : elles ont créé une nouvelle frange de travailleurs précaires, un sujet éminemment d'actualité, alors que le gouvernement français planche sur sa loi travail. « Pédale ou crève », c'est le titre d'un article que vous publiez dans « Le Monde », Philippe Euzen, bonjour.

Philippe Euzen : Bonjour.

Charlie Dupiot : Vous êtes journaliste donc pour ce quotidien français et vous vous êtes mis dans la peau d'un livreur de Foodora, une de ces plateformes, pendant 3 semaines, on en parlera. Bonjour Bruno Teboul.

Bruno Teboul : Bonjour.

Charlie Dupiot : Vous êtes directeur de l'innovation, de la recherche et du développement au sein de Keyrus, un cabinet de conseil en nouvelles technologies, vous êtes également membre de la gouvernance de la chair « data scientist » à l'école polytechnique et vous publiez un livre, « Robotariat », critique de l'automatisation de la société aux éditions Kawa. Nous serons aussi en ligne en deuxième partie de cette émission avec Michel Savy, professeur à l'université Paris-Est, qui a co-dirigé un rapport de Terra Nova sur le sujet justement de ces nouveaux métiers précaires. Et vous, les voisins, les voisines, travaillez-vous à la tâche, travaillez-vous en indépendant, utilisez-vous des plateformes comme Uber ou Africade — on sait qu'Africade est présent en Côte d'Ivoire, en tant que travailleur ou bien comme utilisateur tout simplement — si oui, vous nous racontez au 33 1 84 22 71 71, et bien sûr vous pouvez nous écrire sur les réseaux sociaux, les voisins, notre page Facebook attend vos commentaires et vos questions.

Djibril est à Kayes au Mali, travailler dur et gagner moins, comment on fait ça, comment on accepte cette situation, on va y répondre, essayer d'y répondre dans l'émission, Abdulai est à Conakry – je vous lis

son message : « livreur ce n'est pas un boulot minable, il faut savoir s'orienter vers ce qui te rapportera le plus, il faut faire avec ce que la société nous permet de gagner. » Et puis Diabi nous écrit de Bamako, il est plutôt philosophe: « dans ce monde [je le cite] il n'y a pas d'acquis, il faut donc savoir s'adapter à l'air du temps, à ce qui se fait, et ce qui se fait en ce moment, c'est l'ubérisation du travail. »

Mais d'abord, reportage, Benoît, 37 ans, est entrepreneur 2.0 comme on dit, en région parisienne, au volant en costume noir même en été, il travaille depuis 9 mois comme chauffeur VTC, VTC pour véhicule de tourisme avec chauffeur, il est donc à son compte, il travaille pour Uber et Chauffeur privé qui sont deux plateformes qui mettent en relation donc utilisateurs et conducteurs via une application mobile et qui concurrence bien sûr les taxis traditionnels. Comme beaucoup Benoît a cru à « l'uber-réussite », décidément les néologismes ne manquent pas autour d'Uber, mais ses journées sont plutôt intenses et pas toujours très rentables, Raphaëlle Constant s'est engouffrée dans sa berline noire, sur le siège passager.

Benoît : Nous allons chercher un client, qui se prénomme Maer, un homme ou une femme, je ne sais pas, connaissant la destination une fois que la personne est dans le véhicule, quand on fait démarrer la course.

Ouais, ouais, yes. Bonjour. Welcome to Paris. Champs-Élysées ? [Yes].

Raphaëlle : Benoît, vous partez sur une course de combien de temps là à peu près ?

Benoît : 23 minutes, 7 kilomètres. Pour un prix estimé pour le client à 20 euros.

Raphaëlle : Et sur ces 20 euros, qu'est ce qui vous revient, qu'est ce que vous touchez ?

Benoît : Je vous le dirai une fois qu'on aura fini la course mais je pense qu'on va être dans les alentours de 14 euros.

Raphaëlle : Parce que vous ne savez pas en amont ce que vous allez toucher sur la course ?

Benoît : Tout à fait. On sait combien le client est facturé, et nous, nous ne savons pas combien nous allons prendre.

Voilà, bonne journée, bye bye. [Thank you]. Bye bye.

Je viens de déposer les clients, il est 15 h 10 et là une course vient de sonner, nous allons direction le Georges V. En fait c'est un rêve depuis tout gamin, que je voulais faire chauffeur, j'ai passé le concours pour être VTC, j'ai obtenu donc le certificat, la licence, et aujourd'hui grâce à Uber, on peut travailler et être chauffeur. Voilà. Pour bien gagner sa vie, en fait, c'est un métier aléatoire. Aujourd'hui vous pouvez travailler 10 heures et faire 200 euros, comme vous pouvez travailler 8 heures faire 100 euros, Uber déjà prend 25 % sur une course. Là tout à l'heure j'ai eu une course qui était facturée au client 19 euros, j'ai passé 36 minutes dans la voiture pour faire 7 kilomètres et moi dans ma poche j'ai eu 14 euros. Vous avez une location de voiture qui s'élève à peu près entre 70 et 90 euros par jour, à ce tarif-là vous rajoutez minimum 20 euros de gasoil par jour, vous avez les assurances derrière. Si vous travaillez 10 heures par jour, net dans votre poche, il vous reste 100 euros. 100 euros pour 10 heures. Donc rapport, vous êtes entre 7/9 euros de l'heure. Voilà. Et vous avez quand même des responsabilités, c'est-à-dire qu'il faut être vigilant sur la route, c'est quand même un métier à risque.

Raphaëlle : Donc si je comprends bien, vous n'avez pas d'heures fixes ni de salaire fixe ?

Benoît : Tout à fait, nous n'avons pas d'heures fixes, nous travaillons quand on veut, je commence le matin à 5 heures, je finis à 9 heures, je reprends à 18 heures et je finis à 21 heures. Voilà moi j'ai pas le côté addictif, ou… je suis quand même père de famille, j'ai des responsabilités, donc si c'est pour faire 14 heures de voiture dans Paris et d'un seul coup avoir un accident bêtement parce que la fatigue ça arrive à tout moment, je vois pas l'intérêt.

Raphaëlle : Alors comment ça fonctionne cette application sur votre mobile ? Vous avez une notification qui vous donne la direction à prendre et vous acceptez ou vous refusez, c'est ça ?

Benoît : Tout à fait, et en général c'est la personne la plus proche, tout est relié par satellite.

Raphaëlle : Et là entre deux courses, est ce que vous êtes rémunéré ?

Benoît : Non, du tout. Des fois, vous allez prendre un client par exemple à Porte Maillot, vous allez l'emmener dans le fin fond du 77, vous allez faire 100 kilomètres, vous allez avoir une course à 80 euros mais vous allez revenir à vide malheureusement. Donc quand vous faites le calcul, c'est pas rentable, voilà. Nous allons prendre Gaëlle. Elle est à 800 mètres.

Raphaëlle : Est-ce que vous voyez le profil des clients avant de les accepter ?

Benoît : Non, contrairement à eux où ils ont toute l'information nous concernant, le véhicule, l'immatriculation, notre photo, la note – parce que nous avons une note chez Uber – nous commençons avec 5 et après les clients notent en fonction de votre conduite, en fonction de l'état du véhicule, en fonction de la sympathie et services proposés, donc voilà.

Raphaëlle : Qu'est-ce que vous pensez de ce système, de l'ubérisation, de ce fonctionnement ?

Benoît : Bah, vous le voyez bien, depuis tout à l'heure on est là on discute, vous voyez une trentaine de chauffeurs qui passent. On a tous besoin d'argent et on essaie de trouver tous les systèmes possibles pour en gagner. Et qu'il va falloir un laps de temps pour commencer à comprendre le système et de pouvoir sortir la tête de l'eau en fait. En fait Uber, c'est un lancement pour les gens qui ont envie d'y arriver.

Raphaëlle : Aujourd'hui, est-ce que vous pouvez dire que financièrement, vous vous en sortez, entre les applications Chauffeur privé et Uber ?

Benoît : On s'en sort, mais faut le dire vite. En moyenne ça peut être aléatoire, je peux toucher 1700, 2000, c'est aléatoire, c'est jamais pareil en fait, c'est jamais pareil. J'ai la chance d'avoir travaillé auparavant et de pouvoir avoir mis de l'argent de côté et de pouvoir m'acheter un appartement, un chauffeur Uber, qui a une femme et des enfants et qui se met à son compte, si son épouse n'a pas des revenus, c'est très très dur, c'est même injouable, pour tout vous dire je survis. Et c'est vrai que quand on entendait au début Uber, vous allez gagner vos vies, et au fil du temps on se rend compte qu'on la gagne mais pas comme on devrait la gagner.

THÈME 17 La fabrique du mâle

 AUDIO page 120, B : La virilité mise à mâle

Charlie Dupiot : Gil Morand vous êtes psychanalyste et vous êtes aussi l'organisateur de ces groupes de parole d'hommes. Pourquoi aujourd'hui c'est important de donner la parole aux hommes, entre hommes ?

Gil Morand : Le fait de retrouver une intimité avec d'autres hommes qui peuvent s'ouvrir sur leur vulnérabilité, sur leur côté féminin, ça rassure finalement on se dit : ben oui, je peux être ça aussi, c'est autorisé ; je suis pas le seul dans mon coin à me dire « j'aimerais bien pleurer mais j'ai pas le droit » ou « j'aimerais bien m'épancher sur tel et tel sentiment mais je peux pas parce que je dois paraître » donc voilà ; donc ça permet d'être plus que paraître. Les modèles sociétaux, je veux dire, de ce qu'est un homme ont bougé et donc du coup ses repères sont pas bien identifiés.

Charlie Dupiot : Alors justement, comment on exprime sa virilité ?

Gil Morand : Il y a plein de façons d'être homme, il y a beaucoup d'hommes maintenant qui portent la barbe on le voit partout des hommes barbus et je pense qu'il y a un besoin d'afficher des signes extérieurs de cette virilité à travers la barbe par exemple. Je pense que c'est nécessaire que cette virilité continue à exister dans l'identité de l'homme, les Québécois parlent beaucoup des hommes roses qui essaient de cacher leur virilité, qui ne l'assument pas du tout, je pense qu'elle est tout à fait compatible avec le côté sensible, doux, délicat, raffiné que les hommes peuvent avoir également.

Charlie Dupiot : Georges Vigarello, comment vous réagissez à l'écoute de ce reportage ?

Georges Vigarello : Je réagis en constatant qu'il y a un certain nombre de contradictions aujourd'hui mais que la réflexion historique

est indispensable. Alors si la réflexion historique est indispensable, je crois qu'il faut dire plusieurs choses. Il faut d'abord dire que la virilité c'est une valeur. C'est pas forcément l'homme qui définit la virilité, c'est la virilité qui s'impose en premier lieu et qui est une valeur qui distingue finalement les hommes entre eux, qui représente dans une certaine mesure ce qui est considéré comme devant être le maximum de l'affirmation personnelle, forte, et surtout, et surtout, c'est ça qui me paraît central, l'affirmation dominante. La virilité renvoie à quelque chose qui est de l'ordre de l'exigence de la domination et cette domination elle a été, c'est vrai, historiquement portée par l'homme. Il s'est passé quand même trois choses qui me paraissent fondamentales dans le temps, et dans le temps récent. La première c'est quand même la contestation, ce qui était évoqué tout à l'heure, c'est une contestation qui démarre très tôt ; à la fin du XVIIIe siècle on commence à contester l'autorité du père. Les pères, les pères ne sont que des tyrans dit par exemple Diderot. Ça conduit dans une certaine mesure à la contestation sociale dont la révolution française est un exemple majeur. La suppression du droit d'aînesse me paraît déjà être une contestation de la vision traditionnelle de la virilité, ça c'est un premier point. Il y a un deuxième point que je trouve très important, c'est que progressivement dans les décennies récentes s'est constitué quelque chose qui est de l'ordre d'une exigence psychologique, à savoir l'affect, la nuance, l'interrogation sur soi, la tentative d'approfondir les raisons pour lesquelles on se comporte de telle ou telle manière, quelles sont nos motivations, c'est considérable dans l'histoire de la psychologie des dernières décennies, si vous voulez. Et ça, ça concerne aussi bien l'homme que la femme. « Qu'est-ce que je fais ? Pourquoi je fais ça ? D'où ça vient ? » Référence à l'inconscient pour certains, référence à des problèmes de comportements pour d'autres, deuxième problème.

Charlie Dupiot : D'où la réflexion par les hommes sur leur virilité ?

Georges Vigarello : Mais oui, réflexion par les hommes et par les femmes sur ce qui me détermine, sur ce qui nous détermine, c'est fondamental, et ça entraîne évidemment dans une certaine mesure de l'hésitation, de la crispation, du malaise parce que « pourquoi je fais ça ? », ça c'est la deuxième chose. Et la troisième chose ça a été très bien dit tout à l'heure, mais dit de façon, à mon avis, extrême voire caricaturale, c'est évidemment la montée du statut féminin, la montée du fait que la femme est de plus en plus autonome, ce qui me paraît à la fois évident et nécessaire, et ça commence très tôt. On voit très bien par exemple le métier féminin qui s'impose sous le sens du salaire avec la conséquence de l'autonomie de la femme, on voit très bien la montée du métier féminin à la fin du XIXe siècle et donc le malaise au niveau de l'homme évidemment. On voit très bien un certain nombre de romans qui portent sur l'inquiétude, l'angoisse « qu'est-ce que c'est que ça ? Comment ? », voyez.

Charlie Dupiot : L'homme n'est plus le seul à subvenir aux besoins de la famille.

Georges Vigarello : Et nous sommes les héritiers, nous sommes aujourd'hui les héritiers de ce triple mouvement. Alors pour certains c'est vécu de façon relativement difficile voire angoissante, pour d'autres, à mon avis, c'est assumé, ne l'oublions jamais, et pour d'autres, ça renvoie au contraire à la nécessité de maintenir un conservatoire de la virilité. Les grandes histoires, le problème de se constituer une barrière physique, voyez, dans certains sports aussi « nous sommes seuls, les vrais, etc. » bon. Donc, il y a à la fois un conservatoire qui montre la difficulté, il y a des gens qui sont effectivement plus ou moins en crise, mais personnellement ce qui me rassure, c'est qu'il y a une troisième partie des individus qui assume ces trois dynamiques dont je viens de parler.

 AUDIO page 122, Au cœur du quotidien

Julien : Alors oui je me suis déjà interrogé sur le féminisme, assez tardivement par rapport à d'autres luttes, entre guillemets, pour plus de droits, plus de justice, je m'y suis intéressé tardivement. Plus jeune j'étais plus sensible à des causes telles que, par exemple, l'écologie ou la lutte contre les inégalités économiques en général, mais le féminisme, l'intérêt est venu tardivement en fait parce que c'est des amis à moi aux alentours de 20, 21 ans, quand tu arrives à la fac, t'es souvent sensibilisé avec pas mal de groupes de parole, pas mal de gens qui viennent de tous les horizons et c'est là que j'ai rencontré les premières féministes qui m'ont sensibilisé à ça en fait. Mais c'est arrivé assez tardivement par rapport, je trouve, à des combats qui sont plus mis en avant dans la société, on entend plus facilement parler de la lutte, je trouve, pour l'écologie que de la lutte pour le droit des femmes ou que, par exemple, je sais pas, la lutte contre les guerres ou l'insécurité dans le monde. Mais ouais, ça m'est déjà arrivé quand même. Voilà.

Ismaïl : Alors pour ma part, du coup le féminisme en soi, enfin la notion de féminisme, j'en ai entendu parler tard, mais j'étais concerné assez tôt. De par ma famille qui était majoritairement constituée de femmes, puis le traitement qui était aussi un peu différent, que je remarquais au quotidien, c'est des questions que je me posais à cette époque-là. J'entendais aussi mes sœurs discuter entre elles et c'est des conversations qui marquent une jeunesse. En fait, j'ai grandi avec le sentiment d'injustice que ressentaient justement mes sœurs, de par le contexte dans lequel elles vivaient ; par la suite, en fait, le terme féminisme, la notion, je l'ai appliquée que quand j'ai commencé à m'intéresser un peu à l'actualité, aux différentes causes, aux différents combats.

Julien : Est-ce que le féminisme a un impact dans ma vie ? En fait, pas vraiment quand même, pour être honnête. Parce que je suis pas victime de ces inégalités-là et j'ai mis longtemps à les constater. Donc ça prouve bien que je suis moi-même, malgré moi, porteur de pas mal de préjugés, je pense, que j'ai dû intégrer. Parce que bon, j'ai un peu malgré moi le syndrome du prince qui sauve la princesse par exemple ou ce genre de choses-là et je pense que c'est des figures assez paternalistes qu'on intègre assez facilement dans pas mal de trucs de notre imaginaire collectif, culturel ou même dans la famille quoi, et du coup, non ça a pas un réel impact dans ma vie, ça devrait sûrement en avoir plus je pense, mais après je suis quand même conscient qu'il y a un problème, un problème d'inégalité hommes femmes sur les salaires, sur la sécurité en général ; et à la limite, l'impact que ça a dans ma vie c'est de voir la tristesse de certaines amies à moi à qui c'est arrivé du harcèlement mais c'est vrai que comme je suis pas victime directe, j'ai du mal à conscientiser au jour le jour le problème quoi, à en avoir purement conscience mais bon je sais qu'il y a un problème. Voilà.

Ismaël : Moi du coup, je pense qu'il a un impact. Je saurai pas mesurer l'impact par rapport à d'autres événements mais ça c'est sûr qu'il en a un. Enfin, je fais vraiment l'effort d'être en empathie. Comme je l'ai dit, voilà, ayant grandi dans un milieu dominé par des femmes surtout, j'ai vraiment très peu de difficultés à ressentir cette empathie-là, à me mettre à la place d'une autre personne et au quotidien je remarque aussi que des comportements que je peux avoir peuvent être paternalistes ou autres et je fais vraiment l'effort de lutter contre ça, pas tous les jours mais dès que je peux m'en rappeler en fait. C'est un rappel qu'il faut garder comme ça en continue, en veille, en son cerveau et puis réactiver à chaque fois qu'on en a besoin.

THÈME 18 À la vie, à la mort !

 AUDIO **page 124, A : Procréation égalitaire**

Voix off : Après la pilule contraceptive, l'insémination artificielle, la fécondation « in vitro », la prochaine étape sera l'ectogénèse, c'est-à-dire, l'utérus artificiel…

Henri Atlan : …c'est-à-dire, la possibilité de faire se développer un bébé, depuis la fécondation, jusqu'à la naissance, en dehors du corps d'une femme.

Giulia Foïs : C'est l'histoire d'une femme qui portait un enfant. Qui a d'abord pu décider de le porter ou non ; de le fabriquer ou non ; et puis elle a pu en porter un quand même, qu'il y ait un père dans sa vie ou non pour cet enfant ; qu'elle ait le bon âge ou pas, qu'elle ait les bons gènes ou pas. Cette histoire, c'est aussi celle d'un homme qui, peut-être, pourra porter un enfant, un jour, à son tour, allez savoir. À son tour… Un homme enceint, tiens, pourquoi pas ?

En tout cas, l'histoire de cette histoire, celle de la procréation, celle

de la reproduction, continue d'avancer, parfois en sourdine, parfois à grands bruits – des cris plus proches de la panique que de la joie, il faut bien le reconnaître… Depuis des décennies, depuis des siècles, les avancées de la science en général, de la médecine en particulier, lui ont permis de s'écrire, chapitre après chapitre. Une nouvelle page de cette histoire est sur le point de naître, d'éclore, de pousser… Plus tout à fait blanche, et déjà sujette à bien des fantasmes, des rêves, ou des cauchemars, c'est selon. L'utérus artificiel est-il la prochaine étape de cette histoire, comme le promet le biologiste Henri Atlan que vous venez d'entendre dans cet extrait ? Si oui, c'est pour quand ? Et pour qui ? Et jusqu'où ? Et quand, du coup, l'utérus intelligent qui ferait GPS en même temps ? Ah non, ça, pardon, c'est pas demain la veille.

Extrait de film : Femme : Vous êtes ballonné, comme si vous attendiez un enfant !

Homme : Pardon ?

Femme : On dirait que vous êtes enceinte de quatre mois.

Homme : Mais, il n'y a rien de grave ?

Femme : Ce n'est pas grave certes, mais c'est déroutant chez un homme.

Voix off : Demain la veille, l'émission qui raconte le futur, avec Giulia Foïs, sur France Inter.

Giulia Foïs : Et pour nous accompagner au cœur de la matrice, j'ai le plaisir d'accueillir aujourd'hui le professeur René Frydman, gynécologue, obstétricien, spécialiste de la procréation médicalement assistée. Bonjour.

René Frydman : Bonjour.

Giulia Foïs : Et ravie de vous recevoir. À nos côtés également jusqu'à 18 h la sociologue Christine Castelain-Meunier, chercheuse au CNRS, spécialiste de la famille, de la parentalité et du masculin. Bonjour à vous.

Christine Castelain-Meunier : Bonjour.

Giulia Foïs : Merci d'être des nôtres tous les deux. Une équipe internationale de chercheurs basée à Cambridge a réussi en mai dernier à cultiver « in vitro » un embryon pendant 13 jours. Quand vous entendez cette nouvelle, parce que j'imagine que vous l'avez entendue, vous vous dites quoi ? Christine Castelain-Meunier ? Bonne nouvelle ? Et si oui, pour qui ? Et si non, pour qui aussi ?

Christine Castelain-Meunier : Moi, je dis bonne nouvelle, pour transformer la symbolique des genres et pour aller vers des représentations symboliques moins inégalitaires entre les sexes, avec cette idée que l'homme était plutôt associé à la guerre et la femme était associée à la vie – et là, on sort de ça, avec cette idée que l'enfant à naître, il va falloir que l'homme et la femme s'en occupent, sans avoir, comme ça, toutes ces représentations qui ont accompagné l'histoire de l'humanité, de façon hiérarchisée, c'est-à-dire les hommes qui voulaient se rattraper du fait qu'ils n'engendraient pas la vie et qui, du coup, dominaient la femme.

Giulia Foïs : Alors ça, c'est du point de vue de la sociologue que vous êtes et bien entendu, vous nous accompagnez tout au long de cette heure-là pour développer cette représentation du féminin et du masculin. Je me tourne vers vous, René Frydman, pour vous poser la même question : le fait d'avoir pu cultiver « in vitro » un embryon pendant 13 jours, est-ce que pour vous c'est une bonne nouvelle ? C'est une bonne nouvelle pour la science ? Pour la médecine ? Pour la gynécologie en particulier ?

René Frydman : C'est une bonne nouvelle pour la science, effectivement, puisque c'est une demande depuis longtemps que les Anglais ce qu'ils appellent le pré-embryon soit cultivé jusqu'au 14e jour pour pouvoir comprendre toute cette mise en place qui va faire ce que vous êtes, ce que je suis, ce que nous sommes. Et avec beaucoup d'inconnues, beaucoup de malformations, beaucoup de dérivations… […]

Giulia Foïs : Boutez hors de mon sein cette animalité que je ne saurais voir. Christine Castelain-Meunier, je vous vois sourire. L'histoire de la grossesse, de la maternité, de l'enfantement, c'est l'histoire d'une désincarnation progressive, d'un éloignement, du contrôle du corps ?

Christine Castelain-Meunier : Je ne vois pas ça du tout comme ça. En fait, il me semble que justement plus les choses changent, plus il y a aussi cette réactivation, ce retour au naturel, cette valorisation du naturel. Donc plus on va aller vers des phénomènes artificiels, plus aussi ça va revaloriser tous les phénomènes naturels.

Giulia Foïs : Vous pensez au retour à l'allaitement, par exemple ? Vous pensez aux maisons de naissance ?

Christine Castelain-Meunier : Bien sûr. À tous les niveaux. C'est-à-dire il y a cette envie d'être dans le bonheur, grâce à un partage au naturel, grâce à la construction de liens – choisis, puisqu'on est aujourd'hui dans une société où en principe on peut choisir, et notamment de donner la vie, justement… Donc tout ça se transforme. Et j'entendais là dans cet extrait cette idée qu'il fallait se marier pour avoir des enfants, etc. Mais ça, c'est déjà derrière, on est dans autre chose. Donc, moi, c'est ça que je trouve très porteur, très fabuleux, c'est que, en ouvrant, en élargissant l'horizon, et en décloisonnant cette idée que l'homme c'était la production, la femme, c'était la reproduction, la femme était dans l'espace domestique et le privé ; l'homme était dans la sphère productive, professionnelle, politique… On est en train de décloisonner tout ça et heureusement ! On recompose la vie, autrement, et notamment en recomposant le masculin et le féminin, alors même que l'on est dans une société… dans une période de grande turbulence. Pourquoi on est dans une période de grande turbulence ? Parce que justement, on s'éloigne du patriarcat. Mais c'est bon aussi de consolider, comme ça, l'égalité entre les sexes, entre les genres, mais en respectant la différence.

Giulia Foïs : Alors Huxley imagine un système où tous les enfants seraient fabriqués dans une sorte d'usine à bébé, c'est que craignent ceux qui s'alarment dès qu'on parle d'utérus artificiel, René Frydman ? Ils craignent que cet utérus artificiel qui est promis à l'origine pour des femmes qui ne seraient pas en état de concevoir ou de porter un enfant, que tout à coup, dans un futur plus ou moins proche, n'importe qui, tout le monde puisse avoir accès à cette technologie-là. C'est toujours pareil, c'est ce que vous dénoncez vous aussi le désir d'enfant à tout prix ?

René Frydman : Alors, il peut y avoir un désir d'enfant à tout prix, effectivement, encore faut-il l'examiner cas par cas. Là, dans ce que nous discutons aujourd'hui, c'est-à-dire l'utérus artificiel, il faudrait… on sait très bien qu'un enfant prématuré – là je viens à la période actuelle – un enfant prématuré de 24, 25, 26 semaines, qui déjà doit survivre, hein, n'oublions parce que dans tout ça, quand on est très grand prématuré, c'est pas évident. Il faut survivre, d'une part, et même il faut survivre sans séquelle, ce qui est encore une autre paire de manches. Donc, dans la très grande prématurité, c'est ça la vraie vie. Donc, dans ce qu'on évoque dans l'utérus artificiel, je n'ose pas me prononcer sur comment ressortirait – si cela était faisable, et à mon avis, ça ne l'est pas – mais poursuivons l'idée…

Giulia Foïs : Imaginons oui…

René Frydman : Imaginons, et je pense que voilà on aurait peut-être de très graves surprises.

 AUDIO page 129, Exercice 2

a Ça étonne toujours lorsque je dis aux gens que je travaille aux pompes funèbres car je suis très gaie dans la vie quotidienne. J'accompagne les familles dans leur deuil, de la préparation du corps du défunt à l'enterrement au cimetière. Les funérailles sont toujours un moment douloureux et mon rôle, discret et bienveillant, est essentiel. Contrairement à ce qu'on imagine souvent, j'aime beaucoup mon métier !

b Dans la mythologie et le folklore occidental, on me représente souvent comme un sombre personnage, squelette vêtu d'un manteau noir à capuche, tenant à la main une grand faux avec laquelle je fauche les âmes comme le paysan coupe son blé. Figure allégorique, je suis un sujet macabre couramment représenté, des peintures du Moyen Âge à la bande dessinée.

c Mon époux s'est éteint après 42 ans de vie commune. Sa disparition laisse en moi un vide immense. Mais je suis sereine car il est parti l'âme en paix, dans son sommeil. En attendant de le rejoindre au ciel, je vais fleurir sa tombe tous les jours. Et je continue de lui parler, comme quand il était près de moi.

AUDIO page 135, B : Apprivoiser nos émotions

Voix off : Priorité santé, Claire Hédon.

Claire Hédon : Bonjour à tous, frustration, colère, tristesse, nous avons tendance à vouloir éviter, ou contrôler nos émotions, d'ailleurs surtout lorsqu'elles sont négatives. Or l'émotion agit comme un signal d'alarme. Comment faire pour apprivoiser nos émotions, au lieu de lutter contre elles, comment mieux comprendre leurs causes, peut-on d'ailleurs canaliser cette peur, cette colère, cette tristesse, que faire lorsque nos émotions nous submergent, c'est ce qu'on va voir avec mon invité aujourd'hui, le docteur Catherine Aimelet-Périssol qui est médecin psychothérapeute, formatrice en logique émotionnelle, elle vient de publier, « Émotions, quand c'est plus fort que moi, peur, colère, tristesse, comment faire face », c'est un livre qui paraît aux éditions Leduc.s, et bien sûr, si vous avez envie d'apporter un témoignage ou lui poser des questions, vous pouvez nous appeler au 33 1 84 22 75 75.

Docteur Aimelet-Périssol, quelles sont les étapes de l'émotion, c'est intéressant à comprendre parce que d'abord ça réagit sur notre corps.

Docteur Aimelet-Périssol : Avant de réagir sur notre corps, c'est notre corps qui réagit. (rires) Donc, comme nous sommes des êtres définitivement en relation, et que notre corps, c'est notre corps qui rentre en résonnance avec la situation et les événements qui arrivent, euh, à nos sens, et bien c'est d'abord le corps qui suit un petit parcours, la plupart du temps de façon non-consciente, et qui fait que nous passons notre temps à vivre et à survivre aux situations dans lequel notre corps est impliqué. Et que, cette, ce chemin-là, il est bon de le prendre en considération, il est bon de porter une attention sur ce cheminement très archaïque, et non-conscient, et c'est possible. Donc ça c'est déjà une très bonne chose, pour découvrir l'effet que nous a fait certains faits extérieurs.

Claire Hédon : C'est un travail que sur son cerveau ? non ? C'est c'est, il faut accepter qu'il y a d'abord le corps qui réagit ?

Docteur Aimelet-Périssol : C'est ça, le corps a réagi, parce que, vraiment, c'est pas un problème de raisonnement, c'est un problème de résonnance. Nous sommes déjà en résonnance. Et ce n'est que, après coup, qu'effectivement la conscience, petit à petit, prend en considération ce mouvement corporel, et que nous commençons à avoir des idées, des pensées, des représentations, et puis à nous organiser dans le temps pour répondre aux situations, et d'ailleurs, la plupart du temps, c'est aussi ce qui nous fait anticiper le fait que telle situation va être compliquée, parce qu'on a déjà vécu quelque chose de similaire, corporellement. Donc première chose, c'est effectivement prendre en considération, accueillir que l'émotion est un phénomène qui commence dans le corps avant de se propager dans ce qu'on appelle le psychisme, puis le psychisme aura un effet sur le corps. Mais ça commence dans le corps.

Claire Hédon : Il faut bien le comprendre.

Docteur Aimelet-Périssol : Oui.

Claire Hédon : On a Patient qui nous appelle de Kinshasa en RDC, Patient bonjour ?

Patient : Bonjour Claire Hédon et bonjour à l'invitée.

Claire Hédon : On vous écoute.

Patient : Et permettez-moi d'exprimer ma joie d'intervenir avec vous et l'invitée dans l'émission.

Claire Hédon : C'est bien de le dire parce qu'on dit qu'il faut exprimer ses émotions, vous exprimez votre joie d'intervenir. On vous écoute.

Patient : Merci. Et ma question c'était par rapport, j'aimerais demander à l'invitée pour me prodiguer des conseils, si, comment gérer mes émotions ? Comment se tenir face à une situation, parce que trop souvent je suis submergé par la colère, j'ai dit d'un ton de voix… je ne sais pas la personne à qui je m'adresse à cause de la colère, je ne sais pas plus, et à mon niveau, ce que vous m'avez dit, je parle et mon supérieur, j'aimerais demander quels conseils on peut me donner pour bien garder mon sang-froid face à une pression.

Claire Hédon : C'est très intéressant ce que vous dites, parce que la colère est quand même une des émotions, je dirais, les plus fréquentes, vous dites que vous vous mettez en colère, vous vous rendez compte que c'est pas une solution, vous aimeriez apprendre justement à comment réagir face à la colère qui vous envahit, entre autres, vous dites, devant un supérieur, où j'imagine que vous avez du lui sortir quelques vérités qui n'étaient peut-être pas bonnes à dire, euh, docteur Aimelet-Périssol, je pense que c'est une des choses qui revient le plus quand on parle des émotions, la question de cette colère.

Docteur Aimelet-Périssol : Ah, les deux points qui revient le plus souvent c'est cette colère, et la peur. Voilà, donc ce sont les deux formes d'émotions qui sont effectivement très archaïques, la colère, elle dit quelque chose de notre identité. La colère, c'est une façon d'exprimer intensément, voire violemment, que nous sommes quelqu'un. Et, euh, malheureusement, dans la colère, on va déverser sur l'autre, qui ne nous comprend pas, et qu'il fait des choses qui nous heurtent, mais la colère, le plus utile à entendre dans cette colère, c'est une invitation à parler de soi. Et alors c'est pas quelque chose qui est valorisé le plus souvent, tellement parler de soi peut être interpréter comme égoïste, or non, parler de soi c'est même…

Claire Hédon : C'est juste dire ce que je ressens.

Docteur Aimelet-Périssol : Dire ce que je ressens, dire ce que je vois, dire ce dont je suis témoin, dire ma vision des choses, c'est-à-dire, c'est d'utiliser ce fameux « je » comme une façon de se fonder sur sa propre expérience. Et donc la colère, elle raconte, uniquement, que dans la situation dans laquelle nous sommes, plutôt que de nous fonder sur notre expérience, et bien nous l'avons comme balayée, mise de côté, et la colère exprime, violemment ce défaut.

Claire Hédon : Et accuse l'autre…

Docteur Aimelet-Périssol : Et du coup accuse l'autre. Évidemment les relations deviennent tout à fait déplorables. Donc, quelqu'un qui est en colère, il a besoin de réapprendre, petit à petit, à parler en son nom propre, et à parler de son expérience propre, de ce que « je » vis, dans la situation.

Claire Hédon : Et alors, peut-être pour revenir à plusieurs exemples qu'on a eu avec des témoignages d'auditeurs tout à l'heure, euh, accepter, je dirais, entre guillemets de respirer un grand coup, c'est-à-dire de ne pas parler forcément sur le moment de la colère, parce que c'est pas là où on est le plus aptes à dire « je » justement.

Docteur Aimelet-Périssol : Non, non, non, c'est pas là où on est le plus aptes à dire « je », donc c'est effectivement de, bah, de revenir à soi, de revenir à son souffle, de revenir juste à son corps qui est là, juste en train de survivre à la situation, prendre un petit peu de temps, et pouvoir revenir, effectivement, avec une parole forte, assumée, qui parle de soi et qui surtout parle de son expérience. Le mot « expérience » est un mot extrêmement important dès qu'on parle d'émotions.

Claire Hédon : Vous avez un nom qui est intéressant par rapport à ça, Patient. Et Patient a dit autre chose justement, il dit, je suis très impatient. C'est quelque chose qui m'intéresse, comment, parce que c'est une autre émotion finalement cette impatience ?

Docteur Aimelet-Périssol : Alors il faut savoir que l'émotion témoigne d'une sorte d'urgence intérieure. La notion de temps, la perception du temps est complètement modifiée, sous l'effet de l'émotion, il y a une urgence à fuir, une urgence à attaquer, une urgence à pleurer, c'est-à-dire que, quand dans le livre nous mettons que c'est plus fort que soi, ça témoigne justement de cette impatience qui est tout à fait fondée sur la nature même de l'émotion. Et, euh, cette impatience, elle peut se retrouver dans des habitudes comportementales, qui fait que nous voulons tout tout de suite et tout le temps, euh, ce qui nous met évidemment dans des situations très difficiles, mais euh… la patience, c'est pas en exigeant de soi d'être patient que ça va améliorer.

Claire Hédon : Ça marche pas.

Docteur Aimelet-Périssol : Non, ça marche pas.

Claire Hédon : Détends-toi ça marche pas.

Docteur Aimelet-Périssol : Non, non, non, ça marche pas du tout. Là, c'est là qu'on retrouve, euh, une attention à porter à notre propre désir, à notre propre besoin, propre, c'est-à-dire, pas que l'autre fasse quelque chose pour nous, mais notre propre désir, désir de paix, désir d'amour, désir de sens, désir de valeur, voilà, il y a quelque chose, désir de protection, ce qu'on disait en tout début d'émission, et donc c'est parce que nous allons porter une meilleure attention à ce désir que petit à petit la patience va se mettre à l'œuvre, mais certainement pas en exigeant de soi d'être plus patient.

THÈME 20 Fêtes, la nuit !

 AUDIO page 142, B : Tourisme festif

Florian Delorme : Le tourisme festif n'est pas une révolution en soi. La massive conquête touristique du monde est en cours depuis les années 80, boostée par la société des loisirs, par l'explosion des compagnies « low cost » et bien d'autres éléments encore. Or ce tourisme festif modifie considérablement les urbanités qu'il investit. Alors que fait la fête à la ville ? Son urbanité s'adapte parfois ou au contraire s'effrite sous un effet de saturation. La fête résistera-t-elle à l'afflux massif de touristes de la nuit ? Comment concilier le monde des fêtards et celui des dormeurs ? Est-ce que c'est possible ? Voilà les questions qui vont nous intéresser ce matin avec nos invités.
Avec nous mais en duplex depuis Montpellier, Dominique Crozat, bonjour.

Dominique Crozat : Bonjour.

Florian Delorme : Bonjour, merci également d'être avec nous ce matin. Vous êtes géographe, responsable du master « Tourisme et développement durable des territoires » et du programme de recherches « Nuits Urbaines », à l'Université Paul-Valéry de Montpellier. J'indique pour les auditeurs que vous aviez co-dirigé en 2009 « La fête au présent, mutations des fêtes dans le temps des loisirs » qui était publié chez L'Harmattan. Je vais commencer avec vous, monsieur le professeur, Dominique Crozat, si vous voulez bien. On va commencer avec un tout petit peu de définitions, peut-être. De quoi parle-t-on quand on parle de tourisme festif ? Comment le définir ? Et à quand est-ce qu'on peut remonter pour en trouver les premières traces, finalement ?

Dominique Crozat : Alors la fête en ville, c'est quelque chose de très ancien qui naît avec la ville. Par contre, la fête plus ou moins permanente, récurrente, installée dans la ville, ça c'est consubstantiel à la naissance d'une certaine forme d'urbanité, qui émerge vers la fin du XVIIIe. On voit sous la Révolution se développer les bals. Mona Ozouf racontait qu'il y avait 600 bals permanents à Paris pendant la… pendant la Terreur. Aux pires heures de la Terreur, on s'amuse beaucoup, on danse beaucoup. Par la suite, c'est Paris qui va être le modèle de cette fête, sur le dernier tiers du XIXe. Et là on se met à découvrir l'attractivité de cette fête qui amène des gens riches, de toute l'Europe. C'est la fameuse tournée des grands-ducs, grands-ducs russes ou grands-ducs anglais. Et à cette époque la fête parisienne est le grand moteur du tourisme français. La France est déjà le premier pays au monde par son attractivité touristique.

Florian Delorme : Parce que la question, c'est de savoir quelles sont les premières villes qui vont véritablement se montrer particulièrement inventives pour mettre en place des politiques touristiques volontaristes autour de la fête. Non pas seulement, j'allais dire, en profitant de l'essor des loisirs dans la ville, mais en créant une véritable cité de la fête dans laquelle le divertissement devient finalement une partie intégrante de l'identité de la ville.

Dominique Crozat : Globalement, dans beaucoup de ces villes que je viens d'évoquer, là par exemple, il y a une certaine spontanéité. On a toléré, on a laissé se développer, et il n'y a pas d'intentionnalité économique en termes de développement dans cet essor de la fête. Il faut attendre la fin du XXe, pour qu'on en fasse un outil de développement. Le modèle, à ce niveau-là, c'est Montréal. Montréal qui dans les années 70-80 rate sa transition économique, et est distancée par Toronto, sa rivale éternelle, et pour marquer son image, les autorités municipales décident de faire de Montréal une ville festive. Et on voit apparaître ce terme à ce moment-là qui consiste à lancer une série de festivals qui se succèdent avec le soutien très actif de la municipalité, qui se succèdent donc tout l'été, de 15 jours en 15 jours. Alors on connaît le Festival du rire, qui est l'un des plus importants au monde, mais c'est également les Francofolies, dont la délocalisation depuis La Rochelle est une grande réussite, et au total une dizaine de festivals dans l'été.

Florian Delorme : Mais d'abord vous parlez de Barcelone. C'est vrai que c'est l'une des destinations touristiques les plus courues d'Europe. Faut dire que ça fait longtemps que les autorités publiques, vous le disiez, ont misé vraiment sur le tourisme pour assurer son activité économique. On peut penser d'ailleurs de ce point de vue-là à 1992, aux Jeux olympiques, où là évidemment la ville a su, assez habilement, miser sur cet événement. Sauf qu'aujourd'hui, on voit des chiffres du tourisme qui sont absolument colossaux, et qui sont tels que la ville est au bord de l'explosion. D'ailleurs, ça fait longtemps que les habitants dénoncent justement les troubles provoqués par ce tourisme de masse. Écoutez.

Témoignages :

Traductrice : Ils occupent nos maisons, on nous vire de chez nous pour qu'ils puissent s'installer.

Traducteur : Ils urinent dans la rue, ils se baladent nus, c'est une honte.

Traductrice : C'est 100 € par jour l'appartement touristique, et moi qui suis née dans ce quartier, qui souhaite y rester, on me demande de payer pour un studio de 30 mètres carrés 800 € par mois. On ne peut pas payer ça. On voudrait qu'il y ait des sanctions, des amendes, contre ces illégalités, qu'on nous rende notre quartier. Nous tous, ici, nous voulons rester chez nous.

Traducteur : Une grande ville comme Barcelone ne peut pas se convertir en parc d'attraction touristique, ce serait la mort de notre ville. Nous devons donc préserver la mixité des offres de logement, mais nous devons aussi respecter le droit des citoyens à vivre dans leur ville.

Florian Delorme : Voilà, extrait d'un documentaire diffusé l'année dernière sur Arte. Barcelone excédée par ses touristes. Y a des effets, en tous cas, très néfastes de ce tourisme de masse, parce qu'au-delà des nuisances pour les habitants, ce sont des quartiers entiers qui se vident progressivement parce que les gens tout simplement ne veulent plus y vivre. Il y a des travaux qui sont intéressants d'un démographe de l'université autonome de Barcelone, qui s'appelle Toni Lopez, qui nous explique que le Gótico, qui est l'un des quartiers très touristiques de la ville, et bien dans ce quartier, le nombre d'habitants a baissé de 8 %, 8 % en l'espace de quatre ans, ce qui a pour effet évidemment de fermer ensuite les commerces de proximité, et de tuer, d'une certaine manière, la vie de quartier. On n'imagine pas, parfois, les effets néfastes, parce qu'on met toujours en avant bien sûr les gains économiques, mais ils sont absolument terribles, en l'occurrence pour Barcelone.

(41) AUDIO page 143, Exercice 4

a Pff... Christine ne veut jamais sortir en boîte avec nous ! Pourtant ça fait 3 fois que je l'invite !

b Et samedi dernier, à la fête de Blandine, Robin est resté dans son coin toute la soirée : il n'a pas dansé, et il n'a parlé à personne !

c Tu te rends compte ? Les voisins ont appelé la police... et il n'était qu'une heure du mat' ! Selon eux la musique était trop forte ! N'importe quoi...

d Souvent, en fait, j'ai du mal à comprendre son humour... Je ne sais jamais s'il parle sérieusement ou s'il fait des blagues...

e Quand mon ex s'est cassée la figure en entrant dans la pièce, j'avais envie de rire, mais je n'en ai rien laissé voir.

(42) AUDIO page 144, Au cœur du quotidien

Aude : Salut, ça va ? Alors ?

Marie : T'as raté quelque chose d'exceptionnel hier soir...

Aude : Ben raconte !

Marie : Ben Samantha, quand elle sort, c'est pas la même personne.

Aude : Ben pourquoi ? Mais c'est comment, là, au Puerto Habana ? J'y suis jamais allée...

Marie : Ben, c'est psychologiquement très intéressant. Alors t'as la piste de danse au milieu, sur les pourtours t'as des tables, où tu t'assois, tu picoles, et tu manges. Y a un étage où les gens regardent les gens danser.

Aude : Y avait du monde ?

Marie : Quand on est arrivés, pas grand monde et puis après, ben, ça a commencé à se remplir...

Aude : Vers 10 heures ?

Marie : Ouais, voilà, 10 heures moins le quart...

Aude : Mais ils bossent pas les gens le lendemain ? Sortir à 10 heures, franchement, en semaine ! C'est quoi, c'est des étudiants ?

Marie : Ben non, y a de tout quoi !

Aude : Des vieux comme moi ?

Marie : Ouais, le Puerto, c'est tous les âges, quoi... Donc la musique, un peu de salsa... On est arrivés, y a personne qui dansait, et en fait là-bas ça se passe que les femmes se mettent au bord de la piste, et attendent qu'un mec les invite à danser.

Aude : (ton ironique) Très moderne !

Marie : Et Samantha, qui se dégonfle pas, elle attend un petit peu et hop ! elle va demander carrément aux mecs.

Aude : Génial !

Marie : Trop bien ! Enfin, c'est pas que je l'ai pas reconnue, mais c'était cool de la voir dans un autre contexte... du coup elle a rien demandé, elle se rasseyait, et tout, elle dansait un petit peu.

Aude : Elle sait danser ?

Marie : Ah elle danse super bien ! Aurélie aussi d'ailleurs elle a dansé !

Aude : (ton de surprise) Ah ?

Marie : Et... Elisabeth, elle arrêtait pas de se trémousser.

Aude : Ah génial ! (rires)

Marie : Et alors après, on est allées toutes les 4 sur la piste danser sur des espèces de musique de merde, en mode dance floor, et c'était marrant quoi...

Aude : Vous avez picolé ou quoi ?

Marie : Euh, j'ai bu un verre de vin, et euh, les autres elles ont pris des cocas.

Aude : Ah, ça va, ça a été très... sobre.

Marie : Oui ! Mais Samantha elle avait vraiment envie de danser.

Aude : Ah oui, ben je le sais ! Bon c'est cool ! Très bien.

Marie : Et toi, t'es sortie ?

Aude : Oui, mais on a pas fini tard, c'était juste un apéro chez des potes, à la base. Moi je suis rentrée à minuit, et euh bon, c'était tranquille, j'étais complètement déshydratée, parce qu'on a bouffé de la charcuterie. Donc j'ai bu beaucoup de menthe à l'eau, en fait. J'ai très vite arrêté de boire de la bière... voilà.... non non, c'était tranquille, c'était sympa, tout le monde a un peu discuté ensemble, et puis chacun est rentré chez soi.

TRANSCRIPTIONS > documents vidéos

① VIDÉO Page 15, B : Série Quadras

Voix off : « Quadras », la comédie dramatique qui vient de débuter sur M6 met en scène le mariage de deux jeunes quadras, Agnès et Alex. Une noce secouée par les crises existentielles, disputes et dérapages des invités. Qu'en ont pensé nos trois critiques ?

Extrait - Femme : Qu'est-ce que tu veux ma chérie ?

Fille : J'ai envie de me pendre !

Le marié : Ah, ça fait plaisir, ça !

Voix off : Décor classique de la comédie : le mariage sert de point de départ à « Quadras », pour multiplier les portraits.

Marjolaine Jarry : L'idée de départ, c'est vraiment une jolie idée de pièce montée, le temps de ce mariage en quelques épisodes, on va revenir à coup de flash-back sur le destin des heureux élus, évidemment, mais aussi de tous les participants au mariage.

Benoît Lagane : On sait très bien quand on a vécu un mariage, ça a été mon cas, que c'est beaucoup de joie mais c'est aussi parfois revoir des personnes qu'on n'a pas toujours envie de revoir, et puis partager des moments qui peuvent vraiment partir en vrille.

Extrait - Femme : J'aime pas cette table : y a que des vieux et une pute russe.

Petite fille : Moi, je veux bien prendre ta place, si tu veux, mamie.

Le marié : La pute russe, c'est la belle-mère d'Agnès.

Pierre Langlais : Rien de bien neuf, rien d'hilarant dans ce cadre-là, en fait, tout va se jouer sur chacun des personnages, à savoir si oui ou non, il a une base dramatique et comique assez forte pour nous toucher.

Voix off : Si Agnès et Alex occupent le centre de l'histoire, « Quadras » développe une dizaine de personnages importants, figures là aussi stéréotypées.

Pierre Langlais : Par exemple, le personnage de la sœur de la mariée, personnage a priori stéréotypé, névrosé, qui sait pas où elle va, vieille fille, etc., eh bien ce personnage-là, grâce à la qualité de l'interprétation, et y a quelque chose qui fait que finalement, on rit, on s'attache au personnage.

Extrait - La sœur : Non mais, vous croyez que je suis là mais je suis pas là. Tu vois, j'ai mon avion dans deux jours, j'arrive à Dakar direct, et je peux te dire que là-bas, je serai en contact avec des vrais gens, qui vivent des vraies choses, qui sont pas enfermés dans des petites traditions bourgeoises à la con.

Benoît Lagane : Y a cette scène introductive où on les voit tous, les uns derrière les autres, dans leurs voitures, dans leur intimité, dans le cocon de leur voiture. Ça permet de, nous téléspectateurs, sympathiser avec eux immédiatement. Ça, c'est la grande force d'une série.

Marjolaine Jarry : Y a un vice dans ce contrat de mariage, il me semble. On a des personnages qui rient beaucoup, qui font des vannes, qui font des blagues, qui font des bons mots et qui rient à leurs blagues, alors évidemment, ça coupe toute notre envie.

Voix off : « Quadras » est une comédie dramatique qui veut aussi nous toucher en racontant les déboires intimes de ses personnages.

Benoît Lagane : C'est vraiment, je pense, les flash-back qui font la grande richesse de la série parce qu'en filmant ces mariés et leurs amis dans un autre contexte, elle tombe beaucoup moins dans le cliché et dans le stéréotype, parce que c'est dans la vie de tous les jours qu'on est, justement, plus touchant et plus entier et humain.

Pierre Langlais : Ces quarantenaires qui doutent, qui ont des problèmes de solitude, d'engagement, d'éducation de leurs enfants, et tous ces personnages-là sont censés nous faire rire autant qu'ils nous touchent. Or, s'ils nous font rire parfois, on a plus de mal à être émus pour eux.

Extrait - Myriam : Mais c'est pas bien de faire ça à Isabelle.

Marjolaine Jarry : Finalement, c'est dans ces moments-là, que la série parfois touche au drôle. Y a une séquence d'une ex qui exhale sa fumée de sa cigarette en vouant son tout nouvel ex aux gémonies, telle une

gorgone, et là, vraiment cette séquence sans parole fait mouche.

Extrait - Femme : M'en fous Myriam, c'est un bâtard, votre fils.

Voix off : C'est l'heure du verdict de Sérierama : « Quadras », coup de foudre ou comédie pas vraiment à la noce ?

Benoît Lagane : Après « Fais pas ci, fais pas ça » et « Dix pour cent », enfin une autre série qui passe le cap. « Quadras », une bonne série à regarder en famille.

Pierre Langlais : La comédie est plutôt sympathique, on sourit souvent, on rit parfois, mais côté dramatique, épaisseur des personnages et émotion, on n'y est pas encore.

Marjolaine Jarry : Ça donne des envies de comédies romantiques, enfin de fin de comédies romantiques, on a envie de débouler et puis, au dernier moment, de s'opposer à ce mariage.

② VIDÉO Page 56, B : Prélude…

Voix off : Être pansexuel, c'est grosso modo aimer le monde, tout le monde.

Debussy, dans sa jeunesse n'aime pas grand monde, prof condisciple, tout l'ennuie, selon lui les musiciens du conservatoire n'écoutent que la musique des traités savants, mais pas celle qui est inscrite dans la nature. Il choisit donc de « n'écouter les conseils de personne sinon du vent qui passe et nous raconte l'histoire du monde. » Le poème « L'après-midi d'un faune » de Mallarmé s'ouvre sur les mots : « Ces nymphes, je les veux perpétuer. »

La vocation du faune, une créature mi-homme mi-chèvre, associée au dieu Pan est donc claire, le coït c'est son affaire.

Debussy décide de composer un prélude à « L'après-midi d'un faune », censé être joué avant la lecture du poème. Et ça commence avec l'instrument pastoral par excellence : la flûte. Pendant une répétition, le flûtiste demande à Debussy, comment il doit interpréter le solo d'ouverture. Réponse : « C'est un berger qui joue de la flûte, le cul dans l'herbe. » N'empêche cette partition est aussi et surtout l'histoire éternelle du désir que la nature transpire.

Sous la chaleur écrasante du soleil, les violons sont intenses, mais paresseux. Il ne faudra pas chercher dans la musique de Debussy des illustrations premier degré : le faune qui court, les nymphes qui fuient… Non. Debussy se moque du petit labeur de la narration. Sa partition entière est construite non sur une narration linéaire et chronologique mais sur un instant, un instant seulement, dans la chaleur PANoramique s'étend au monde entier. C'est l'instant inerte où tout brûle dans l'heure fauve.

Le texte de Mallarmé fait 110 vers, la partition de Debussy, 110 mesures, à l'issu desquelles les corps se défont. « Couple, adieu : je vais voir l'ombre que tu devins. »

Lorsqu'à Paris, Nijinsky dansera sur la musique de Debussy, pour symboliser qu'il fait l'amour à la nature entière, il mimera le coït avec rien, comme quoi, parfois, dans la vie, tout ou rien, c'est la même chose.

③ VIDÉO page 78, D : Le sens du toucher

(court-métrage sans paroles)

④ VIDÉO page 84, B : Cybersécurité

Marcel Mione : Alors y a eu des attaques euh… contre TV5 Monde hein où on nous regarde peut-être, 17 heures, les écrans paralysés au noir, contre Yahoo, plusieurs centaines de millions de comptes piratés, y a eu des attaques contre le gouvernement norvégien, récemment, les gouvernements italiens, y en a tout plein, qu'est-ce que nous révèlent ces attaques ?

Solange Ghernaouti : Et bien la fragilité du monde dans lequel nous vivons et notre dépendance aux infrastructures numériques, à l'informatique et aux télécoms, et au-delà des câbles on a un certain nombre de points névralgiques d'attaque, toute cette concentration de données qu'on peut avoir dans des fournisseurs de services comme Facebook par exemple, et bien on a une attraction pour le moins criminelle, éventuellement, mais aussi par des entreprises complètement licites pour développer et exploiter ces données à des fins d'intelligence économique et puis de... de suprématie, que ce soit dans le monde politique ou dans le monde économique.

Marcel Mione : Mais à propos des attaques contre la société suisse d'armement Ruag ou Yahoo, est-ce qu'on connaît l'ampleur des dégâts ou on arrive à, à cerner l'ampleur des dégâts ?

Solange Ghernaouti : Alors il faut se rappeler aussi qu'on a mis plus d'un an pour détecter la présence de ces logiciels malveillants et de ces attaques dans le système et on peut comprendre a priori l'ampleur des données volées mais les conséquences de ce que peuvent en être faites ces données ne sont encore pas assez mesurées ou... envisagées. Donc, les conséquences à long terme peuvent être plus importantes que celles immédiatement perçues.

Marcel Mione : Et puis y a eu aussi, on en a beaucoup parlé, les intrusions de... dans le système électoral américain et puis dans le système informatique du parlement allemand... est-ce qu'on peut en déduire que les institutions démocratiques sont aujourd'hui en danger ?

Solange Ghernaouti : Mais certainement puisqu'on voit qu'avec des cyberattaques sur des systèmes mais aussi toute cette capacité de manipulation d'informations que propose Internet et cette diffusion de fausses informations, de rumeurs ou autre permet de déstabiliser des économies, des États, l'opinion publique et ce grand facteur d'influence c'est à mon avis un risque majeur pour nos démocraties et un des problèmes qu'on arrive pas du tout à évaluer et à en mesurer les conséquences à long terme.

Marcel Mione : Donc pour vous le danger de déstabilisation est aussi important que le piratage de données économiques ?

Solange Ghernaouti : Peut-être plus parce que, en tout cas, le piratage est visible directement visible et là ça porte atteinte aux processus de décision, à la manipulation de la population et des dirigeants.

Marcel Mione : Souvent... lors de ces attaques, notamment dans les élections américaines on montre du doigt Moscou, la Russie... est-ce qu'on a raison de le faire ?

Solange Ghernaouti : C'est assez facile ! Mais oui bien sûr mais il ne faudrait pas oublier tous les autres acteurs qui en ont les moyens qui sont aussi présents sur ce théâtre mondial de la désinformation et de la manipulation d'informations.

Marcel Mione : Comme ?

Solange Ghernaouti : Par exemple aussi peut-être la Chine, Israël ou d'autres acteurs puissants du cyberespace.

Marcel Mione : Est-ce qu'on arrive, d'une manière générale, à identifier les agresseurs parce que c'est ça qui est spécial un peu dans le cyberespace c'est que les agresseurs ça tire de partout mais on ne sait pas forcément qui tire ?

Solange Ghernaouti : Effectivement, c'est excessivement difficile d'attribuer l'origine d'une cyberattaque puisqu'il peut s'agir de mercenaires répartis dans le monde entier euh... ces mêmes entités qui peuvent être commanditées par les États mais peuvent passer par de multiples intermédiaires y compris techniques et géographiques et donc si il n'y a pas une revendication majeure de ces attaques, c'est difficile de... d'avec certitude d'attribuer l'origine et en fait c'est l'exploitation d'un faisceau d'informations d'un contexte particulier qui permet éventuellement de pointer le doigt sur l'un ou l'autre acteur.

Marcel Mione : Mais si on ne connaît pas les agresseurs est-ce qu'on peut riposter ?

Solange Ghernaouti : C'est un des grands... problèmes du cyberespace et c'est pour ça que c'est aussi efficace cette intimidation, ces capacités de déstabilisation puisque la riposte va être difficile à effectuer sans se tromper de cible et sans passer aussi peut-être par des infrastructures alliées qui... puisque du fait de ces nombreux intermédiaires techniques.

Marcel Mione : On a évoqué au début de cette émission le cyberterrorisme, est-ce que c'est un danger selon vous qui est euh... sous-estimé ?

Solange Ghernaouti : Euh peut-être, mais je crois qu'on sous-estime surtout c'est le terrorisme économique qui peut se réaliser au travers de l'Internet justement par du vol d'informations, des atteintes à la réputation des entreprises donc cette grande concurrence mondiale est favorisée par l'interconnexion des systèmes et par la présence de l'Internet.

Marcel Mione : Dans ce cyberespace, on a un peu le sentiment sans frontières, on évolue sans règles sans frontières, est-ce qu'il faudrait pas finalement, vous et nous, mettre de l'ordre comme on l'a fait par exemple en signant des traités internationaux sur les missiles ou sur le désarmement nucléaire, c'est ce que vous suggérez je crois.

Solange Ghernaouti : Effectivement, on est en train de bâtir un cyberespace euh un écosystème numérique qui est global, qui est mondialisé, qui est partagé par un ensemble d'acteurs étatiques, privés euh et aussi criminels et terroristes, donc il faut pouvoir le réguler à un moment donné ou un autre, pour de la même façon qu'on a régulé l'usage des mers avec des eaux territoriales, des eaux... des pôles, il faut pouvoir se partager ce bien commun que nous sommes en train de construire, en revanche en sachant que ce bien commun appartient à certaines entités qui maîtrisent les infrastructures et y compris les infrastructures physiques.

Marcel Mione : Merci, on va terminer là-dessus. Merci, c'était un plaisir de vous recevoir sur le plateau de « Géopolitis », à bientôt.

Solange Ghernaouti : Merci.

Gallo M - www.agefotostock.com, **66 (d)** photobeginner - stock.adobe.com - Fotolia.com, **66 (md)** Jerry BAUER/Opale/Leemage, **67** Ex machina, 2015 - Réal. : Alex Garland, avec : Alicia Vidanker. - Collection Christophel © DNA Films / Film4, **68** Kosmur - DeviantArt, **69** artinspiring - Fotolia.com, **70 (bg)** wildpixel/iStockphoto, **70 (hd)** Mondolithic Studios/Novapix/Leemage, **71 (bd)** Charles Platiau/Reuters, **71 (hd)** chombosan/Alamy, **73** NLshop/GettyImages, **74 (bd)** Ed Uthman, **74 (hd)** akg-images/Imagno, **74 (hm)** photo © Château de Versailles, Dist. RMN-Grand Palais / Didier Saulnier, **74 (hd)** FineArtImages/Leemage, **75** Catherine Ledner/GettyImages, **76 (bd)** Philippe Halle/123rf, La fontaine Stravinski, l'amour, de Niki de Saint Phalle et Jean Tinguely © Niki Charitable Art Foundation/Adagp,Paris 2018 **76 (hd)** antonioiacobelli/RoonM/GettyImages, **77 (bd)** NLshop/iStockphoto, **77 (hd)** ioseph/Vetta/GettyImages, **78 (bd)** Film : Le sens du toucher - Réalisateur : Jean-Charles Mbotti Malolo - © 2014 Folimage Studio - La Fabrique Production - Nadasdy Film, **78 (hd)** Jikaboom/iStock/GettyImages, **79** NLshop/GettyImages, **80 (hd)** Rocco Baviera/Ikon Images/Photononstop, **80 (hd)** PJPhoto69/Thinkstock, **80 (a)** Photo (C) Paris - Musée de l'Armée, Dist. RMN-Grand Palais / image musée de l'Armée, **80** track5/Vetta/GettyImages, **81** Thongsuk - stock.adobe.com - Fotolia.com, **82** Lee Woodgate/Ikon Images/GettyImages, **83** Planet Flem/Digital Vison Vectors/GettyImages, **84 (hd)** Shanina/Digital Vison Vectors/GettyImages, **84 (mg)** BillionPhotos.com - stock.adobe.com - Fotolia.com, **84 (mg)** Geopolitis (05.03.2017) Version audio de l'interview 2/2: Solange Ghernaouti, experte en cybersécurité - professeure HEC Université de Lausanne © RTS Radio Télévision Suisse, **85** Colin Anderson/Blend Images/GettyImages, **86 (b)** Photo (C) Paris - Musée de l'Armée, Dist. RMN-Grand Palais / Fanny Reynaud, **86 (c)** Lux-in-Fine/Leemage, **86 (c)** Photo (C) Paris - Musée de l'Armée, Dist. RMN-Grand Palais / Emilie Cambier, **86 (hd)** https://forum.artinvestment.ru/blog.php?b=273473&langid=5, **87** verity jane smithe - GettyImages, **88** Timur Emek/GettyImages, **89** «Guillemette Faure & Marion Duclos, « Victimes de la mode », Topo, n°7, sept-oct 2017 (p. 94)», **90 (bm)** track5/GettyImages, **90 (hd)** Brais Deara/GettyImages, **92 (bd)** Boris Lipnitzki/Roger-Viollet, **92 (hd)** Hubert Boesl/DPA/Picture Alliance/Leemage, **92 (hm)** Yves Saint Laurent Drawing on Blackboard Models, November 16, 1957 (photo) / Photo © AGIP / Bridgeman Images, **93** Igor Stevanovic/Alamy Stock Photo, **94** Colin Anderson/Blend Images/GettyImages, **95** L'influence de la publicité par Boris, **96** Marta Nascimento/REA, **98 (hd)** Honoré-Iconovox, **98 (md)** SIphotography/iStockphoto, **99** Artur Debat - GettyImages, **100** Subha Jumaal Saaba Saidin/EyeEm/GettyImages, **101 (bm)** 12 jours, 2017 - Réalisation : Raymond Depardon - Collection Christophel © Palmeraie et Désert, **101 (hd)** Caiaimage/Rafal Rodzoch/GettyImages, **102** Francesco Carta/GettyImages, **103** Tara Moore/GettyImages, **104 (bg)** La folie des grandeurs, 1973 - Réalisation : Gérard Oury - Collection Christophel © Gaumont international, **104 (bg)** Pierrot le fou - Collection Christophel © George Pierre © René Ferracci/Adagp Paris 2018, **104 (bm)** La cage aux folles, 1978 - Réalisation : Edouard Molinaro, avec : Ugo Tognazzi - Michel Serrault - Collection Christophel © DA MA Produzione / Les Productions Artistes Associes, **104 (d1)** www.bridgemanimages.com, **104 (d2)** Costa/Leemage, **104 (d3)** Selva/Leemage, **104 (d4)** akg-images, **104 (g1)** Instants - iStockphoto, **104 (g2)** kovaleva_ka - stock.adobe.com - Fotolia.com, **105** Westend61 - GettyImages, **106** Gazette Debout, le journal de Nuit Debout, **107 (bm)** Cambon - Iconovox, **107 (hd)** zakokor/Istock/GettyImages, **108** yulkapopkova/Vetta/GettyImages, **109** pchyburrs/RooM/GettyImages, **110 (hd)** On est bien © Voutch, **110 (md)** filistimlyanin/Thinkstock, **111** sturti/GettyImages, **112** Fanatic Studio/GettyImages, **113** Cambon - Iconovox, **114 (bg)** Photographee.eu - stock.adobe.com - Fotolia.com, **114 (hd)** Christian Mueller - iStockphoto, **116 (a)** La loi du marche, 2015 - Réalisation : Stephane Brize - Collection Christophel © Nord Ouest Productions / Arte France Cinéma, **116 (b)** Merci Patron, 2016 - Réalisation : Francois Ruffi - Collection Christophel © Jour2Fete / Mille et une production / Fakir, **116 (c)** Corporate, 2017 - Réalisation : Nicolas Silhol, avec : Celine Sallette - Lambert Wilson - Collection Christophel © Kazak Productions, **116 (d)** Crash test Aglae, 2017 - Réalisation : Eric Gravel - Collection Christophel © Novoprod, **117** Westend61/GettyImages, **118** Martin Barraud/GettyImages, **119** Adam Hester/GettyImages, **120** SrdjanPav/GettyImages, **122 (hd)** Catherine Beaunez - Iconovox, **122 (hd)** WavebreakmediaMicro - stock.adobe.com - Fotolia.com, **123** Gregoria Gregoriou Crowe fine art and creative photography/GettyImages, **123** Emma Innocenti/GettyImages, **124** CLFortin/iStochphoto, **124** «La Dernière leçon», 2015, Réal. Pascale Pouzadoux avec Antoine Duléry, Sandrine Bonnaire, Marthe Villalonga/Collection Christophel © Fantaisie Film / Jean Marie Leroy, **127** La dernière leçon de Noëlle Châtelet © Point, **128** Thomas Barwick/DigitalVision/GettyImages, **130 (bd)** IgorZakowski/Thinkstock, **130 (mg)** Spaarnestad Photo / Bridgeman Images, **131** PeopleImages/GettyImages, **132** DrAfter123/GettyImages, **133** Sirinapa Wannapat/EyeEm/GettyImages, **134 (bd)** Westend61/GettyImages, **134 (hm)** FilippoBacci/GettyImages, **135 (bg)** Electra K. Vasileiadou/GettyImages, **135 (hd)** Vizerskaya/GettyImages, **136 (hd)** Bowie 1 - iStockphoto, **136 (mg)** Bowie1 - Fotolia.com, **137** SIphotography - iStockphoto, **138 (bm)** macrovector - 123rf, **138 (hg)** Ilse RUPPERT/Opale/Leemage, **139** VM/GettyImages, **140** Laurent Dambreville:EyeEm/GettyImages, **141 (bm)** PhotoAlto/Sigrid Olsson/GettyImages, **142 (bg)** AFP Photo/QUIQUE GARCIA, **142 (hg)** RENAULT Philippe/hemis.fr, **142 (md)** COLIN Matthieu/hemis.fr, **144 (hd)** Deligne - Iconovox, **144 (md)** vladimirfloyd - Fotolia.com.

Références des textes
12 et 13 A chacun sa tactique, Quel fan de séries êtes-vous ? © Télérama, n°3522, 12/07/17 - Cécile Mury, Isabelle Poitte, Pierre Langlais, Sébastien Mauge, **20** L'éducation aux médias : une urgence contre la radicalisation cognitive des jeunes, Article du 14 février 2017 - par Séraphin Alava, Professeur des Universités, Université Toulouse – Jean Jaurè, **32** Comment devenir un athlète de la mémoire - Article du 8 mars 2017, par Florence Rosier © letemps.ch, **33** Le «Palais de la mémoire», une technique pour tout retenir - par Iris Joussen, 9 janvier 2017, **40** Romain Gary, Au-delà de cette limite votre ticket n'est plus valable, © Editions Gallimard, **46 et 47** Famille, la fin du modèle unique par Martine Segalen, Sciences Humaines n°277 - janvier 2016, **54 et 55** Du non au ouï...avec deux points levés par Camille © le1hebdo, n°163 juillet 2017, **60** Jean-Paul Sartre, Les Mots, © Editions Gallimard, **62** Une bibliothèque de possibles par Carole Martinez, © le1hebdo, n°163 juillet 2017, **68** Transhumanisme versus bioconservateurs par Laurent Alexandre © Presses de Sciences Po, **69** Google ne contrôle pas encore le monde», le 5 janvier 2016, par Pierre Belmont, Journaliste, fondateur de Nom de Zeus, **83** À quoi ressemblent les nouvelles guerres ? Par Frédéric Ramel, Sciences Humaines Hors-série Les Essentiels n°1, mars-avril 2017, **88** La lettre de Sophie Fontanel aux lookés, magazineantidote.com, **94 et 95** Quand la philosophie antique aide à décrypter nos façons de consommer - Par Benoit Heilbrunn, La Tribune du 9 février 2017, **100** Un architecte chez les fous - Joan, l'animateur du site Internet Comme des fous, 20 mai 2017, **101** Et si une solution était la psychiatrie citoyenne ? - par Laurence Dardenne, La Libre.be du 10 octobre 2017, **106 et 107** Les rêves (2/2) : Rêver d'un monde meilleur, ou agir pour lui ? - Miguel SHEMA, France Culture du 23/3/2016, **112 et 113** Pour ou contre le revenu universel ? © le1hebdo, n°139 janvier 2017, **118 et 119** Comment rendre la ville aux femmes ?, Le Monde idées, le 3 septembre 2017, Propos recueillis par Feriel Alouti, **126 et 127** C'était une sage-femme par Noëlle Châtelet © le1hebdo, novembre 2015, **132 et 133** Quand les émotions nous mènent par le bout du nez - Article du 8 mai 2017, par Julie Rambal © letemps.ch.

Références des audios
Thème 2 Grand bien vous fasse ! - mercredi 22 mars 2017 - Comment détourner les élèves des théories du complot ? © France Inter - Intervenants : Thomas Huchon, journaliste, site Spicee - François Da Rocha, prof d'histoire-géo au lycée Jean-Moulin de Roubaix, vice-président de l'Association des Professeurs d'Histoire-Géographie (APHG) - Christophe Bourseiller, journaliste - Azania Cerito et Asma M'Barki, élèves au collège Pierre de Geyter à Saint Denis, **Thème 3** On va déguster - dimanche 2 avril 2017 - Comment changer notre relation au steack © France Inter - Intervenants : Franck Ribière et Pascal Grosdoit, gérant de l'entreprise SAS GROSDOIT, **Thème 4** Grand bien vous fasse ! - lundi 15 mai 2017 - quelques pistes pour entretenir sa mémoire © France Inter - Intervenants : Emmanuelle Giuliani journaliste La Croix - Stéphane Epelbaum, neurologue - Partenariat Santé Magazine Aline Perraudin, **Thème 5** Mélanger l'amour, le sexe et l'amitié : un exercice pas toujours facile © Radio Canada, **Thème 6** Grand bien vous fasse ! - mercredi 17 mai 2017 - Ce que transmettent les grands-parents de notre époque © France Inter - intervenants : Serge Guérin, Directeur du MSc "Directeur des établissements de santé", Inseec Paris : Dernières publications : La Silver économie, La Charte, 2018 - La guerre des générations aura-t-elle lieu ?, Calmann-Lévy, 2017 - Silver Génération, Michalon, 2015 et Patrick Avrane, auteur de Les Grands-parents, une affaire de famille, PUF, 2017, **Thème 8** Jean-Paul Sartre, Les Mots, Lu par Michel Bouquet © Editions Gallimard (texte réenregistré), **Thème 9** L'invité d'ali baddou - vendredi 20 octobre 2017 - Yann Le Cun : "Ce qui manque aux machines [pour dépasser l'homme], c'est l'intelligence générale" © France Inter - Intervenant : Yann LeCun, Expert en intelligence artificielle et vision artificielle, **Thème 10** Autour de la Question : Pourquoi la civilisation des odeurs ?, Par Sophie Joubert - Diffusion : vendredi 20 octobre 201 © RFI, **Thème 11** Géopolitis de 05 mars 2017 - L'interview 2/2: Solange Ghernaouti, experte en cybersécurité - professeure HEC Université de Lausanne © RTS - Radio Télévision Suisse, **Thème 12** Social Lab du dimanche 18 mars 2018 par Valère Corréard, la fast-fashion © France Inter - Intervenant : Emmanuelle Vibert, Journaliste, **Thème 13** La petite Philo - jeudi 4 mai 2017 - Et si, pour consommer moins, on supprimait la pub ? © France Inter, **Thème 14** Les Discussions du soir avec René Frydman - 14 février 2017 - La folie, un peu, beaucoup, passionnément : menace sur la psychiatrie publique - Intervenant : Yves Buin, médecin, psychiatre, écrivain, **Thème 15** Priorité Santé : Interpréter ses rêves (rediffusion), Par Claire Hédon - Diffusion : mercredi 2 août 2017 © RFI, **Thème 16** 7 milliards de Voisins : Ubérisation : nouveau terreau des travailleurs pauvres?, Par Charlie Dupiot - Diffusion : mercredi 12 juillet 2017 © RFI, **Thème 17** 7 milliards de Voisins : Féminisme : la virilité est-elle mise à mal ?, Par Charlie Dupiot - Diffusion : lundi 10 juillet 2017 © RFI, **Thème 18** Demain la veille - dimanche 5 février 2017 - L'égalité par l'utérus artificiel ? © France Inter - Intervenants : Le professeur René Frydman, gynécologue, obstétricien, spécialiste de procréation médicalement assisté - Christine Castelain-Meunier, chercheuse au CNRS spécialiste de la famille, de la parentalité et du masculin., **Thème 19** Priorité Santé : Les émotions, Par Claire Hédon - Diffusion : lundi 13 février 2017 © RFI, **Thème 20** Cultures Monde - 1er mars 2017 - De Berlin à Barcelone : entre contre-culture et politiques touristiques © France Culture - Intervenant : Dominique Crozat, géographe, responsable de Master à l'Université Paul Valéry de Montpellier, Thème dalf co 7 milliards de Voisins : Nos ancêtres étaient-ils plus heureux, Par Charlie Dupiot - Diffusion : mardi 7 novembre 2017 © RFI, Thème dalf co Aujourd'hui l'Economie : Paris rallie des soutiens pour taxer les géants de la Silicon Valley, Par Nicolas Champeaux - Diffusion : lundi 18 septembre 2017 © RFI, Thème dalf co Chronique des Médias : La folie des séries dans le monde, Par Amaury de Rochegonde - Diffusion : samedi 1 juillet 2017 © RFI

Références des vidéos
Thème 1, Sérierama, le débat des critiques séries : "Quadras", mariage et dérapages par Pierrick Allain, © Télérama, le 25/09/2017, **Thème 7**, Je Sais Pas Vous : Prélude à l'après-midi d'un faune de Debussy © RTBF Sonuma, **Thème 10**, Le sens du toucher, Réalisateur : Jean-Charles Mbotti Malolo © 2014 Folimage Studio - La Fabrique Production - Nadasdy Film, **Thème 11**, Geopolitis (05.03.2017) Version audio de l'interview 2/2: Solange Ghernaouti, experte en cybersécurité - professeure HEC Université de Lausanne © RTS Radio Télévision Suisse - Références des images: Denis Balibouse/Reuters; Bits and Splits - Fotolia.com; Best-Backgrounds - Shutterstock ; Minerva Studio - Shutterstock; Kevin Lamarque/Reuters; © Norse; Kacpel Pempel/Reuters; Kacpel Pempel/Reuters; trahko - Fotolia.com.